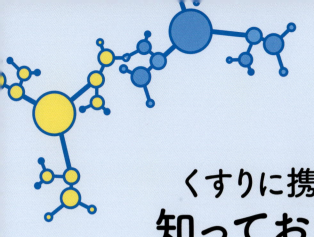

第2版

くすりに携わるなら
知っておきたい！

医薬品の化学

［著］高橋秀依・夏苅英昭

じほう

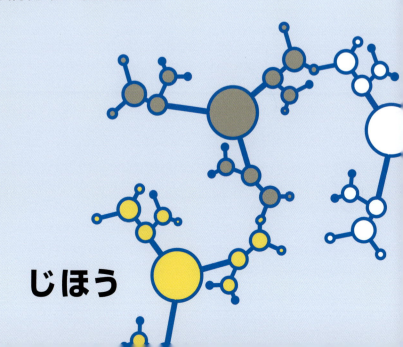

はじめに（第2版用）

　本書の初版は，2019年12月に上梓され，3年が経過した。お陰様で，くすりに携わる多くの皆様にお読みいただいたことに感謝しています。創薬科学の分野は日々変化・進歩しており，この3年間にも多数の新薬が上市された。また，初版の発刊と同時に，新型コロナ感染症（COVID-19）が蔓延するという事態になり，医薬品の重要さが改めて認識された。

　第2版の本書では，特に第Ⅲ部の内容を中心にアップデートしている。例えば，この3年間に上市された特徴ある話題の新薬［糖尿病の新薬（GIP/GLP-1薬：マンジャロ®，ビグアナイド系薬：ツイミーグ®）や重水素化医薬品の新薬（乾癬症治療薬：ソーティクツ®）］を加えた。併せて，新たに「コロナ禍における医薬品開発」の項目を加え，COVID-19の治療薬・ワクチン類，およびファイザー社の新薬パキロビッド®パックの驚異的なスピードで開発に至った経緯を紹介した。また，これらの開発にともなって変化した医薬品業界の新たな姿も述べた。さらに，初版の第Ⅰ部で紹介した有機触媒，生体直交型反応はノーベル化学賞の受賞対象になったので関連記事を追記・修正した。

　初版に続き，第2版もぜひご覧になっていただき，「医薬品の化学」の参考書として活用していただきたいと願っている。

　最後に，第2版の作成にあたり，多大なお力添えをいただいた橋都なほみ様，矢部正樹様に深く感謝いたします。

2023年3月

高橋秀依，夏苅英昭

はじめに

　研究者は，自分の専門についてはいくらでも語れるが，他の分野のことがらについては
ほとんどわからない，ということがままある。5年ほど前，知り合いの薬剤学の先生の教
授室で茶飲み話をした時に，有機化学に関するとても基礎的な（おそらく，薬学部の1年
生でも答えられるような）質問を受けて絶句したことがある。もしかしたら，創薬化学・
有機化学を専門とする筆者らが当たり前と思っているのに，他の分野の先生方には全然わ
からないことって意外と多いのかもしれない。幅広い分野について総合的な理解が求めら
れる薬学の世界では，異分野の先生方にも理解できるような，やさしい表現のしかたで創
薬化学や有機化学を語ることが必要ではないか？　と考えるようになった。ちょうどその
頃，株式会社じほうの月刊誌「PHARM TECH JAPAN」編集部からお誘いを受け，図々
しくも連載「薬剤系研究者が使える！有機化学」を始めさせていただくことになった。

　当初は，くだんの薬剤学の先生を念頭において基礎的な有機化学をいかにして理解して
いただくか，という姿勢で筆を進めていたが，最近の創薬・新薬の話題など，次第により
幅広い題材を扱うようになり，気づけば足掛け4年(48回)の連載となっていた。月に1回
の連載というのは楽しくもあり，重荷でもあったが，怠惰な筆者らにとっては，改めて勉
強することの楽しさを思い出させてくれる貴重な機会でもあった。この度，本連載を纏め
させていただくことになり，皆さまが手に取ってくださっているこの本「くすりに携わる
なら知っておきたい！医薬品の化学」が形になった。

　本書は，第Ⅰ部「医薬品を支える有機化学」，第Ⅱ部「創薬を目指す医薬品化学」，第Ⅲ
部「最近の創薬に思う」の三部構成である。それぞれを独立して読むことができるので，
まずは，関心のあるところから目を通していただきたい。研究者だけでなく，薬剤師の先
生方，学生さん，その他，くすりに関わる仕事をされているすべての皆さんにとって興味
深い内容が詰まっている本になったのではないかと思う。

　本書の中にもしばしば登場するが，薬学を取り巻く状況は決して明るくない。製薬企業
にしても大学にしても，もちろん，病院や薬局においても，10年後，20年後，いったいど
うなっているのだろう？　若い人の将来は大丈夫なのだろうか？　と思う。愚痴ったりぼ
やいたりしても状況は変えられない。1つの方策として，薬学に関わる全ての人がお互い
の分野を尊重し，理解し合い，みんなでこの難局を乗り越えていくことが重要ではないだ
ろうか。本書は，創薬化学・有機化学の側からのアプローチであり，これがきっかけとなっ
てくれたら，と願う。いつかまた，別の分野から私たちが全く知らないことをやさしく語っ
てくれる本が出てくることを期待したい。

　最後に，連載の最初から書籍化に至るまで叱咤激励してくださった橋都なほみ様，拙い
文章を根気よく直してくださった小野寺扶美子様に深く感謝いたします。また，原稿の査
読を引き受けてくださった多くの先生方，励ましの言葉をかけてくださった多くの読者の
皆様に心からお礼申し上げます。

2019年12月

高橋秀依，夏苅英昭

CONTENTS

第Ⅰ部　医薬品を支える有機化学　　1

第1章　ココがわかれば有機化学は簡単！　　3

1．アミンはなぜ塩基性を示すのか？　　3

2．アミドの窒素はなぜ塩基性を示さないのか？　　9

3．ヒドロキシ基のさまざまな性質：
カルボン酸，フェノールはなぜアルコールよりも強い酸になるのか？　　14

4．曲がった矢印と化学反応　　19

5．カルボニル基の化学(1)：
イミンの生成反応とイミンが関与する生体内反応　　23

6．カルボニル基の化学(2)：アミド・エステル結合の形成反応　　28

7．キラリティーを学ぼう　　35

8．タンパク質・ペプチド・アミノ酸の化学　　40

9．糖化学へのお誘い　　47

10．水素結合，電気陰性度とはなんだろう？　　54

11．生体内で起きている酸化・還元の化学　　59

第2章　有機化学は役に立つ！　　67

1．ノーベル化学賞と有機合成　　67

2．鈴木-宮浦カップリングと医薬品創製　　73

3．光化学反応を勉強しよう！(1)　　79

4．光化学反応を勉強しよう！(2)　　84

5．時代は回る：有機分子触媒(2021年ノーベル化学賞)　　89

6．セルロースはなぜ水に溶けないの？　　94

7．シクロデキストリンの化学　　99

8．生体直交型反応とクリック反応(2022年ノーベル化学賞)　　105

第Ⅱ部　創薬を目指す医薬品化学　　115

第1章　知っておきたい！医薬品化学の基礎 ……117

1．医薬品と生体内標的分子の間に働く力 ……117

2．ドラッグデザインの基礎知識—ファーマコフォア，バイオアイソスター— ……123

3．薬物の物性改善の実際 ……128

4．酵素反応の仕組み（1）：触媒反応の有機化学 ……133

5．酵素反応の仕組み（2）：プロテアーゼ阻害薬の創製へ ……139

6．補酵素：機能と化学 ……144

第2章　医薬品はサイエンスの結晶 ……151

1．なぜ，フッ素は医薬品に活用されるのか？ ……151

2．薬物代謝を有機化学で考える ……157

3．グレープフルーツジュースの謎 ……163

4．プロトンポンプ インヒビターはプロドラッグではないのか？ ……167

5．キラルスイッチ医薬品を考える ……171

6．くすりの効くかたち：軸不斉と医薬品 ……176

7．添加剤を構造式で考える ……181

8．スルホンアミド構造と医薬品 ……187

9．β-ラクタム系抗菌薬の化学 ……192

10．セレンディピティとベンゾジアゼピン系薬剤 ……198

11．ロタキサンを医薬に活かす ……203

12．二次元世界からの脱出？ ……208

第Ⅲ部　最近の創薬に思う　　217

第1章　新薬と創薬の話題 219

1．史上初の重水素化医薬品 219

2．ホウ素を含む4つの新医薬品 224

3．糖尿病治療薬(1)：
SGLT 2 阻害薬とインクレチン関連薬 229

4．糖尿病治療薬(2)：GLP-1 アナログの進歩 240

5．核酸医薬品を支える化学 245

6．ADC：抗体―薬物複合体 249

第2章　創薬を取り巻く環境 257

1．創薬で思うこと(1)：世界および国内の医薬品市場，
ハーボニー®とレブラミド® 257

2．創薬で思うこと(2)：リリカ®とテクフィデラ® 264

3．医薬品開発の現状：ブロックバスター vs ニッチバスター 269

4．なんで低分子じゃダメなんだろう？ 271

5．コロナ禍における医薬品開発 276

第Ⅰ部

医薬品を支える有機化学

第1章 ココがわかれば有機化学は簡単！

第2章 有機化学は役に立つ！

第1章　ココがわかれば有機化学は簡単！

1．アミンはなぜ塩基性を示すのか？

はじめに

　医薬品として用いられる有機化合物の分子において，酸性を示すか，塩基性を示すかは重要な物性の1つである．分子の酸性・塩基性は，医薬品の効果が現れる機構だけでなく，溶解性や体内動態にも関わる．また，生体内において頻繁に起こっている反応の1つがプロトン（H$^+$）の受け渡しが起こる酸塩基反応である．ここでは，化合物の酸性および塩基性とはどういう性質なのか？　アミンはなぜ塩基性を示すのか？　塩基性の強弱を決める要因は何か？　などを概説する．有機化学の初歩的な内容であるが，学び直しとして読んでいただければ幸いである．

1．酸および塩基

　酸および塩基についての考え方は，アレニウス（Arrhenius）の定義，ブレンステッド・ローリー（Brønsted-Lowry）の定義，そして，ルイス（Lewis）の定義と移り変わってきた．アレニウスの定義では，酸はプロトン（H$^+$）を放出する物質であり，塩基は水酸化物イオン（OH$^-$）を放出する物質とされた（**図1-1**）．

　しかし，この定義は一般性が十分ではなく，次にブレンステッド・ローリーの定義が考え出された．これは，プロトン（H$^+$）の受け渡しに着目したもので，プロトンを与える化合物を酸，受け取る化合物を塩基として定義した（**図1-2**）．この定義はプロトンをもつすべての化合物について酸および塩基を定義することができ，水溶液中の反応だけでなく，気相での反応にも適用され得る．**図1-2**において，右辺には，H-ClからH$^+$を失ってできたCl$^-$と，H$^+$を受け取ってできたH$_3$O$^+$があるが，右辺から左辺に向かう反応を考えるときは，Cl$^-$はH$^+$を受け取るので塩基と考えられ，HClの共役塩基と呼ばれる．一方，

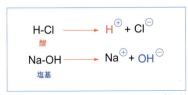

図1-1　アレニウスの酸および塩基

図1-2　ブレンステッド・ローリーの酸および塩基

H₃O⁺はH⁺を与えるので酸と考えられ，水(H₂O)の共役酸と呼ばれる。

続いて，さらに広く適用できるルイスの定義が考えられた。これは電子対の受け渡しに着目した定義であり，電子対を受け取る化合物を酸，与える化合物を塩基として定義した(図1-3)。この定義は，図1-3で示したようにプロトンをもたない化合物にも適用できる。化学反応の多くが電子対の移動による結合の生成あるいは切断を伴うため，どのように結合が生成し，また切断されるかを表すのに適している。

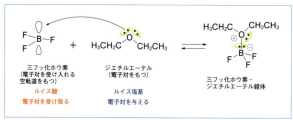

図1-3　ルイスの酸および塩基
曲がった矢印は電子が動く方向を示す。
（矢印の方向についてはP.19参照）

医薬品の物性の理解のためには，プロトン(H⁺)の受け渡しが起こる酸塩基反応が重要であるので，一般的にはブレンステッド・ローリーの定義をもとにする考え方が受け入れやすいであろう。

2．酸解離定数K_aとpK_a

酸性度（あるいは塩基性度）を表す指標として，酸解離定数K_aとpK_a（＝－logK_a）の値が用いられる。酸(HA)の強さは，塩基を水(H₂O)としたときの酸塩基の平衡反応の式(図1-4)において，図1-5の式1で与えられる平衡定数(酸解離定数K_a)によって表される。

$$HA + H_2O \rightleftharpoons A^- + H_3O^+$$

酸　　　塩基　　　共役塩基　共役酸

平衡が右辺に偏るものほど酸性が高い

図1-4　酸と塩基の平衡反応

$$K_a = \frac{[H_3O^+][A^-]}{[HA]} \quad \text{(式1)}$$

$$pK_a = -\log K_a = -\log\frac{[H_3O^+][A^-]}{[HA]} \quad \text{(式2)}$$

図1-5　酸解離定数(K_a)とpK_a

酸性が高いと平衡が右辺に偏るので，酸解離定数K_aは大きくなる。一方，酸性が低いと平衡が左辺に偏るので，酸解離定数K_aは小さくなる。有機化合物のもつ酸解離定数K_aは非常に幅広く，約10^{15}から約10^{-60}までに至るため，酸解離定数K_aのみを用いて酸性度を比べるのはたいへんである。そこで，酸解離定数K_aの常用対数に負の符号をつけたpK_aを用いるのが一般的である（図1-5，式2）。酸性度が高いほどK_aの値が大きく，pK_aの値は小さい。反対に，酸性度が低いほどK_aの値が小さく，pK_aの値は大きい。

3．アミンの塩基性

(1) アミンが塩基性を示す要因：非共有電子対

　窒素原子に1つあるいは複数個のアルキル基あるいはアリール基などが置換した化合物を広くアミンと総称する。アミンは一般に塩基性および求核性を示し，生体成分，食品，医薬品中に広く見出され，重要な生命機能や薬理活性の発現と制御に深く関与している。アミンは一般に塩基性を示すが，その塩基性は何に起因するか，強弱は何によって決められるかを，以下に概説する。

　はじめに，アミンを構成する窒素原子の電子配置を復習する（図1-6）。基底状態の窒素原子の最外殻軌道には2s軌道に2個，2p軌道に3個の合計5個の電子が存在している（図1-6左）。アンモニアあるいはアミン類（アンモニアの水素原子がほかの原子で置換）の場合には，5個の電子が新たに等価な4個の軌道に再編成（sp³混成軌道という）されて配置される。このsp³混成軌道のうち3個の軌道には共有結合に使われる電子が1個ずつ配置され，1個の軌道には結合に使われない2個の電子（非共有電子対あるいは孤立電子対ともいう）が存在する（図1-6右）。したがって，アンモニアあるいはアミン類は図1-7に示すような立体構造をとることになる。アミンの塩基性はこの窒素原子の非共

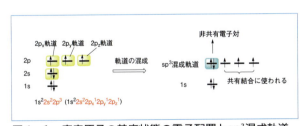

図1-6　窒素原子の基底状態の電子配置とsp³混成軌道

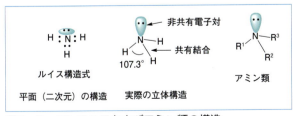

図1-7　アンモニアおよびアミン類の構造

有電子対によってもたらされる。

(2) アンモニアとアルキルアミンの塩基性

　アンモニアの水溶液は塩基性を示す。これは、アンモニアの窒素原子上の非共有電子対が水からプロトンを受け取り、水酸化物イオン（OH⁻）を遊離するためである（図1-8）。第1項の酸および塩基の定義によれば、アンモニアは水溶液中で、水酸化物イオン（OH⁻）を放出するので塩基（アレニウスの定義）といえる。また、水（H₂O）からプロトンを受け取るので塩基（ブレンステッド・ローリーの定義）といえる。あるいは、窒素の電子対を水の水素原子に与える（ルイスの定義）ので塩基性を示す、として説明できる。

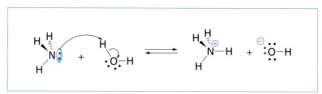

図1-8　アンモニアの塩基性

　アミンも同様に塩基性を示すが、その塩基としての強さは窒素上の置換基に依存する（図1-9）。塩基性度に差が生じる要因は何であろうか？　アミンの塩基性には、窒素の非共有電子対の電子密度が関わっている。アミンの塩基性度については、その共役酸の酸性度pK_a値を比較する方法が用いられる[1]。厳密にいえばpK_aの値は酸性度の指標であるので、塩基性度を示す値として用いるのは適当ではないが、図1-9の平衡反応で右辺から左辺への反応を考えて、共役酸からのプロトンのはずれやすさを指標とする。すなわち、アミンがプロトン化された共役酸の酸性度pK_aを比較し、酸性度のより高い（＝pK_aの値がより小さい＝プロトンがはずれやすい）アミンはより塩基性が低いと考える。逆に酸性度が低い（＝pK_aの値がより大きい）場合は、アミンはプロトンと強く結合しており塩基性は高い。図1-10にアミン類の共役酸のpK_aを示す。例えば、アンモニアの共役酸（NH₄⁺）はpK_aが9.2であり、メチルアミンの共役酸（CH₃NH₃⁺）はpK_aが10.6である。したがって、共役酸としてはアンモニアのほうがメチルアミンよりも10倍以上強い酸であるため、元のアミンの塩基性度としてはアンモニアのほうがメチルアミンより低いことになる。

　このように塩基性度に差が生じる要因は何であろうか？　アミンの塩基性には、窒素の非共有電子対の電子密度が関わっている。窒素の置換基から電子が窒素原子に流れ込んで

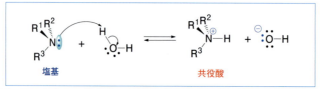

図1-9　アミンの塩基性：置換基（R¹, R², R³）により強弱が異なる

窒素原子の非共有電子対の電子密度が
上がれば塩基性が高くなり，反対に置
換基のほうに電子が引き寄せられ窒素
原子の非共有電子対の電子密度が下が
れば塩基性が低くなる。

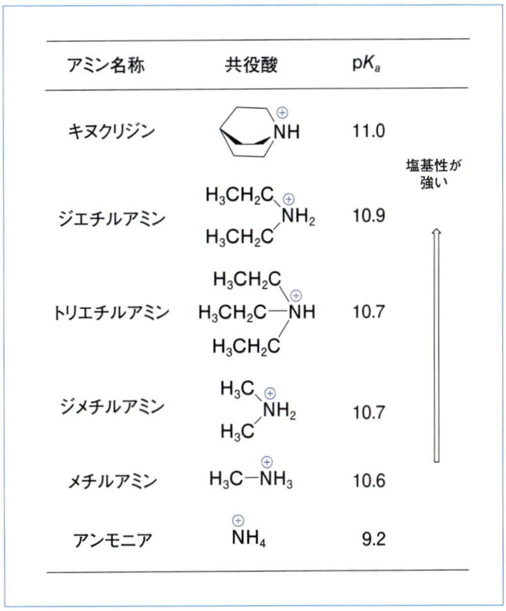

　図1-10に示したように，アンモニア，
メチルアミン，ジメチルアミンの順に，
窒素原子に結合するメチル基の数が多
いほど塩基性が強くなっている。これ
は，電子供与性の性質をもつメチル基
から電子がC-N単結合（σ結合）を経て
窒素原子に流れ込み，窒素上の非共有
電子対の電子密度が上がるためである。
電子を供与する性質はエチル基がより
強いので，ジエチルアミンではさらに
塩基性が強くなっている（共役酸のpK$_a$
10.9）。しかし，さらにエチル基が増

アミン名称	共役酸	pK$_a$
キヌクリジン	$\overset{\oplus}{N}H$	11.0
ジエチルアミン	H_3CH_2C $\overset{\oplus}{N}H_2$ H_3CH_2C	10.9
トリエチルアミン	H_3CH_2C $H_3CH_2C-\overset{\oplus}{N}H$ H_3CH_2C	10.7
ジメチルアミン	H_3C $\overset{\oplus}{N}H_2$ H_3C	10.7
メチルアミン	$H_3C-\overset{\oplus}{N}H_3$	10.6
アンモニア	$\overset{\oplus}{N}H_4$	9.2

塩基性が
強い ↑

図1-10　アンモニアとアルキルアミン類の
塩基性（共役酸のpK$_a$）

えたトリエチルアミンでは，塩基性は低下している（共役酸のpK$_a$ 10.7）。これは，エチル
基が立体的に邪魔をして，非共有電子対にプロトン（H$^+$）が近づきにくくなったためである。
同じ三置換のアミンでも，環状構造になったキヌクリジンでは塩基性が強くなる（共役酸
のpK$_a$ 11.0）（図1-10）。これは，環状構造によってアルキル基が後ろ手に縛られた構造をとっ
ているために窒素上の非共有電子対周辺の立体障害が小さく，非共有電子対がむき出しに
なったためと考えられる。

(3) 芳香族アミン類（アニリン，プロトンスポンジ）の塩基性

　一方，ベンゼン環が置換したアミン（芳香族アミン）類の塩基性は，一般的にアルキルア
ミン類に比べて弱い（図1-11）。

　例えば，アニリンの塩基性はメチルアミン（共役酸のpK$_a$ 10.6）に比べて約100万倍低下す
る（共役酸のpK$_a$ 4.6）。これは図1-12に示すように，窒素原子上の非共有電子対がベンゼ
ン環に流れ込み，プロトン捕捉に利用されにくくなっているからである。このように，非
共有電子対がベンゼン環の軌道に流れ込み，行き来する現象を共鳴という（P.10のコラム
2-1 "共鳴" を参照）。共鳴構造がより多く書けるほうが分子は安定となる。共鳴の結果，
窒素原子は図1-7で示したアンモニアあるいはアルキルアミンのようなピラミダル（四面
体）の構造ではなく，やや平面性をもった構造となる。アニリンの塩基性が弱い説明とし
ては，以下のように考えることもできる。アニリンにプロトンが付加した図1-13の共役
酸においては，窒素原子上の電子対はプロトンを結合するために使われてしまうので，
図1-12のようなベンゼン環への流れ込みはなくなり，安定化が妨げられる。したがって，

7

アニリンの場合プロトンの付加は，"エネルギー的に好ましくない"方向であり，アニリンはプロトン付加しにくい塩基として働く(＝塩基性が弱い)。

ベンゼン環が2個置換したジフェニルアミンでは，共鳴効果がさらに増し，非共有電子対もなおいっそう非局在化するため非常に弱い塩基になる(共役酸のpK_a 0.8)。ゆえにベンゼン環が3個置換したトリフェニルアミンでは塩基性がいっそう低くなり，事実上まったく塩基性を示さない。

一方，アニリンの関連化合物にもかかわらず，異常に強い塩基性を示し(共役酸のpK_a 12.3)，「プロトンスポンジ」と呼ばれ

アミン名称	共役酸	pK_a
アニリン	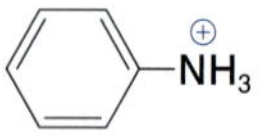	4.6
ジフェニルアミン	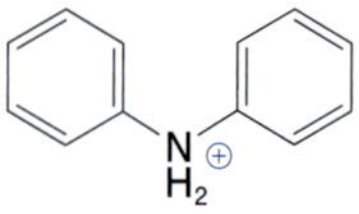	0.8
プロトンスポンジ[2]		12.3

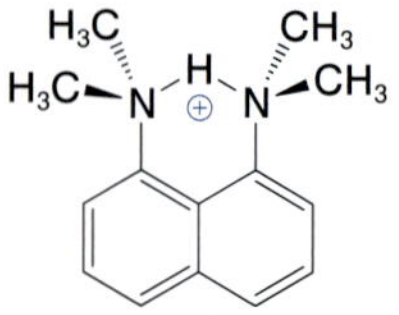

図1-11　芳香族アミン類の塩基性
(共役酸のpK_a)

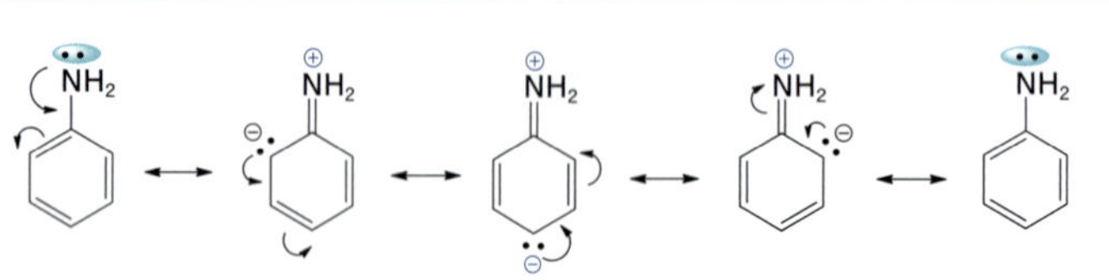

ている化合物がある(**図1-11**)。プロトンスポンジという名称は，プロトンを強く捕捉して離さない性質があることに由来する[2]。この塩基性はその特殊な構造による。すなわち，プロトンスポンジでは4個のメチル基の立体反発があるので，窒素の非共有電子対がベンゼン環と共鳴系をとれない構造になっている。さらに，ここにプロトンがやってくると2個の窒素原子が配位する形(キレート)(**図1-11**参照)で強く結合し，安定化される。このため，プロトンスポンジは水素イオンを捕捉する速度は速くないが，一度結合すると解離速度が極めて遅いという特異な性質をもつ。プロトンスポンジの窒素上のメチル基が減ると，立体障害が軽減され，塩基性は大きく低下する。プロトンスポンジのメチル基が1つ減ったトリメチル誘導体の共役酸のpK_aは約6.4と100万倍も塩基性が低い。

図1-12　アニリンの共鳴形

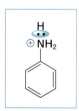

図1-13　アニリンの共役酸(アニリニウム陽イオン)

2．アミドの窒素はなぜ塩基性を示さないのか？

はじめに

　これまで化合物が示す酸性および塩基性についての考え方やアミンが塩基性を示す要因が窒素原子のもつ非共有電子対にあることなど，有機化学の基本的な内容を概説してきた。ここでは，その続編として，同じ窒素原子をもつアミドや含窒素芳香族複素環における窒素の性質を紹介したい。数年前，ある著名な生化学者とお話ししているとき，「アミドの窒素原子が通常のアルキルアミンと同様な塩基性を示す」と誤解しておられることに気づき，言葉に窮してしまった。確かに，アミドを「カルボニルの隣のアミン」とみなせば，窒素原子は塩基性を示すと考えてしまいそうである。しかし，これは大きな間違いであり，しっかりと正しておかねばならない。読者の多くはこのような間違いを笑ってしまえるレベルにあると推察するが，実はこのアミドの構造と塩基性に関連する化学はとても奥が深いのである[3]。

1．アミドの構造と塩基性

　カルボン酸（R^1-COOH）とアミン（R^2R^3-NH）が脱水縮合して生成するアミド（R^1CO－NR^2R^3）は，多くの医薬品分子の構造中に含まれる基本的な官能基であり，ペプチドやタンパク質など生体成分を構成する部分構造として広く存在する。アミドは，特異な立体構造や性質をもち，医薬品の効くかたち（受容体や酵素と相互作用する）を制御し，ひいては溶解性や体内動態にも関わるたいへん重要な官能基である。

　カルボン酸誘導体には，反応性の高い酸ハロゲン化物（R^1CO－X），酸無水物（R^1CO－O－COR^2），あるいはエステル（R^1CO－OR^2），そしてアミド（R^1CO－NR^2R^3）があるが，このうちアミドは一般的には最も反応性が乏しく安定な化合物である。例えば，アミドはほかのカルボン酸誘導体に比べて，加水分解を受けにくい。これは，アミドのカルボニル炭素が求核攻撃を受けにくいためと説明される。この性質は，アミドが**図2-1**のような構造をとることに由来している。すなわち，アミドは，窒素の非共有電子対（孤立電子対）が非局在化し，共鳴形（P.10のコラム2-1 "共鳴" を参照）をとり安定化している。

　この共鳴構造によって，アミドの窒素原子はアミンのようなsp^3混成軌道ではなく，sp^2様の混成軌道をとる。また，通常のカルボニル基（C=O）の炭素に比べて，炭素原子の$\delta+$性は低くなり求核攻撃を受けにくい安定な構造となっている。さらに，N－C（=O）結合は二重結合性を示すので回転が束縛され，二重結合に基づく*cis/trans*の異性体が存在し，置換基（R^1，R^2，R^3）が大きく立体障害を生じる場合には，それらを室温で単離できる場合もある[3]。

　一方，塩基性に関しては，その要因になっている窒素原子の非共有電子対が非局在化し

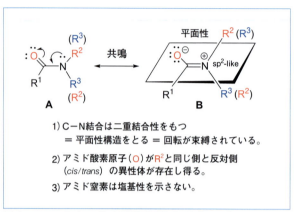

図2-1 アミドの共鳴形(極限構造式)(A,B)
アミド窒素の非共有電子対は共鳴により非局在化している。

ているため，一般のアルキルアミンなどとは異なり，アミドの窒素原子は塩基性を示さない。これらがアミドの特徴的な性質である。このようなアミド結合の性質はタンパク質やペプチドを形成するペプチド結合(アミノ酸単位がつくるアミド結合)においても同様であり，これらの平面構造の連なりや水素結合などにより，ペプチドやタンパク質は特異な立体構造をとっている。

コラム2-1　共鳴

共鳴という概念は，化合物の反応性や酸性および塩基性の強さ，などを説明するのに極めて重要な考え方である。ここで共鳴について簡単に解説する。共鳴とは，重なりをもったp軌道同士，または重なりをもったp軌道と非共有電子対の軌道を電子が行き来するというイメージでとらえることができる。例えばベンゼンとピリジンの例を図2-C1に示す。共鳴を表すこれらの構造式を共鳴形(あるいは極限構造式)という。図2-1のアミドの非共有電子対の非局在化で記した構造式，AとBも共鳴形である。共鳴形同士を関連づける矢印として，両矢印(⟷)を用いる。両矢印の左辺と右辺の共鳴形では，非共有電子対の電子対および多重結合を形成しているπ結合の電子対が移動しており，σ結合を形成している電子対(共有電子対)は動いていない。このような電子対の動きによって示される構造はすべてその分子にあり得る構造であり，どの共鳴形だけでも分子の正しい構造を表していない。共鳴形を「平均」したものが実際の構造

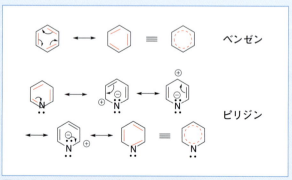

図2-C1 ベンゼンとピリジンの共鳴形

であり，図2-3から図2-5に記した分子の電子配置において，破線で記したp軌道にある電子（π電子）の連なりが実際の構造である．共鳴式に含まれる共鳴形の安定性が同程度のものであれば，より多くの共鳴形を書けるほうが安定であるといえる．

2．含窒素芳香族複素環における窒素原子の性質

次に，含窒素芳香族複素環（ピリジン，ピロール，イミダゾール）の構造と塩基性について概説したい．これらの芳香族複素環に関連した構造は医薬品に多く含まれるので，その構造や塩基性度を知ることは医薬品の性質の理解につながる．例えば，アンモニアとメチルアミンの塩基性度は高く，共役酸のpKaは9.2と10.6である（図1-10）．それらに比べて，ピロール，ピリジン，およびイミダゾールの共役酸のpKaはそれぞれ，0.4，5.2，および7.0である（図2-2）．すなわち，ピロールはほとんど塩基性を示さず，次いでピリジン，イミダゾールの順に塩基性度が高まっているが，アンモニアやアルキルアミンと比べると塩基性は弱い．このように，含窒素芳香族複素環において塩基性に差が生じる理由を考えてみよう．

図2-2　ピリジン，ピロール，およびイミダゾールの共役酸のpKa
参考：アンモニアとメチルアミンの共役酸のpKaは各々9.2と10.6

コラム2-2　芳香族性とHückel則

ベンゼンに代表される芳香族化合物は，不飽和結合を有する環状化合物の一種であるが，想定される以上の安定性をもつ．例えば，組成式C_6H_6のベンゼンは3個の二重結合をもつが，二重結合によってもたらされる安定化に寄与するエネルギーを3個分足し合わせた総和よりも，さらに大きな安定性を示す．Hückelは分子軌道法に基づいて，芳香族が安定性を示すための「3つの条件（Hückel則）」を見出した．

　1）環状の平面構造であること
　2）環を構成するすべての原子がp軌道をもっていること
　3）p軌道に収まっている電子（π電子）数の総和が$4n+2$（n：整数）であること

これらすべてを満足する性質を芳香族性と呼び，芳香族性をもつ化合物を芳香族化合物と総称する．例えば，P.10のコラム図2-C1で示したベンゼンは，1）環状，平面性を示し，2）環を構成するすべての炭素が（sp^2混成軌道をとり）p軌道をもち，さらに，

3) π電子としてp軌道に収納されている電子数は6個(n=1)を満たしている。窒素原子を含む複素環(ピリジン，ピロール，イミダゾール)もHückel則を満たす安定な芳香族化合物である。

(1) ピリジンの構造と塩基性

　ピリジンは窒素原子を含んだ6員環状化合物であり，P.11のコラム2-2に示したHückel則を満たす芳香族化合物である。すなわち，図2-3に示すように，ピリジン環は6個のπ電子(p軌道電子)を含んでいる(破線で結んだ6個)。窒素原子はsp²混成軌道をとるが，自身のもつ5個の電子のうち，4個がsp²混成軌道に収容され，1個はp軌道に存在して6π電子系に組み込まれている。塩基性に関与する非共有電子対はsp²混成軌道に収容されており，6員環の外に突き出て存在する(図の赤で示した2個の電子)ので，ピリジンは塩基性を示すことになる。また，ピリジンがアルキルアミンに比べて弱い塩基性を示すのは，非共有電子対が収容される軌道が，ピリジンではsp²混成軌道，アルキルアミンではsp³混成軌道であるからである〔sp²混成軌道のほうが原子核に近く存在し(s性[4])が高いと表現される)，電子がほかの分子と反応しにくくなる〕。

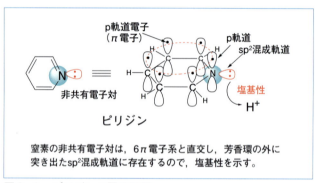

図2-3　ピリジンの電子配置

(2) ピロールの構造と塩基性

　5員環に窒素原子を1個含むピロールも，6個のπ電子(p軌道電子)を含む(破線で結んだ6個)芳香族化合物である(図2-4)。ピロールは窒素上に非共有電子対をもっているので，ピリジンと同じように塩基性を示すと思われるかもしれない。しかし，ピロールは塩基性を示さず，プロトン($H^⊕$)を付加しない。これは，図2-4に示すように，ピリジンと異なり，ピロールではsp²混成軌道は水素との結合に使われており，また塩基性を示す要因となる窒素の非共有電子対がp軌道に入って，環状6π電子系に用いられているためである。

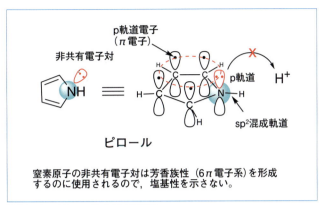

図2-4 ピロールの電子配置

(3) イミダゾールの構造と塩基性

　5員環に窒素原子2個を含むイミダゾールは，ピロールと同様に6個のπ電子（p軌道電子）を含む（破線で結んだ6個）芳香族化合物である（**図2-5**）。イミダゾールは，ピリジンより強い塩基性を示す。アミノ酸の1つであるヒスチジンが塩基性アミノ酸として分類されるのはイミダゾール環（イミダゾリル基）をもつためである[5]。**図2-5**の電子配置に示すように，2個の窒素原子はともにsp²混成軌道をとるが，左側NHの窒素原子は，イミダゾールの窒素原子と同様に非共有電子対がπ電子としてp軌道に入り，6π電子系に組み込まれている。一方，右側のC=N結合の窒素の非共有電子対は環内のπ電子系に含まれておらず，sp²混成軌道に収容されるのでピリジンの窒素原子と同様な性質をもち，塩基性を示す[5]。イミダゾールの塩基性（共役酸のpK_a 7.0）がピリジンのそれ（共役酸のpK_a 5.2）よりも強いのは，**図2-6**に示すように，イミダゾールがプロトン化された共役酸はまったく等価な共鳴形（A, B）をとり，安定性が高まっているためである。

　以上，さまざまな窒素原子の塩基性について概説した。含窒素芳香族複素環は多数あるが，それらの構造や塩基性についても本項をもとにして考えれば理解できる。

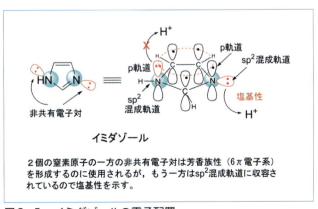

図2-5 イミダゾールの電子配置

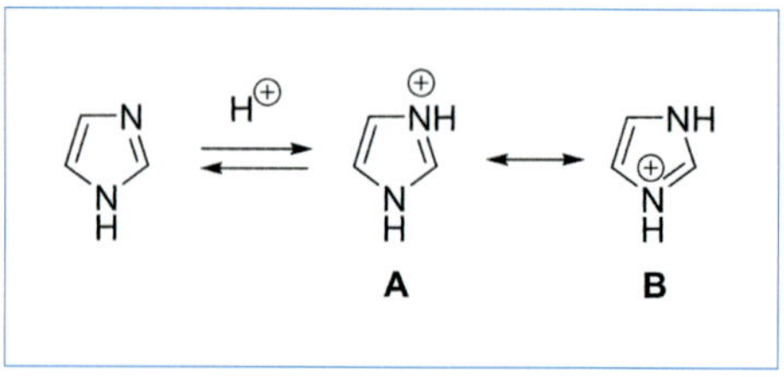

図2-6 イミダゾールの共役酸の共鳴形(A, B)

3. ヒドロキシ基のさまざまな性質：カルボン酸，フェノールはなぜアルコールよりも強い酸になるのか？

はじめに

　これまで化合物が示す酸性および塩基性についての考え方およびアミン類の窒素原子のもつ非共有電子対（あるいは孤立電子対ともいう）が塩基性を示す要因であることを概説してきた．続いて，医薬品分子あるいは生体内分子において重要な官能基であるヒドロキシ基（OH基）の性質について，特に酸性度・塩基性度を中心に触れる．アルコールが一般的に中性であり，フェノール類やカルボン酸類のOH基は酸性を示すことはご存じのことと思う（**図3-1**）．今回は，同じOH基であってもこのような性質の違いがなぜ生じるのか，また，OH基をもつ化合物がなぜアミノ基（NH₂基）をもつ化合物とは異なった性質をもつのか，基本的な面から解説する．

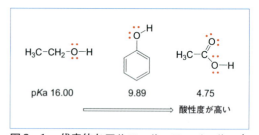

図3-1 代表的なアルコール，フェノール，カルボン酸のpK_a（参考：水のpK_aは15.74，塩酸は－7）

1. 酸素原子と窒素原子：基底状態と混成軌道の電子配置

　はじめに窒素原子と酸素原子の電子配置を復習する．酸素原子は，これまでに述べてきた窒素原子よりも電子（あるいは陽子）を1個多くもち，周期表で窒素原子の右隣に位置する．両原子の基底状態および混成軌道を形成したときの電子配置を**図3-2**に示す．窒素原子は基底状態（**図3-2a左**）では，7個の電子をもち，1s軌道と2s軌道に2個ずつ電子が収容されている．残りの3個の電子は，同じエネルギー準位をもつ3個の2p軌道（それぞれ2p$_x$，2p$_y$，2p$_z$と呼ばれる）に1個ずつ収容される．一方，酸素原子の基底状態（**図3-2b左**）は窒素原子に比べて電子が1個多く，3個の2p軌道に4個の電子をもつ．

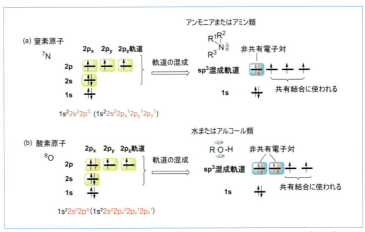

図3-2 窒素原子(a)と酸素原子(b)の電子配置：基底状態(左側)と混成軌道を形成したとき(右側)

3個の電子はそれぞれ$2p_x$, $2p_y$, $2p_z$軌道に1個ずつ収容されるが，これですべての2p軌道に1個ずつ電子が入ったことになるので，4個目の電子はスピンを逆にして$2p_x$軌道に入り，対をつくっている。これらの基底状態から，分子(アンモニア／アミン類，アルコール類)を形成するとき，2s, 2p軌道は合体して右側のsp^3混成軌道に再編成される。すなわち，アンモニア／アミン類の窒素の場合には，2s, 2p軌道にある5個の電子が新たに等価な4個のsp^3混成軌道に再編成されて配置される(**図3-2a右**)。このsp^3混成軌道のうち3個の軌道にはそれぞれR^1, R^2, R^3との共有結合に使われる電子が1個ずつ存在し，1個の軌道には結合に使われない2個の電子(非共有電子対)が存在する。

一方，アルコール類の場合には，2s, 2p軌道にある6個の電子が新たに等価な4個のsp^3混成軌道に再編成されて配置される(**図3-2b右**)。このsp^3混成軌道のうち2個の軌道にはそれぞれR，Hとの共有結合に使われる電子が1個ずつ配置し，2個の軌道には結合に使われない2個の電子(非共有電子対)が2組存在することになる。

また，酸素原子は窒素原子よりも陽子(陽電荷)を1個多くもつので，電気陰性度(原子が電子を引き寄せる強さの相対的な尺度)は酸素原子(3.5)のほうが窒素原子(3.0)よりも大きい(電気陰性度についてはP.54参照)。このように，たった1個の電子(あるいは陽子)の違いにより，元素としての酸素の性質は窒素とは異なり，ヒドロキシ基はアミノ基とは異なる性質を示すことになる。

2．アルコールの酸性度・塩基性度

アルカンのsp^3混成炭素原子にヒドロキシ基(OH基)が1つ結合した化合物がアルコール類(R-OH)，芳香環のsp^2混成炭素にOH基が1つ結合した化合物がフェノール(Ar-OH)類である。これらのOH基をもつ化合物は，水の置換体とみなすこともできる。水(H-O-H)の片方の水素をアルキル基に置き換えればアルコールであり，芳香環に置き換えればフェ

ノールである。最初にアルコールの酸性度・塩基性度についてみてみよう。一般的にアルコールは中性であるといわれるが，実は相手次第で酸にも塩基にもなり得る両性の化合物である。通常の一級アルコールの酸性度（例：CH_3CH_2OHのpKaは16.0）は水（pKa＝15.7）と同程度であるが，強い塩基が作用すればアルコールは酸として働き，プロトン（H^+）を相手に与えて自らはアルコキシドイオンになる。また，強い酸が作用すれば，アルコールは塩基として働き，プロトンを相手から受け取って自らはオキソニウムイオンになる（図3-3）。

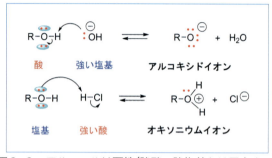

図3-3　アルコールは両性（強酸，強塩基とは反応する）

3．なぜヒドロキシ基とアミノ基は異なる性質を示すのか？

　アミン類の窒素原子の非共有電子対によって，アミン類の塩基性がもたらされている（図3-4）ことは，これまでに詳しく述べており，アミンの窒素の非共有電子対の電子密度が高ければ，塩基性も高くなると説明している。ここで疑問に思う方がいらっしゃるかもしれない。図3-2b右のようにアルコールの酸素原子は2組の非共有電子対をもっている（たくさんの余分な電子をもっている）にもかかわらず，一般的に水やアルコールは弱酸・弱塩基としての性質しか示さない。非共有電子対を1組しかもたない窒素の塩基性が高いのに，非共有電子対を2組もつアルコールの塩基性がそれほど高くない（図3-4）のはなぜなのだろう。あらためて付け加えるが，塩基性の強弱は供与しうる電子対の数ではなく，電子対の供与されやすさが決め手となっているのである。この点は電気陰性度によりうまく説明できる（電気陰性度についてはP.54参照）。すなわち，酸素は窒素原子に比べて電気陰性度が大きく（N vs O：3.0 vs 3.5），酸素の電子対は窒素より強く原子核に引っぱられている。したがって，酸素の電子対は窒素に比べて，外向きには働かず，プロトン

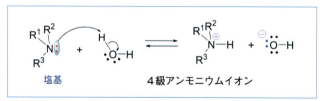

図3-4　アミン類は水中で塩基性を示す
　　　（窒素原子の非共有電子対が水のプロトンを引き抜く）

に与えられにくくなっており，結果として，アルコール類はアンモニア／アミン類と異なり，高い塩基性を示さない。

4．フェノールの酸性度・塩基性度

　次に，フェノール類の酸性度・塩基性度をアルコール類と比べてみよう。フェノール類の酸素原子における電子状態は，**図3-2**で示したアルコール類と同様である。しかし，フェノール類はアルコール類に比べて酸性度が高い（pKaは約10で，アルコールと比べて約100万倍酸性度が高い）。これは，プロトンが脱離したフェノキシドイオンの共鳴効果の影響による（共鳴についてはP.10のコラム2-1参照）。フェノキシドイオンは，**図3-5**のように共鳴形を書くことができ，この共鳴形によって酸素上の負電荷が非局在化するので安定になる。したがって，そのような効果がないアルコキシドイオンに比べるとフェノールのほうがアルコールよりイオンになりやすく，酸性度が高いと説明されている。

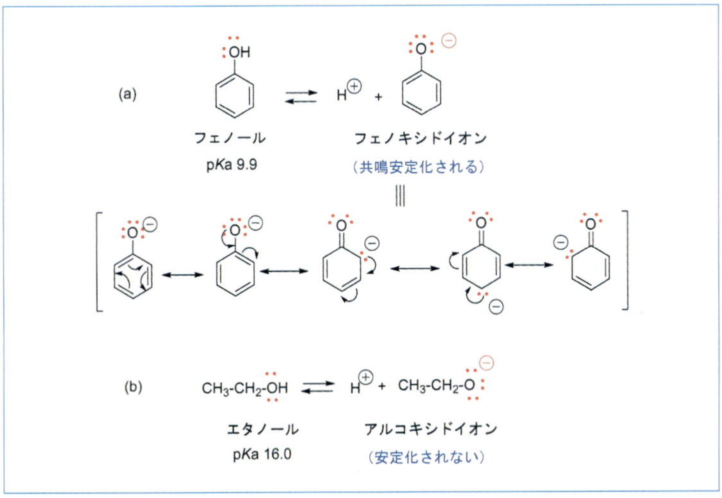

図3-5　フェノール（a）とアルコール（b）の酸性度が異なる理由（1）：
　　　　共鳴効果によるアニオンの安定化

　このように，一般的な教科書などでは，プロトンを失ったアニオンの共鳴安定化の相違によってアルコールとフェノールの酸性度の相違が説明されてきた。しかし，比較的最近になり，アニオンの安定性は両者で差がないことが示され，むしろプロトンが脱離する前の分子のOH基における電荷分布について，フェノールとアルコールに差があり，これが異なる酸性度を示す主要因であるとする興味深い論文が報告された[6]。

　すなわち，**図3-6**に示すように，フェノールでは，OH基はs性が高い[4]（原子核に近く存在する）sp^{2}混成軌道の炭素に置換しているので，酸素原子の電子は炭素側に引き寄せられ，さらにベンゼン環のπ電子系により，いっそうベンゼン環側に引き込まれる。その結果，水素原子が部分的に正電荷（$\delta +$性）を帯びるので，塩基の攻撃を受けやすく酸性度が高い。

これに対して、アルコールでは、OH基はs性が低いsp³混成軌道（sp²混成軌道より核から遠く存在する軌道）の炭素に置換しているので、酸素原子の電子は炭素側に引き寄せられにくくなっており、さらに置換アルキル基は電子供与性であるので、フェノールの場合とは逆の効果を示し、酸性度は低い。このように、酸性や塩基性の説明の仕方だけでも何通りか

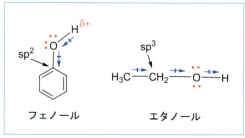

図3-6　フェノールとアルコールの酸性度が異なる理由（2）：OH基における電荷分布

ある。こんな基礎の基礎のところからいまだに議論が交わされるのだから、有機化学はおもしろい。

5．カルボン酸の酸性度

　カルボン酸はその名のとおり、酸としての性質を示す[7]。これはカルボキシ基（COOH基）の水素がプロトンとして解離しやすいことに起因する。COOH基はカルボニル基に水酸基が連結した構造を有しているが、COOH基を構成するカルボニル基はsp²混成軌道をとり、カルボニル炭素に結合する3つの原子を同一平面に配置する。一方、2個の酸素原子のうち、C=Oの酸素原子はsp²混成軌道をとり、OHの酸素原子は**図3-2b右**に示したsp³混成軌道をとる。

　一般的なカルボン酸のpK_aは約4～5である。例えば、pK_a 5程度を示すカルボン酸は、0.1mol/Lの濃度の水溶液中では全体の1％程度がカルボキシラートイオンとプロトンに解離していることになる。すなわち、ほとんどカルボン酸のままで解離していない。塩酸のような強い鉱酸が水溶液中で100％解離していることと比べると、カルボン酸はとても弱い酸であることがわかる。一方で、カルボン酸はフェノール類（pK_a 約10）よりはずっと強い酸性を示す。有機化合物のなかで比較するならば、カルボン酸は強い酸である、といってよいだろう。この強い酸性は、OH基がカルボニル基に結合していることによって生じている。すなわち、カルボン酸のOH基は、カルボニル（C=O）の部分的に正電荷（δ+性）を帯びたs性が高い[4]（原子核に近く存在する）sp²混成軌道の炭素に置換しているので、OH基の酸素原子の電子は炭素側に引き寄せられる。その結果、OH基の酸素に結合した水素原子は陽性（δ+性）を帯び、酸性度が高まる（**図3-7**）[6]。カルボニル（C=O）炭素における部分的な正電荷（δ+性）は、フェノールにおけるベンゼン環炭素のそれ（**図3-6**）よりも大きいので、カルボン酸はフェノール類よりも高い酸性度を示す。さらに、**図3-8**に示すように、プロトンの解離によって生成するカルボキ

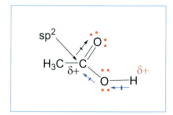

図3-7　カルボン酸が酸性を示す要因（1）：ヒドロキシ基（OH基）における電荷分布

シラートイオンには，共鳴形が存在するので安定化する。これらの2つの要因によってカルボン酸は酸性を示す。

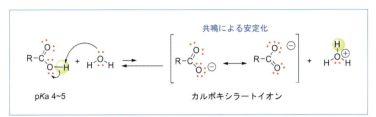

図3-8　カルボン酸が酸性を示す要因（2）：アニオンの共鳴安定化

　以上，アミンの塩基性を示す理由に続き，ヒドロキシ基（OH基）が，ときには中性，またあるときには酸性となる理由を酸素原子の電子状態から考察した。このように有機化合物の性質を考える場合，電子の軌道や分極（電子の偏り）の理解が大切である。

4．曲がった矢印と化学反応

はじめに

　第1項から第3項までで，有機化合物が関わる基本的な性質として，塩基性と酸性について紹介した。これらは医薬品の極めて重要な物性の1つであるので，ぜひ理解していただきたいと思う。しかし，酸・塩基反応という簡単な化学反応であるにもかかわらず，曲がった矢印や化学式が登場してしまった。有機化学は難解という先入観がある方には，この化学式や矢印があるだけで読み飛ばしてしまったかもしれない。実は，曲がった矢印は化学反応における電子の動きを表すためにたいへん合理的で，簡便なルールのもとに使われており，これを理解すれば有機化学は暗記の学問ではなくなる。ここでは，化学反応における電子の動きと矢印の意味，および化学反応のタイプなどの基本知識を概説したい。

1．化学反応（結合の切断・形成）は電子の動き

　化学反応とは，外部からのいろいろな刺激に応答して，化合物の結合が切断されたり，形成されたりすることによって化合物の構造が変化することである。外部刺激は熱や光や圧力であったり，ほかの分子であったりする。一般に有機化合物の結合は，2個の原子間で電子2個を互いに共有し合って成り立っている。したがって，結合の切断・形成は結合電子の動きに伴って起こるので，化学反応とは電子の動きであるともいえる。この電子の動きに着目すると，化学反応はラジカル反応と極性反応（イオン反応）の2つのパターンに

分類できる[8]。

ラジカル反応は，共有結合を形成する2個の電子が1個ずつ均等に動く反応である。図4-1(a)に，分子(A-B)がラジカル反応により結合が切断あるいは形成される場合の電子の動きを示した。結合の切断では，共有結合を形成する2個の電子が原子AとBに1個ずつに分かれて，1個ずつの電子をもつラジカルと呼ばれる化学種になる。一方で，結合の形成はラジカルAとラジカルBが互いに1個ずつ電子を均等に出し合い，分子(A-B)を生成する。

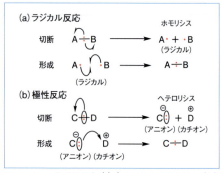

図4-1　化学反応((a)ラジカル反応と(b)極性反応)
ラジカルを生成する切断反応をホモリシス(均一な結合の開裂)，アニオン／カチオンを生成する切断反応をヘテロリシス(不均一な結合の開裂)という。

極性反応は，結合に関わる2個の電子がペアになって動く反応である。図4-1(b)は，分子(C-D)が極性反応により結合が切断，形成される場合の電子の動きを示した。この場合の結合の切断では，結合に使われていた電子2個がペアになってどちらか一方の原子に動く。そのため，片方(C)が電子を余分に1個もち，もう片方(D)は1個失うことになる(逆の場合もあり得る)。この結果，Cは負電荷を帯びてアニオンになり，Dは正電荷を帯びてカチオンになる。結合の形成は，余分に電子をもつアニオンC^-が，電子を失ったカチオンD^+に電子を供与することにより分子(C-D)を生成する。イオン(アニオンおよびカチオン)が関与する反応なので，このタイプの反応は極性反応のうち，イオン反応ともいう。極性反応に関与する化学種は電荷をもったイオンだけではない。非共有電子対(結合に使われていない2個の電子のペア)をもつ有機化合物(窒素原子をもつアミン，酸素原子をもつアルコールなど)は，イオン反応と同様に非共有電子対(2個)を動かすことによって新しい結合を形成する。このように，極性反応はイオンを含めて電子に富んだ側から，乏しい側へ2個の電子がペアになって動く，不均一な電子の動きによって起こる反応すべてを含む。実際，有機化学反応の多くが極性反応である。

2．曲がった矢印と電子の動き(求核剤と求電子剤)

電子の動き(すなわち化学反応)をわかりやすく表現するために「曲がった矢印」が用いられる。曲がった矢印には片刃と両刃の2つがある。ラジカル反応における1個ずつの電子の動きは，片刃の曲がった矢印(⌒)で示される(図4-2左)。また，極性反応における2個ペアになった電子の動きは，両刃の曲がった矢印(⌒)で示す(図4-2右)。矢印は電子の移動する方向を示し，電子に富んだ部位[負の電荷や非共有電子対，電子が偏って存在する箇所($\delta -$)]が矢印の始点となり，電子が乏しい部位[正の電荷や部分的な正電荷($\delta +$)が終点となる]。

電子に富んでいて，カチオンや電子密度が低い（δ＋性をもつ）部位に電子を供与することのできる（矢印の終点になる）分子やイオンを求核剤という。アルコールやアミンは代表的な求核剤であり，そのような性質を求核性という。一方，電子に乏しく，求核剤から電子を受け取る（矢印の終点になる）分子やイオンを求電子剤（文字どおり，電子を求める化学種）という。例えば，ケトン（アルデヒド）

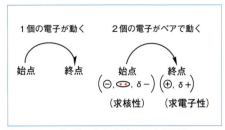

図4-2　曲がった矢印（片刃と両刃）
右側の両刃の矢印では，矢印は電子に富むところから電子の乏しいほうへ向く。

とアルコールの反応によるヘミアセタールの生成反応（図4-3）は極性反応であり，酸素上に非共有電子対をもつアルコールは求核剤として働く。一方，ケトン（アルデヒド）のカルボニル基では，電気陰性度（P.54参照）が高い酸素により二重結合を形成している電子は酸素側に引き寄せられており，結果的に炭素原子は部分的に電子が乏しくなる（δ＋性をもつ）ので求電子剤として働く。よって，図4-3に示すような曲がった両刃の矢印で示した電子の移動（求核剤が求電子剤を攻撃する）が起こり，ヘミアセタールが生成する。

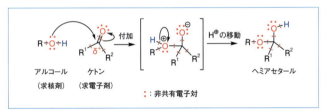

図4-3　求核剤と求電子剤の反応
　酸素原子の価電子は6個である（コラム4参照）が，カッコ内の中間体では，アルコールに由来する酸素は自身のもつ電子が5個になり正の電荷を帯びる。一方，電子を受け取ったカルボニルの炭素はオクテット則（コラム4参照）を満たそうとして電子をカルボニル酸素上へ移動させる。その結果，酸素原子は電子が増えて（自身のもつ電子は7個になる）負の電荷を帯びる。この中間体から，プロトン（H⁺）が負の電荷を帯びた酸素へ移動して生成物（ヘミアセタール）が得られる。

コラム4　オクテット則

　原子は電子をやり取りして化学結合を形成している。各原子は固有の個数の最外殻の電子（価電子）をもつ。例えば，水素，炭素，窒素，酸素は図4-C1に示すように，各々1，4，5，6個の価電子をもつ。化学結合は2個の原子間で電子1個ずつを出し合って，2個の電子を共有し合って成り立っている。図4-C1の下段には，水素，メタノール，アンモニアについて電子の在り方を示した。このように，水素原子は2個，炭素，窒素，酸素原子は8個の電子をもつ状態が安定形となる。これはオクテット則（8電子則）

図4-C1　価電子とオクテット則

といわれ，有機化合物の結合の様子を考えるうえで最も基本的な規則である。
*なお，窒素と酸素では，結合に関与しない電子対（非共有電子対という）が存在することに注意されたい。

3．基本的な化学反応：置換・付加・脱離・転位反応

このように，化学反応は電子の動き方により，ラジカル反応と極性反応に分けられる[8)]が，反応前後でどんな変化が起こったか（反応様式）により分類することもできる。その分類によれば，基本的な有機化学反応は，①置換反応，②付加反応，③脱離反応，④転位反応の4タイプに分けられる。具体例を，ケトン（あるいはアルデヒド）（1）と一級アミン（あるいはアンモニア）（2）の反応によるイミン[9)]（4）の生成反応（図4-4上段）と，イミンの一種であるオキシム（4a）のベックマン転位反応（図4-4下段）で見てみよう。ここに示した化学反応はいずれも極性反応であり，電子の動きを曲がった両刃の矢印で示しているので，電子の動き方を確認しながら見ていただきたい。

　①置換反応は，出発物質の一部が反応剤の一部と置き換わる反応である。図では，ケトン／アルデヒド（1）からイミン（4）の生成は，（1）の=Oが=NRに置き換わった置換反応である。

　②付加反応は，分子と分子が反応し，互いのもっているすべての原子を失うことなく新

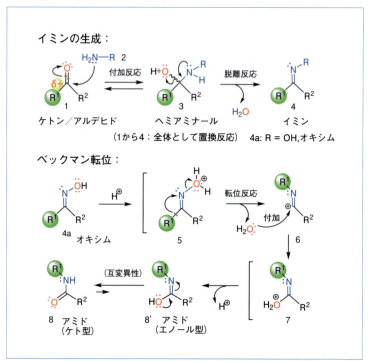

図4-4　イミンの生成反応（上段）とベックマン転位反応（下段）における化学反応（置換・付加・脱離・転位反応）

たな分子が生成する反応である。図では，（**1**）とアミン（**2**）の反応は，（**1**）のカルボニル基の δ＋性をもつ炭素へアミンの非共有電子対が攻撃して，ヘミアミナール（**3**）を生成する付加反応である。

③脱離反応は，化合物の構造から一部が脱離し新たな分子を生成する反応である。図では，ヘミアミナール（**3**）から脱水してイミン（**4**）を生成する反応が脱離反応である。

④転位反応は，化合物を構成する原子の位置や骨格が変化して，別の化合物になる反応である。非常に多くの転位反応が知られているが，例としてベックマン転位反応（**図4-4**下段）を示す。転位反応は，イミンの一種であるオキシム（**4a**）を酸（H^+）と反応させることにより進行する。中間にはカッコ内に示すような興味深い電子の動きにより，置換基R^1が炭素から窒素原子に転位した化合物（（**6**），（**7**））が生成し，最終的にアミドの異性体（**8'**）が得られる。この（**8'**）は異性化して安定なアミド（**8**）になる。なお，このベックマン転位反応はナイロンの原料となる化合物（ε-カプロラクタム）の合成にも用いられる有用な化学反応である。

そのほか化学反応としては，加水分解，脱水，中和，酸化・還元，付加重合，縮合重合などがあるが，これらは反応の用途を考えた分類であり，上記①〜④の基本反応の1個あるいは複数個からなる。

ここでは，化学反応とその理解を助ける「曲がった矢印」を説明した。特に両刃の矢印は方向も重要な意味をもち，常に電子の豊富な部位から電子が乏しい部位へ向かう，というルールのもとに使用されている。有機化学者は，常にこの矢印を頭の中に置いて，合成反応を計画したり反応生成物の構造を確認・推定するために利用している。これまでにも，すでに何回か曲がった両刃の矢印を記した図を使用しているので，もう一度見返すとわかりやすいであろう。

5．カルボニル基の化学（1）： イミンの生成反応とイミンが関与する生体内反応

はじめに

カルボニル基（C＝O）をもつ化合物は自然界あるいは身の回りのいたるところに存在する重要な有機化合物である。また，カルボニル基が関与する化学反応は膨大な有機化学反応の根幹にあるといっても過言ではない。カルボニル化合物の反応のなかでも，アミン類との反応はアルコール類との反応と並んで基本的かつ重要な有機化学反応である。ここでは，その基本の化学を解説し，生体内で起きている化学反応例を紹介する。

1．カルボニル化合物の化学

カルボニル基（C＝O）をもつ化合物としては，**図5-1**のようにケトンとアルデヒド（置換基R¹，R²が炭素原子あるいは水素原子）やカルボン酸，エステル，アミド（置換基として，それぞれヒドロキシ基，アルコキシ基，アミノ基をもつ）などがあり，これらは極めて重要な有機化合物群である。

カルボニル基はsp^2混成した炭素と酸素が二重結合で連結し，平面構造を成している（**図5-2**）。酸素原子は炭素原子よりも電気陰性度（P.54参照）の値が大きく（O，3.5；C，2.5），二重結合（σ結合およびπ結合からなる）を形成する電子を酸素のほうへ引き寄せるため，カルボニル基の酸素原子は部分的に負電荷（δ－）を，炭素原子は部分的に正電荷（δ＋）を帯びる（**図5-2**）。この分極の度合いは，カルボニル基炭素の置換基（R¹，R²）によって異なり，電気陰性度の値が大きい酸素原子や窒

図5-1　カルボニル化合物
ケトン，アルデヒドとカルボン酸，およびカルボン酸の誘導体（エステル，アミド）

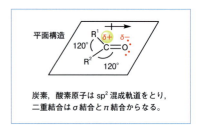

図5-2　カルボニル基の構造
電気陰性度は，Cが2.5，Oが3.5であるので，カルボニル基は分極しており，電子はOに引き寄せられ，Cが部分的な正電荷（δ＋）を帯びる。

素原子が置換しているカルボン酸，エステル，アミドは，炭素（あるいは水素）原子が置換するケトン（アルデヒド）とは異なる化学的性質・反応性を示す。まずは，基本形であるケトン（アルデヒド）の化学反応性について述べる。

2．カルボニル化合物（ケトン，アルデヒド）の反応

(1) アルコールとの反応

先に述べたように，アルコールのOH基の酸素原子がもつ非共有電子対が，ケトン（またはアルデヒド）のC＝O基のδ＋性を帯びた炭素原子を攻撃し，**図5-3**の①に示したような化学反応（求核付加反応という）を経て，ヘミアセタールが生じる。ヘミアセタールからアルコールが脱離すると原料系に戻るので，このステップは平衡反応である。ヘミアセタールがさらにアルコールと反応すると，水が脱離してアセタールになる。同様な求核付加反応によってカルボニル化合物がアルコールの代わりに水と反応すると，水和物（**図5-3**①のヘミアセタールのRがHの化合物）が生じる。この水和反応も平衡反応であり，生体内でカルボニル基を含む化合物が関与する化学反応（酵素反応）や医薬品の生体内での挙動・作用機序を考えるうえで重要である。

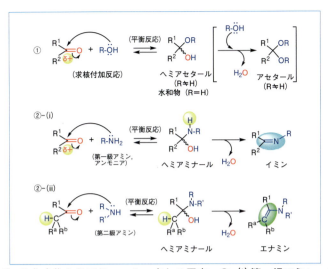

図5-3 カルボニル化合物と①アルコール，水との反応，②-(i)第一級アミン，アンモニアとの反応，②-(ii)第二級アミンとの反応

いずれも，カルボニル基のδ+性を示す炭素に対して，アルコールの酸素やアミンの窒素が有する非共有電子対が攻撃することからはじまる。第二級，第三級アミンでは一般的にはイミンは生成しないが，第二級アミンでは，カルボニル基のα位に水素原子（黄色マーカーを付した）がある場合（②-(ii)），エナミンが生成する。

(2) アミンとの反応

　アンモニアやアミンは水およびアルコールの類縁体であるが，アルデヒド，ケトンに対する反応性は水やアルコールよりも高い。それは，窒素原子の電気陰性度の値（3.0）が酸素原子のそれ（3.5）よりも小さく，窒素原子上の非共有電子対は酸素原子上よりも緩やかに拘束されており，塩基性・求核性が強いためである。第一級アミン（Rがアルキル基）やアンモニア（RがH）とケトン（あるいはアルデヒド）の反応を，**図5-3**②-(i)に記す。はじめにアミンの非共有電子対がカルボニル基の求電子的な炭素を攻撃し，付加体（ヘミアミナールという）を生成する。ここまでは，**図5-3**①アルコールの求核付加反応と同様の機構であり，原料系と生成系の間に平衡反応がある。続いてヘミアミナールから水が脱離すると，炭素-窒素二重結合が生成する。このカルボニル化合物の窒素類縁体をイミン[9]と呼ぶ。このヘミアミナールから脱水反応が起きるステップがアルコールの場合と異なる。これは，第一級アミンやアンモニアのヘミアミナールには，窒素原子上に水素原子があり，脱プロトン化（脱水）が可能になるからである（**図5-3**②-(i)）。なお，生成したイミンのC＝N結合は，酸やアルカリを用いる加水分解により切断され，アミンとカルボニル化合物に戻る。

　第二級アミンとの反応では，一般的にはヘミアミナールまでは第一級アミンやアンモニアと同様に進行するが，窒素原子上に脱離する水素原子がないので，イミンはできない。ただし，**図5-3**②-(ii)に示したように，カルボニル基のα位に水素原子（黄色マーカーを付した）がある場合は，それが脱離し，炭素-炭素二重結合をもつ化合物（エナミンと呼ばれる）が生成する。また，第三級アミンの場合には，窒素原子上に脱離する水素原子をもたないので反応が進まない。

3. 自然界で起きているイミン形成反応

イミンの形成は生体内で起こる反応においても重要な役割を果たしている。以下にその代表例を示す。

(1) 糖尿病と糖化反応

糖尿病は，血液中のグルコースの濃度が慢性的に高い状態が続く生活習慣病の1つである。糖尿病では，組織の毛細血管壁が高血糖状態にさらされることにより，血管・組織が障害を受けさまざまな合併症を引き起こす。生体内で起きているこの化学反応は，糖化反応（glycation）といわれるが，グルコースやフルクトースなどの糖の分子がもつカルボニル基（ケトンあるいはアルデヒド）がタンパク質または脂質などのもつアミノ基やヒドロキシ基に結合することを起点にして起こる反応である[10]。1912年にL.C. Maillardがアミノ酸と還元糖を加熱すると褐色の色素が生成することを発見したことから，メイラード反応ともいわれる。図5-4に糖化反応の概要を示す。グルコースは末端にホルミル基（アルデヒド）をもつので，これが生体内のタンパク質を構成するリシン側鎖のアミノ基と反応してイミンを形成する。このイミンが $α$ 位の水素の転位を伴ってエナミノール構造になり，さらに互変異性によってケトアミンを生ずる。この転位反応は1925年にM. Amadoriによって見

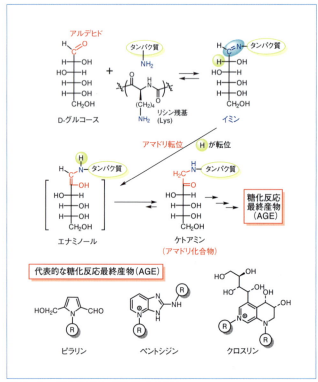

図5-4　糖化反応と代表的なAGE
　　　　Ⓡは，アミノ酸Lys残基を含んだタンパク質部分構造などを示す。

出されたのでアマドリ転位と呼ばれ，生成物であるケトアミンもアマドリ化合物と呼ばれている。アマドリ化合物は酸化的開裂を受けながらスーパーオキシドを発生するほか，生体内の短鎖のアルデヒド・ケトン（例：メチルグリオキサール）や別のタンパク質のリシン残基やアルギニン残基と結合して，糖化反応最終産物（AGE：advanced glycation end products）と呼ばれる分子群を生成する。血管内皮細胞の細胞外にはAGE受容体が発現しており，これにAGEが結合すると細胞内でスーパーオキシドを生じて酸化ストレスを増大させるほか，細小（毛細）血管では内皮細胞の増殖や周皮細胞の減少，動脈では動脈硬化を引き起こす遺伝子の発現を誘導する。AGEの蓄積によって，網膜症や脳血管障害，虚血性心疾患などの合併症のリスクが高くなることが知られている。

(2) ビタミンB₆とアミノ酸の合成・代謝

ビタミンB₆は，ピリジン環をもった水溶性のビタミンであり，ピリドキサミン（**1**）やピリドキサール（**4**），および，これらのリン酸エステル型であるピリドキサール-5-リン酸，ピリドキサミン-5-リン酸などの総称である。ビタミンB₆は，生体内で2-オキソカルボン酸（**2**）と2-アミノカルボン酸（アミノ酸）（**5**）の相互変換を促進している（図5-5）。この相互変換では，カルボニル基と第一級アミノ基との間で，イミン形成，水素原子の転位および加水分解を通して，化合物の酸素原子と窒素原子の交換が巧妙に進んでいる。上段左（**1**）から下段左（**4**）方向へ反応が進むと天然のアミノ酸類が合成され，逆向き（**4**から**1**）に進むとアミノ酸が代謝される。

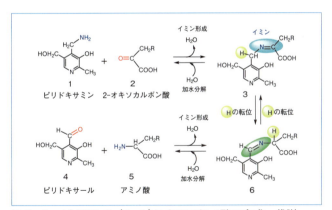

図5-5　ビタミンB₆（**1**, **4**）によるアミノ酸の合成・代謝

(3) 視覚とイミン

ビタミンAはわれわれの目における光の受容と視覚情報の伝達において重要な役割を果たしている。光の受容に関わる網膜では，ビタミンAのアリルアルコール部分を酸化し，さらに11位アルケン部が異性化した（11Z）-レチナールというアルデヒドを産生する。このアルデヒドがオプシンというタンパク質の216番目のリシン側鎖アミノ基とイミンを形成して，ロドプシンという複合体を形成する。ロドプシンの共役系が可視光を吸収すると，

11位アルケン部がトランス(E)型に異性化して活性型ロドプシンとなる。この異性化に伴って，分子はタンパク質のなかの隙間にうまく収まることができず，離れる（図5-6）。このような一連の動きは電気的な信号となって，視神経を経由して脳に伝わり，視覚イメージに変換される。

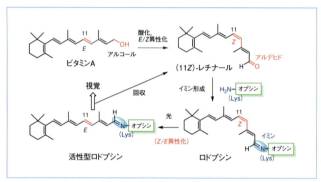

図5-6　ビタミンAからロドプシンの生成

　以上，有機化学反応の基本系と考えられるカルボニル化合物（ケトン，アルデヒド）とアルコールやアミンとの反応について解説した。これらは，いずれもカルボニル基の$\delta+$性を示す炭素に対して，酸素や窒素原子の非共有電子対が攻撃することからはじまる。アルコールやアミン以外にも，炭素アニオンや還元剤（ヒドリドイオン）などが有用な化合物群の合成に常用されている。それらの反応様式も，同様に考えれば理解できる。また，イミンやアセタールの形成反応は，さまざまな含窒素複素環化合物の合成に必須な極めて重要な反応であることを付け加える。

6．カルボニル基の化学（2）：
　　アミド・エステル結合の形成反応

はじめに

　前項で有機化学反応の基本系と考えられるカルボニル化合物（ケトン・アルデヒド）とアルコールやアミンとの反応について解説した。カルボニル基（C=O）をもつもう1つの有機化合物の一群にカルボン酸（RCOOH）およびカルボン酸から誘導される化合物（エステル，アミド，酸塩化物，酸無水物など）がある（図6-1）。これらは生体成分や医薬品構造中に頻繁に見られる極めて重要な有機化合物群である。ここでは，補足的な内容となるが，カルボン酸およびその誘導体のアルコールやアミンに対する反応性や化学的性質を，前項のケトン・アルデヒドと対比しつつ，まとめる。

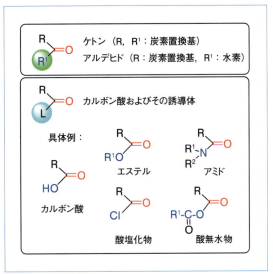

図6-1　カルボニル化合物
ケトン・アルデヒドとカルボン酸およびその誘導体

1．カルボン酸とその誘導体 vs ケトン・アルデヒド

　カルボン酸およびその誘導体も，ケトン・アルデヒドと同様にカルボニル基をもつ化合物であるが，その化学的性質や反応性は大きく異なる．それはカルボニル基に結合している置換基（図6-1のR¹とL）の性質の違いに起因している．ケトン・アルデヒドでは，カルボニル炭素に直接結合している置換基（R¹）の元素は，炭素・水素である．一方，カルボン酸およびその誘導体の置換基（L）[11]では，酸素，塩素（ハロゲン），および窒素であり，これらはいずれも，炭素・水素よりも電気陰性度（P.54参照）が高い．すなわち，カルボン酸およびその誘導体では，カルボニル基とそれに結合している置換基（L）との結合には電子の偏り（極性）があり，置換基（L）はケトン・アルデヒドの置換基（R¹）とは異なり，潜在的な脱離能をもっている（図6-2）．

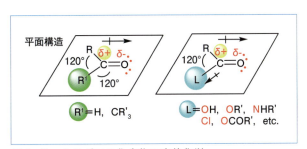

図6-2　カルボニル化合物の立体化学
カルボニル基部分は平面構造をとる．カルボン酸およびその誘導体では，カルボニル炭素はケトン・アルデヒドのそれよりδ＋性が高まっている．また，置換基Lは脱離能をもつ．

2. カルボン酸およびその誘導体とアルコール・アミンとの反応

　前項で述べたように，ケトン・アルデヒドは，アルコールと反応してヘミアセタールあるいはアセタールに変換され，第一級アミンあるいはアンモニアと反応するとイミンが生成する（図6-3①）。これらの反応では，ケトン（またはアルデヒド）のC=O基のδ+性を帯びた炭素原子を，アルコールの酸素原子あるいはアミンの窒素原子がもつ非共有電子対が攻撃することから始まり，それぞれ付加体であるヘミアセタールあるいはヘミアミナールを生成する。ヘミアセタールが，過剰のアルコールと反応するとOH基がOR'基と置換し水が脱離してアセタールになり，ヘミアミナールからは脱離反応により水が脱離してイミンが生成する（図6-3①）。

　一方，カルボン酸およびその誘導体では，アルコール・アミンとの反応によりエステル・アミドが得られる（図6-3②）。これらの反応では，最初にアルデヒドやケトンの場合と同様なカルボニル炭素への求核付加が起こり，図6-3②に示すような四面体中間体が形成される。ここまでの反応はケトン・アルデヒドの場合と同様であるが，カルボン酸誘導体の反応では，潜在的に脱離能を有する置換基（L）が脱離して，C=O基が再度形成される。全体としてはカルボン酸誘導体の置換基（L）がアルコキシ基（OR'）やアミノ基（N-R'R"）と置換した生成物（エステル，アミド）が得られる。この一連の化学反応は，アシル基（RC=O）

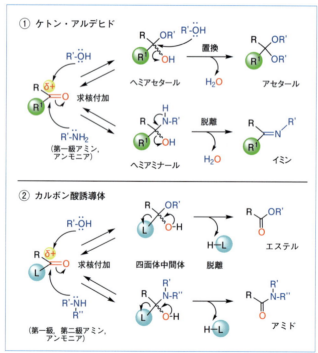

図6-3　ケトン・アルデヒドおよびカルボン酸誘導体とアルコール・アミンとの反応
①ケトン・アルデヒド（H_2Oが脱離），②カルボン酸誘導体（HLが脱離）

に求核剤（アルコールやアミン）が攻撃して置換が起こるので，求核アシル置換反応と呼ばれる。

3．カルボン酸およびその誘導体の反応における置換基（L）の影響

　カルボン酸誘導体において観測される求核アシル置換反応の反応性は，脱離能を有する置換基（L）[11]の影響が大きく，酸塩化物＞酸無水物＞エステル＞アミドの順に低下する（**図6-4**）。アミドはカルボン酸誘導体のなかで最も安定性が高い。反応性の高いカルボン酸誘導体から，反応性の低いカルボン酸誘導体（**図6-4**の左上から右下方向）に変換することはできるが，その逆はできない。また，カルボン酸自体はこれらの誘導体のすべてを合成する原料となり得る。しかし，例えば，カルボン酸自体を用いて，アミンからアミドを合成させる反応では，両化合物間で塩をつくってしまうのでかなり加熱する必要があり，アルコールからエステルを合成する反応では酸触媒の存在下に加熱が必要など，効率がよくない。実際にはエステル・アミド（ペプチド）は，反応性の高い酸ハロゲン化物（特に酸塩化物が多い）や酸無水物の合成の原料としてカルボン酸を用い，**図6-4**の赤色の矢印に従った経路で合成されることが多い。このほかに，カルボン酸自体とアルコール・アミンと反応させてエステル・アミド（ペプチド）を簡便に効率よく得る合成法（脱水縮合剤）が種々開発されている。これについては，次項で詳しく述べる。

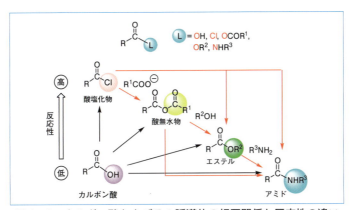

図6-4　カルボン酸およびその誘導体の相互関係と反応性の違い

4．アミド（ペプチド）・エステル類の合成法

(1) ペニシリンの合成

　ペニシリンは，β-ラクタム環（四員環アミド）というユニークな構造をもつ天然物であるので，多くの合成化学者の関心を集め，化学的な全合成が試みられた（ペニシリンについて，詳しくは第Ⅱ部第2章-9., P.192を参照）。しかし，β-ラクタム環には大きなひずみがあり化学的に極めて不安定であるため，それまでの合成手法（酸塩化物や酸無水物を

用いる方法)には限界があった。そのため，1943年に構造が確定されていたにもかかわらず，全合成は長い間達成されなかった。この難題を解決したのが米国(MIT)の化学者J.C.シーハン博士である。シーハン博士らは，穏和な条件下でカルボキシ基(COOH)とアミノ基(NH)を脱水縮合し，β-ラクタム環を構築させる画期的な合成法を見出し，1957年にペニシリンの最初の全合成を達成した(**図6-5**)。ここで用いられた脱水縮合剤が，N,N'-ジシクロヘキシルカルボジイミド(DCC)である。

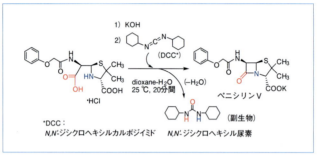

図6-5　ペニシリンの化学合成

(2) DCCによる縮合反応の機序

　DCCを用いるカルボン酸とアミンの脱水反応によるアミドの合成機序を**図6-6**に示した。この変換では最初にカルボン酸がDCCと反応して，活性アシル中間体(**A**)が生成する。この中間体のアシル基(RC＝O)に存在するDCCに由来する置換基(円で囲んだ部分)は，酸塩化物や酸無水物の置換部分と同様に，電子求引性および優れた脱離能をもっている。次いで，この中間体**A**のδ＋性をもつカルボニル基炭素にアミンが反応すると，四面体中間体(**B**)が得られる。中間体**B**から円で囲んだ部分が脱離基となり，ジシクロヘキシル尿素(副

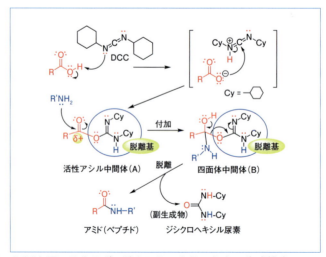

図6-6　DCCを用いるカルボン酸とアミンからアミドの生成機序
　　　　アミンの代わりにアルコールを用いると，同様に反応が進行してエステルが生成する。

生成物)として脱離し，アミドが得られる。ここで，求核剤としてアミンの代わりにアルコールを用いると，活性アシル中間体(**A**)にアルコールが反応して，四面体中間体を経てエステルが得られる。

(3) 脱水縮合法の進歩

　カルボン酸とアルコール・アミンからのエステル・アミドの合成反応は，有機合成反応のうち最も基本的なものといっても過言ではない。古くから知られている合成反応は，第3項(P.31)で記したカルボン酸のOH基の反応性を高めた酸塩化物や酸無水物を中間体とする方法である。古典的なこの方法は安価であるので，現在でも実用的な手法として頻用されている。しかし，これらの中間体は，化合物によっては不安定で取り扱いにくく，調製しにくい場合もあるので，カルボン酸自体を用いる簡便な効率のよい合成法・脱水縮合剤の探索研究が行われた。現在では，活性が高く，安定で取り扱いが容易な種々の反応剤(合成法)が見出され，化合物のタイプに応じて使い分けることが可能になっている。これらのうち，DCCを基本系とする脱水縮合反応剤の進歩は著しく，効率のよい縮合法が開発され，ペプチド合成などに活用されている。

　一般的にDCCを用いるカルボン酸のアミド化・エステル化反応は，カルボン酸，反応剤(アミンやアルコール)およびDCCを適当な溶媒を用いて反応容器内で混ぜ，室温で撹拌し，穏和な条件下で反応が進むという利点がある。さらに，DCCは安価で固体なので扱いやすく，実用的であり，カルボン酸を原料とする縮合反応での使用頻度はたいへん高い。一方，DCCを用いた反応の問題点もいくつかあげられる。例えば，1)副生するジシクロヘキシル尿素は結晶性が高いので，反応によってはこの尿素を生成物から除くことが困難になる場合がある，2)光学活性化合物を用いる反応(例：ペプチド合成)ではラセミ化

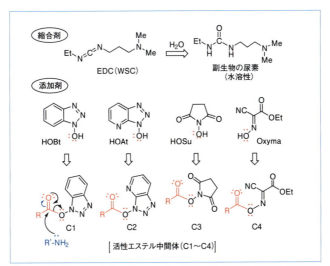

図6-7　DCC法の改善：新しい縮合剤，添加剤と反応系中で生成する活性エステル中間体(C1～C4)
反応系中で生成したC1～C4にアミンが反応してアミドが生成する。

（異性化）を伴うことがある，などである．このようなDCCの欠点[12]を改善した縮合剤（法）は数多く開発されている．一部を紹介する（図6-7，図6-8）と，1) の欠点（副生成物の除去が困難）は，DCCのシクロヘキシル基を塩基性のアミノ基を含む置換基に変えた縮合剤，EDC（別名，WSC：water soluble carbodiimide）により改善された（図6-7上段）．この縮合剤では副生する尿素誘導体が水に可溶であり，生成物から容易に除去できる．また，2) の欠点であるラセミ化（特にペプチド合成におけるラセミ化）は，図6-8に示すような機構で起こる．すなわち，望む反応は活性アシル中間体（A'）からアミド（S）の生成であるが，中間体（A'）は矢印で示した電子の移動により，五員環のアズラクトンと呼ばれる化合物を一部生成する．アズラクトンは括弧内に示したような異性化を起こしてしまうので，カルボニル基（C=O）炭素にアミンが攻撃して生成するアミド（ペプチド）はラセミ化（SとRの混合物になる）（S，Rについては次項を参照）を伴う．この異性化を低減する方法として，DCCの反応系に，HOBt，HOAt，HOSu，あるいはOxymaなどの求核性が高く脱離能も高い性質をもつ試薬（図6-7中段）を添加する方法が開発されている．図6-8に添加剤として，HOAtを用いた場合を示した．図6-8に示すように，HOAtは活性アシル中間体（A'）を，より脱離能の高い活性エステル中間体（C2'）に変換させる．この結果，縮合反応の進行が速まりラセミ化が抑えられる．ほかの添加剤も，同様に図6-7下段に示す反応性の高い活性エステル中間体（C1～C4）を生成させ，ラセミ化を抑制する[13]．

　カルボン酸およびその誘導体（アミドやエステル）は，生体成分や医薬品構造中で頻繁に見られる極めて重要な有機化合物（官能基）群である．ここでは，アミド・エステル結合の形成反応という観点から解説した．基本的には，カルボン酸とアミン・アルコールから脱水するという単純な化学反応であるが，さまざまなアイデアのもとにアミド・エステルの

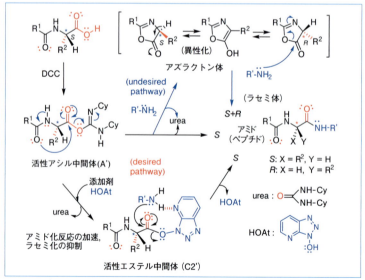

図6-8　ペプチド合成におけるラセミ化（異性化）と添加剤による異性化の抑制
　　　特に，HOAtの活性エステル中間体（C2'）は，図のようにアミンを水素結合により反応点に近づけることによって反応を加速するといわれる．

合成法の研究が行われている。カルボニル基のδ＋性を示す炭素に対して，求核剤（アルコールやアミン）が攻撃することによる四面体中間体形成（図6-3，6-6）とそれを起点とする化学反応は，有機化学反応のさまざまな場で起こっている重要な反応である。

7．キラリティーを学ぼう

はじめに

　キラリティー（chirality）とは，そのもの自身とその鏡像体とを重ねあわすことができない，という性質である。キラル（chiral）の語は，ギリシア語の"手"を意味する言葉"cheir"からきており，右手と左手はキラルな関係を直感的に理解するためのよい例である。

　医薬品（生物活性化合物）が作用を発現するとき，その立体構造はターゲットとなる生体分子（酵素や受容体）によって厳密に認識されている。生体分子は天然型のアミノ酸，糖，脂質などから構成され，キラルな場として存在しているため，生物活性物質がキラリティーを持つとき，多くの場合，鏡像異性体（エナンチオマー）間で異なる生物作用を示す（生体側との相互作用がエナンチオマー間で異なるイメージ図を図7-1に示す）。

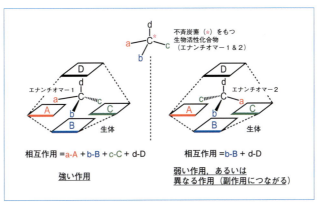

図7-1　エナンチオマーと生体（受容体・酵素）との相互作用

　そのため，鏡像異性体は，一般的には生物活性の強弱・種類のみならず，薬物動態（ADME）が異なる。さらに，それらが統合された結果として毒性なども異なる場合もある。近年，医薬品開発において分子のキラリティーは重要な課題となっているが，その契機となったのがサリドマイド薬害事件であった。1950年代，化学構造中にキラリティーを持つサリドマイド（図7-2）がラセミ体の形で開発され，睡眠薬として米国を除く多くの国で販売された。しかし，このサリドマイドの妊娠初期における服用により，アザラシ肢症の子供が多数出生し，大きな薬害事件となった。その後の動物実験により，この催奇性はS

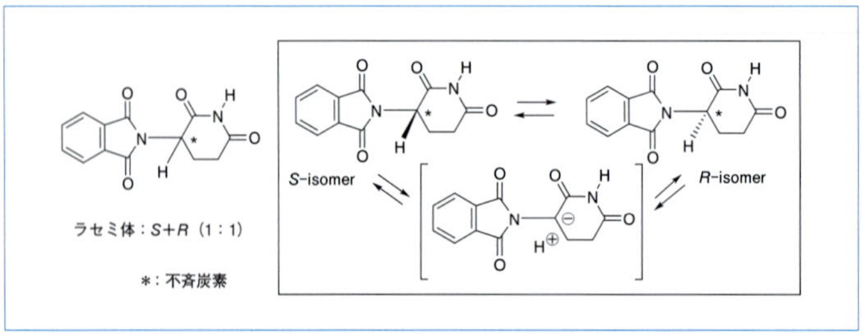

図7-2　サリドマイド（*S*体と*R*体は異性化しやすい）

体に基づくという報告が出され，*R*体のみを医薬品として開発すれば薬害は避けられたのではないかという説が示されたが，さらに詳細な検討により，サリドマイドの*S*体と*R*体は不斉炭素に存在する水素原子がH^+として脱離しやすいため，生体内で容易に相互変換が進むことが明らかとなった。現在では，たとえ*R*体のみを投与しても副作用の発現は避けられなかったであろうといわれている。この薬害事件はわれわれに貴重な教訓を与え，米国食品医薬品局（FDA）から，"キラリティーをもつ化合物を医薬品として開発する場合には，両方の鏡像異性体の薬理作用，代謝にほとんど差がなければラセミ体で開発してもよい"が，その際，"両異性体の薬理作用，毒性，薬物動態などに留意するように"という見解が出され，ガイドラインも示された。こうしてキラルな医薬品開発が推進される状況になった。

　ここでは，医薬品分子を理解するために重要な立体異性体，および医薬品とキラリティーについて解説する。

1．立体異性体とは

　立体異性体とは，分子式が同一で原子の並ぶ順序も同じであるが，立体的（空間的）な形が異なる異性体である。立体異性体は，①立体配座異性体（化学結合自体は保持したまま結合が回転し，分子の形が異なるもの）と，②立体配置異性体（置換する官能基の配置の組換えによって生じる異性体）に分類される。さらに，立体配置異性体は鏡像異性体（エナンチオマー）とジアステレオマーに分けられる（**図7-3**）。

　鏡像異性体同士は，文字どおり，互いに鏡像の関係にあり，結合を回転しても重ならないのでそれぞれ別の分子となる（**図7-4**）。また，その溶液に偏光をあてたとき，互いに逆の旋光性（偏光面の回る向きが逆になる）を示すので，光学異性体とも呼ばれる。鏡像異性体は，旋光性が異なることが大きな特徴であり，そのほかの物理化学的な性質（融点，溶解性など）は同一である。鏡像異性体は，エナンチオマー，キラルな分子（異性体）あるいは不斉（asymmetric＝symmetric でない）分子（異性体）とも呼ばれる。一方，ジアステレオマーとは，鏡像異性体以外の立体配置異性体をいうが，このジアステレオマー同士は，物理化学的性質も異なるまったく別の分子である。

　キラルな医薬品の多くは炭素原子の不斉に基づくもので，**図7-4**に示すように炭素の

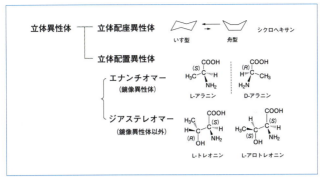

図7-3 立体異性体

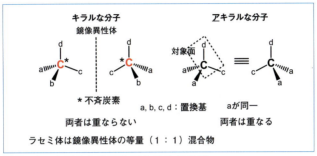

図7-4 キラルな分子とアキラルな分子

4つの手の先がすべて異なる分子である。炭素の4つの手の先のうちどれか2つ以上が同じ場合，その分子はアキラル（＝キラルではない）になる。アキラルな分子の鏡像は元の分子と重なるので，これらは同一の分子になる。

鏡像異性体の表示法には，旋光性［右回り（＋or *d*）／左回り（－or *l*）］，立体化学（*R*／*S*）あるいは系列（D/L）を意味するものなどがあり，化合物名の接頭辞としてつけられる。これらは適宜使い分けられているが，有機化学を専門とされない方々にとってはなじみにくいものであろう。その概略をコラム7にまとめた。

コラム7　鏡像異性体（光学異性体，エナンチオマー）の表示法

①旋光性による表示法：＋or *d*／－or *l*

　キラルな分子を含む溶液に偏光をあてたとき，鏡像異性体同士では互いに逆の旋光性（偏光面の回る向きが逆になる）を示す。偏光面を右に回すものを右旋性（dextrorotatory）の分子，左に回すものを左旋性（levorotatory）の分子と呼び，右旋性の分子は（＋）あるいは*d*（小文字を用いる），左旋性の分子は（－）あるいは*l*（小文字を用いる）で表示される。

②立体化学による表示法：*R*／*S*

　不斉炭素をもつ場合，それぞれの鏡像異性体を**図7-C1**（上段）のように示し，以下

の1)〜3)の手順で*R*配置/*S*配置を区別する。すなわち，1)炭素の4つの手の先についている置換基について原子番号順に優先順位をつける。2)最も優先順位の低い4番目の原子(原子番号が最も小さい)を自分から遠ざけるようにして分子を眺める。3)優先順位1位，2位，3位の順に追っていって，右回

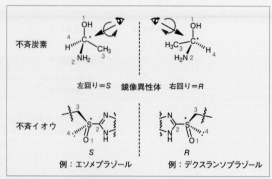

図7-C1　立体表示：S/R

りであれば*R*配置(rectus)とし，左回りであれば*S*配置(sinister)とする。PPIのような，S-オキシドのイオウ原子の場合，イオウ原子からは手が3つしか出ていないように思われるが，構造式に描かれない第4の手が存在する。結合に使われていない電子対(非共有電子対という)が第4の手にあたり(図7-C1下段)，この電子対が4番目の順位(最も優先順位が低い)になる。結合に使われていない電子対を最も遠ざけるようにして分子を眺めると，エソメプラゾールは左回りの*S*配置，デクスランソプラゾールでは右回りの*R*配置であることがわかる。

なお，①に述べた光学的性質である右旋性および左旋性と，②に述べた立体化学による*R*/*S*表示には相関性はまったくない。例えば，右旋性の分子であるから*R*配置になる，という決まりはない。

③系列による表示法：D／L

糖やアミノ酸などでは，上記の①，②の表示法のほかに，D／L系列という別の表示法がある(図7-C2)。これは，基準化合物としてD-(+)-およびL-(-)-グリセルアルデヒドを用いて，図のように構造式を示し(Fischer投影式という)，○で囲んだOH基，NH₂基をグリセルアルデヒドのOH基の向きと比較することによりD／L(フォントの小さい大文字を用いる)を系列として表示する。図7-C2はD/L-グルコースとD/L-アラニンを示している。なお，天然に存在する糖はすべてD系列，アミノ酸はL系列の配置をとっている。

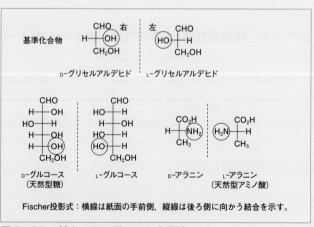

図7-C2　糖とアミノ酸のD/L表示法

2．医薬品とキラリティー

前述したように，鏡像異性体は生体分子(酵素や受容体)により，それぞれ異なる化合物として認識されており，多くの場合，生物活性が異なる。その具体例を**図7-5**に示した。このように，鏡像異性体間では，生物活性の強弱，作用の種類の違い，あるいは互いに逆の作用を示す場合もある。

図7-6に米国FDAで承認された低分子医薬品(NME：New Molecular Entity)品目(2002〜2015年の14年間，N=306)について，立体異性体の観点から分類したデータを示した。開発動向を知るために，2002〜2006年(左図，N=99)と2007〜2011年(中図，N=96)および2012〜2015年(右図，N=111)に分けた。図に示すように，不斉をもつ化合物については，多くはラセミ体としてよりも単一のエナンチオマーとして開発されている。2002年から2011年まで(左図と中図)は，ラセミ体とエナンチオマーの開発比率は大きくは変わっていなかったが，2012年以降(右図)は，開発傾向は急激に変化し，ラセミ体での開発は1％に過ぎない。近年のキラル化合物の合成法などキラルテクノロジーの進展を反映しているのであろう。

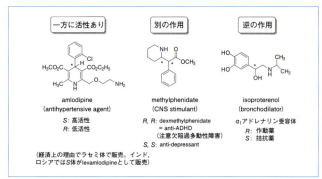

図7-5　鏡像異性体の生物作用(＊：不斉炭素)

図7-6　低分子医薬品のFDA承認数：立体異性体による分類と推移＊
＊Edmond Sanganyado, Zhijiang Lu, Qiuguo Fu, Daniel Schlenk, Jay Gan, Chiral pharmaceuticals: A review on their environmental occurrence and fate processes, Water Research, Volume 124, 1 November 2017, pages 527-542.

8．タンパク質・ペプチド・アミノ酸の化学

はじめに

　生体を構成する主要成分は，タンパク質，糖質，脂質，そして，核酸などの有機化合物である。それらのうち，タンパク質は最も多彩な機能をもつ高分子化合物であり，酵素・受容体はその代表的なものである。医薬品あるいは生理活性物質は，酵素，受容体などの生体内標的分子とのさまざまな相互作用をする。これらの相互作用により，酵素は特異的な生体内化学反応の触媒として機能し，また，受容体は生体内の情報伝達の役割を果たして生理作用が発現される。そのほかタンパク質は，物質輸送（例：酸素の運搬に関わる赤血球中のヘモグロビン），免疫（免疫グロブリン），生体の構造保持（細胞骨格形成，細胞外マトリックス形成）などの役割も果たしている。また，タンパク質より分子量の小さなペプチド類にも重要な生理活性を示す分子（ホルモン）が多数ある。ここでは，タンパク質（ペプチド）およびその構成単位であるアミノ酸の化学を概説する。

1．アミノ酸の構造と性質

　タンパク質やペプチドの基本構成単位はアミノ酸であり，アミノ酸が脱水縮合してアミド結合（ペプチド結合）によってつながってできている（図8-1）。一般に，縮合するアミノ酸の数が約50以下の分子をペプチド，それ以上のものをタンパク質という。タンパク質（ペプチド）を構成するアミノ酸は約20種類［置換基R（側鎖という）が異なる］あり，それぞれの構造がタンパク質全体の性質に大きく関わる。最初に，アミノ酸の構造と性質を述べる。

図8-1　アミノ酸およびペプチド結合

(1) アミノ酸は両性

　アミノ酸はその構造中に塩基性を示すアミノ基と酸性を示すカルボキシ基をもっているため，分子内でイオン対を形成し，両性イオンになる。アミノ酸のアラニン（RがCH$_3$基）の例を図8-2に示す。

アミノ酸は両性であるため，水溶液の液性（酸性あるいは塩基性）によりその構造が変化する。アミノ酸のカルボキシ基のpKa値は約2であり，アミノ基がプロトン化されたときのpKa値は約9〜10である。したがって，図8-3に示すように，非常に強い酸性溶液中ではアミノ基もカルボキシ基もプロトン化されたAの形で存在する。ほぼ中性溶液（pHが約7）中では，カルボキシ基がイオンになったBの形になり，非常に強い塩基性溶液中では，プロトン化されたアミノ基が脱プロトン化され，アミノ基に戻ったCの形で存在する。

　図8-4に，アミノ基およびカルボキシ基がともにプロトン化されたAの形をもつアラニン塩酸塩にNaOHを加えていったときの滴定曲線を示した。0.5当量のNaOHを加えるとAとBが1：1となり，1当量加えると分子内の電荷が釣り合ったBとなる。このときのpHを等電点（pI）（isoelectric point）と呼ぶ。さらに，NaOHを加えていくとBとCの混合物となり，2当量加えるとほぼCのみになる。なお，アミノ酸の水への溶解度は等電点において最小となる。

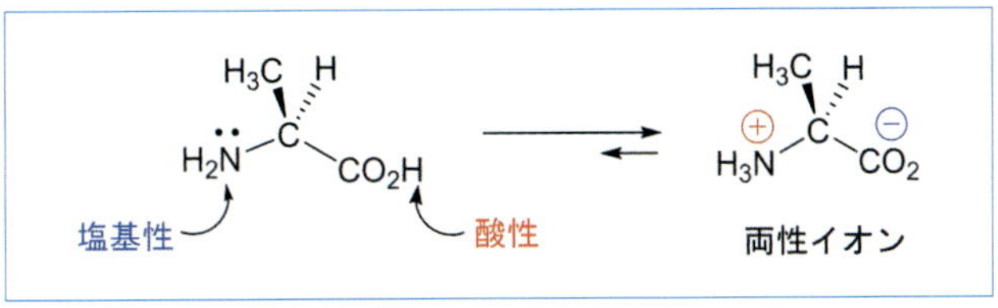

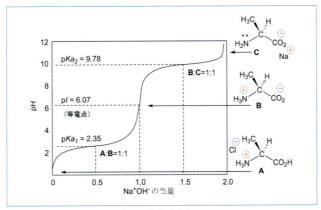

図8-2　アミノ酸は両性

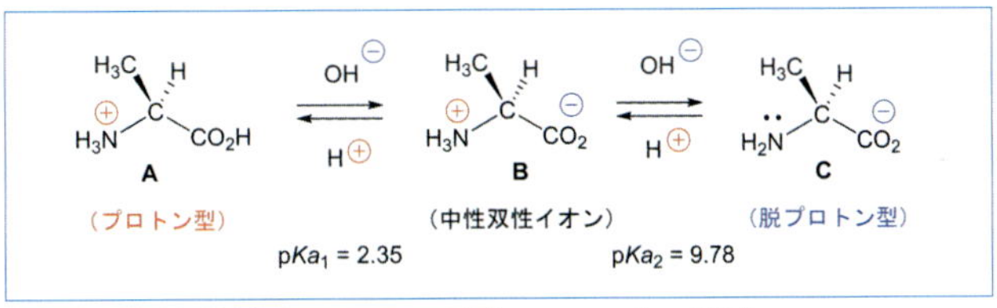

図8-3　水溶液中のアミノ酸（アラニン）の構造

図8-4　アラニン塩酸塩の滴定曲線

(2) アミノ酸の種類

タンパク質を構成する約20種類のアミノ酸では，炭素に結合した置換基（R：側鎖）が異なっている。アミノ酸はこれら側鎖の構造・性質の違いによって水溶液中での構造や物性（酸性度・塩基性度，疎水性・親水性）が異なる。後述するタンパク質（ペプチド）の高次構造の形成や機能発現には，側鎖が深く関与している。20種類のアミノ酸は，以下の4種類に分けると理解しやすい。中性非極性アミノ酸，中性極性アミノ酸，酸性アミノ酸，塩基性アミノ酸である。それらの側鎖の構造を**図8-5**にまとめた。ペプチドやタンパク質など多くのアミノ酸を含む場合には，結合している1つひとつのアミノ酸残基を構造式で表すのが煩雑であるので，三文字の略号や一文字の略号を用いて構造を表す。

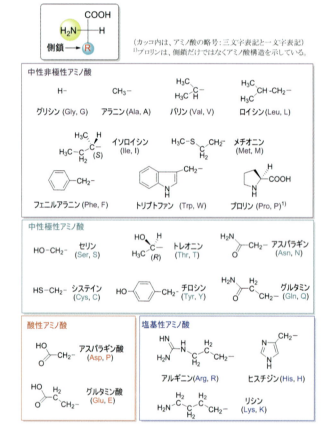

図8-5　天然の20種類のアミノ酸の側鎖（R）の構造

(3) アミノ酸の立体化学

グリシン（R＝H）以外のアミノ酸では，アミノ基，カルボキシ基が置換する炭素が不斉炭素原子になるため，2つの鏡像異性体が存在する。自然界に存在する（天然の）タンパク質（ペプチド）を構成するアミノ酸は，基本的にはすべて一方の鏡像異性体であり，L-アミノ酸[14]と呼ばれる。その鏡像異性体は，D-アミノ酸[14]であるが，D-アミノ酸は天然では

細菌の細胞壁の構成成分や老化組織，ある種の神経細胞など一部に見出されているのみである．立体化学の表し方は，くさび—破線を用いる方法のほかに，縦線—横線を用いるフィッシャー(Fischer)投影式を用いる場合がある．フィッシャー投影式では，–COOHを上に置くのが慣例になっている(図8-6)．

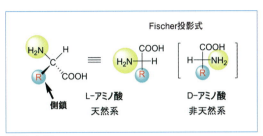

図8-6　アミノ酸の立体表記
　くさび—破線方式では，くさびは誌面より手前，破線は誌面より奥，直線は誌面上を示す．Fischer投影式では，横線は誌面より手前に，縦線は誌面より奥に出ていることを示す．

コラム8-1　L-アミノ酸と生命の起源

　なぜ，天然のアミノ酸が一方(L体)の鏡像異性体(ホモキラル)であるか，生命の起源をめぐる大きな謎の1つである．最近の天文観測研究で，オリオン大星雲の中心部に位置する大質量形成領域において，太陽系の大きさの400倍以上という巨大な領域に円偏光が広がっていることが明らかにされた[a]．この観測結果は，原始太陽系もこのような円偏光領域にどっぷりとつかっていた可能性を示唆している．この知見から，生命誕生の1つの興味深い仮説が提出された[b]．すなわち，星間ガス(分子雲)中でアミノ酸(前駆体)などの有機物が生成する．これに星間の巨大な円偏光が作用してL-アミノ酸が過剰に生じる．これらは太陽系形成時に小惑星や彗星に取り込まれ，やがて隕石として地球に運び込まれる．隕石が降り注がれた原始海洋中で，このエナンチオ過剰は，"硤合反応"[c] (エナンチオ過剰を増幅するような自己触媒反応)などにより増幅され，ほぼL体のみとなる．このようにしてできたホモキラルなアミノ酸(および糖)を用いて生命が誕生したという説である．

[a] T. Fukue et al., *Origins Life Evol. Biosph.*, **40**, 335-346, 2010
[b] 小林憲正，分子研レターズ，**65**, 32-34, 2012
[c] K. Soai et al., *Nature*, **378**, 767-768, 1995

2．タンパク質・ペプチドの構造と性質

　すでに述べたように，アミノ酸が50個程度までペプチド結合(アミド結合)で連結されたものがペプチドである．それ以上のものをタンパク質として分類している．基本単位であるアミノ酸の両末端にはアミノ基とカルボキシ基があるので，アミノ酸の数が増えてペプチドが長くなっても両末端にはアミノ基とカルボキシ基がある．このアミノ基側の末端を

N-末端と呼び，カルボキシ基側の末端をC-末端と呼ぶ．ペプチドおよびタンパク質を表記するときにはN-末端を左に，C-末端を右に書くことが通例となっている(図8-7)．また，C-末端のアミノ酸のカルボキシ基がアミド化されている場合もあるが，そのような場合にはC-末端に-NH_2をつける．生体内には，ホルモンをはじめとして，重要な生理活性をもつペプチドが多数存在する．例として，オキシトシン，バソプレッシン，およびアンギオテンシンIIの一次構造(三文字表記)を図8-7に示した．これらは，各々，子宮収縮や乳汁分泌作用，抗利尿作用による体内水分バランスの調節作用，および血圧上昇(昇圧)作用をもつ．オキシトシンおよびバソプレッシンの構造中に見られるS-S結合は，システイン残基側鎖のチオール基の酸化によって生じるジスルフィド結合である．このジスルフィド結合は強固な共有結合であり，ペプチド(タンパク質)の三次元的な構造の構築に役立っている．

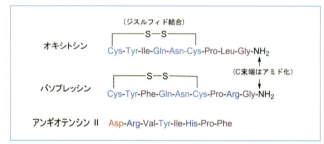

図8-7　オキシトシン，バソプレッシン，アンギオテンシンIIの一次構造(三文字表記)

　およそ50個以上のアミノ酸からなるタンパク質はそれぞれが特定のアミノ酸配列をもち，分子内のアミノ酸残基の性質に基づいて決まった立体構造を形成する．タンパク質の構造は，一次構造，二次構造，三次構造，四次構造に分類される．
　一次構造は，アミノ酸配列やジスルフィド結合などの共有結合に基づく構造である．図8-7に示したペプチドのアミノ酸配列がその例である．
　二次構造は(ポリ)ペプチド鎖(主鎖)における特徴ある部分的な立体配列をいう．一般のアミド結合は，すでにアミドの項(P.9)で述べたように，共鳴によりC-N結合は二重結合性をもつので，平面構造をとり回転も阻害されている．ペプチド結合でも同様であり，結合に関与する6個の原子は同一平面上に存在し，C^{a1}とC^{a2}(およびC^{a2}とC^{a3})はアミド結合をはさんで安定なトランス配置をとる．隣り合ったペプチド結合(平面)同士はC^{a2}原子をはさんで回転が可能であり，ねじれた立体構造をとる(図8-8)．この回転と主鎖ペプチド結合中のアミノ酸残基のカルボニル基(C=O)の酸素とアミノ基(NH)の水素との間で水素結合を適宜形成することによって，タンパク質(ペプチド)の二次構造がつくられる．二次構造にはαヘリックス，βシート，βターンなどがある(図8-9)．
　αヘリックスは20残基以下のアミノ酸からなり，右回りのらせんを巻いている．このらせん構造は，主鎖のペプチド結合のカルボニル基の酸素が，4個先のペプチド結合のアミ

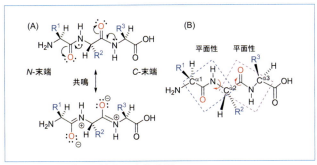

図8-8　ペプチド結合の立体化学
(A)共鳴構造，(B)炭素原子を中心とした平面の回転

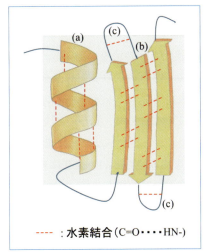

図8-9　タンパク質(ペプチド)の二次構造
(a)αヘリックス，(b)βシート，(c)βターン

ノ基の水素と水素結合を形成する。この水素結合はすべてのアミノ酸残基が関与し，らせんの軸方向に形成される。アミノ酸側鎖(R)はらせん構造の外側に突き出している。βシートは，平行に並んだ2本の主鎖ペプチド結合が，主鎖間で水素結合により結ばれたものである。各アミノ酸の側鎖(R)はシート平面の上下に突き出ている。ペプチド鎖は，αヘリックスやβシート以外に，βターンといわれる急激に曲がった構造をとることがある。この部分は4つのアミノ酸残基からなり，1番目と4番目の主鎖残基が水素結合で結ばれている。以上のような二次構造は，タンパク質に限らずペプチドにもあてはまる。

アミノ酸残基の側鎖(R)はさまざまな構造・性質をもつ(図8-5)。その結果，二次構造をもったタンパク質にはその分子内の側鎖間で，分子間相互作用の項(第Ⅱ部第1章-1，P.117)で述べるような，さまざまな相互作用［1)共有結合(特にジスルフィド結合)，2)水素結合，3)イオン結合，4)ファンデルワールス相互作用，5)疎水性相互作用］が働き，タンパク質は，より高次の複雑な立体構造を形成する。これが三次構造である。

タンパク質によっては，1個の分子だけでは活性をもたず，数分子のタンパク質(これ

らをサブユニットという）が集まってはじめて活性を表すものがある。このような，複数個のタンパク質同士が会合したものが四次構造である。この会合においても，サブユニット間でさまざまな相互作用が働いている。

以上，生体を構成する成分であるタンパク質・ペプチド・アミノ酸の構造と性質を概説した。酵素や受容体が機能をもつのはタンパク質が固有の形をつくれるからである。第Ⅱ部第1章-4.(P.133)では酵素がどのような機序でその生理作用を発現しているか，アミノ酸側鎖の特異構造により引き起こされる巧妙な仕組みを概説する。

コラム8-2　リュープロレリンとDDS製剤

ペプチド化学と製剤化研究が連携して誕生した医薬品がリュープロレリンである。リュープロレリンは，性ホルモンの分泌を促進させるLH-RH（黄体形成放出刺激ホルモン）の受容体に高い親和性をもつペプチド（スーパーアゴニスト）を主成分とし，前立腺がん，乳がん，子宮内膜症などの治療に用いられている。LH-RHは10個のアミノ酸からなるペプチドであり，2個のグリシン残基を含んでいる（**図8-C1**）。これらグリシン部分について，末端側をエチルアミノ基に，中央部分を非天然系のアミノ酸（D-ロイシン）に変換することによって，LH-RH受容体に対してLH-RHそのものより約80倍も高い親和性をもつリュープロレリン・酢酸塩が創製された。天然のホルモンに非天然系のD-アミノ酸を組み込むという発想は普通思いつかないが，ペプチド合成に関して蓄積された研究力の賜物である[a]。D-アミノ酸の置換により，ペプチドがβターン構造をとりやすくなり活性が上昇したといわれている。

さらに，この医薬品の開発においては，DDS（Drug Delivery System）研究に多大な努力が払われた。ペプチドは経口投与されるとペプチダーゼによって分解されてしまうので，一般にペプチド医薬品は注射により投与される。リュープロレリンも，効果を発揮させるために"連日注射"しなくてはならないという問題点があった。その点を改善する方法が検討された結果，身体のなかで徐々に分解するポリマー（乳酸とグリコール酸の共重合体：PLGA）をマイクロカプセル化し，そのなかにペプチドを封じ込めるDDS製剤（徐放製剤）が開発された。現在，3カ月および6カ月に1回投与の注射用の医薬品として用いられている。

[a] M. Fujino et al., *Biochem. Biophys. Res. Commun.*, **60**, 406-413, 1974

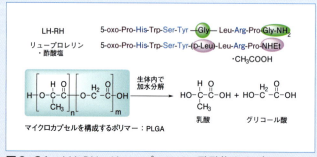

図8-C1　LH-RH，リュープロレリン酢酸塩およびPLGA

医薬品を支える有機化学　第Ⅰ部

9．糖化学へのお誘い

1．糖質の化学

　糖質[15]は炭水化物とも呼ばれるが，それは糖質の多くが炭素の水和物の分子式（$C_m(H_2O)_n$）であることに由来している。現在では，より広くとらえられ，多くの脂肪族ポリヒドロキシ化合物とそれらの誘導体を総称して糖質と呼んでいる。生体内での糖質は多くの糖が連結した高分子（デンプンやグリコーゲンなど多糖類）として存在し，かつては栄養源，エネルギー源としてとらえられていた。しかし，最近では細胞間の認識機構が明らかになるにつれ，糖類は細胞間の情報のやりとりをする情報素子としても注目を集めている。糖類の基本単位は単糖類で，3～9個の炭素原子をもつポリヒドロキシアルデヒドまたはポリヒドロキシケトンである。複数の単糖がつながるとオリゴ糖類（2～10個の単糖からなる）や多糖類となる。糖類には直鎖状だけでなく，環状構造もあり，水酸基の立体化学も含めると構造的な多様性がある分子といえる。糖質の奥深い化学を見ていこう。

(1)ヘミアセタールとアセタール

　糖類の構造を理解するために，基本となる化学反応としてヘミアセタールおよびアセタールの化学を解説する。カルボニル化合物に1分子のアルコールが求核付加するとヘミアセタールが生成する（図9-1a）。ヘミアセタールの炭素原子は4個の異なる置換基が置換しているので不斉炭素であり，2個の立体異性体（後述する α-アノマーと β-アノマーに相当する）が存在する。ヘミアセタールの生成反応は解離反応と平衡状態にあるので，この2個の異性体は溶液中で相互変換する。ヘミとはギリシャ語で「半分」の意味で，ヘミアセタールがもう1分子のアルコールと反応すると脱水反応が起こり，OH基がアルコキシ基（RO-）に置換されたアセタールが生成する（図9-1a）。ヘミアセタールの構造をもつ安定な分子はあまり多くないが，糖類のように同一分子中にアルデヒドとアルコールを有する化合物は分子内ヘミアセタールを形成し，糖類のように比較的安定に存在する場合が

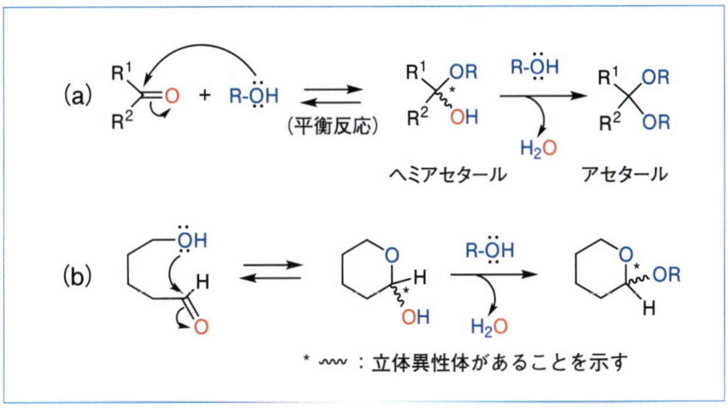

図9-1　カルボニル化合物とアルコールとの反応：ヘミアセタール，アセタールの生成

47

ある（図9-1b）。

　五炭糖や六炭糖は，ヒドロキシ基(-OH)とホルミル基(-CHO)〔あるいはケト基(〉C＝O)〕を分子内にもつので，比較的安定な五員環や六員環の環状ヘミアセタールを形成する。例えば，D-グルコース[16]の例を図9-2に示す。この閉環によって新しく1位（アノマー位という）に不斉炭素が生じて立体異性体（α/β-アノマー）が生じる。1位の水酸基が図9-2のなかで「下向き」のものをα-アノマー，「上向き」のものをβ-アノマーという。

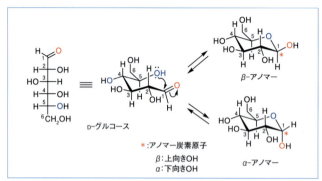

図9-2　D-グルコースの環状ヘミアセタール（α-アノマーとβ-アノマー）

> **コラム9-1　変旋光**
>
> 　D-グルコースは，結晶状態ではほとんどがα-アノマーとして存在しているが，水溶液中ではヘミアセタールの環が開いた鎖状構造を経てα-アノマーとβ-アノマーの間で相互変換し，α-アノマーとβ-アノマーの比が36：64の平衡状態に至る。このような開環と閉環の繰り返しによって平衡に達するまでの過程は旋光度の変化として観察される。純粋なα-D-グルコピラノースの比旋光度は $[α]_D^{20}=+112.2$で，純粋なβ-D-グルコピラノースの比旋光度は $[α]_D^{20}=+18.7$である。純粋なα-D-グルコピラノースの結晶を水に溶かすと，比旋光度は徐々に変化し，$[α]_D^{20}=+52.7$で一定になる。同様に純粋なβ-D-グルコピラノースの結晶を水に溶かすと，比旋光度は徐々に変化し，やはり $[α]_D^{20}=+52.7$で一定になる。このように純粋なアノマーが水溶液中で2つのアノマーの平衡混合物になるために観察される旋光度の変化を変旋光という。

(2) グリコシド結合と配糖体

　糖分子のアノマー位が，別の有機化合物と脱水縮合して形成する共有結合をグリコシド結合という。単糖のヘミアセタール（図9-2）のアノマー位（1位）のOH基がほかのアルコールのアルコキシ基(OR基)と置換して生成するアセタールは，O-グリコシド結合した化合物である（図9-3）。同様に，糖のアノマー位の炭素が硫黄原子，窒素原子，炭素原子で置換して結合したものを各々S-グリコシド結合，N-グリコシド結合，C-グリコシド結合と呼ぶ。C-グリコシド結合は加水分解されにくく，SGLT2阻害薬（第Ⅲ部第1章-3．P.229）に組み込まれている。

グリコシド結合も環状の単糖類と同様に，アノマー炭素の立体化学によってα-結合およびβ-結合に分けられる。例えば，乳糖はD-グルコースとD-ガラクトースがβ-グリコシド結合している。また，ショ糖はD-グルコースとD-フルクトースがα-グリコシド結合している（**図9-4**）。さらに多数の糖類がグリコシド結合で連結したものが，オリゴ糖や多糖類である。セルロースはD-グルコースがβ-結合で連なった多糖類である（**図9-4**）。糖以外の有機化合物が，糖とグリコシド結合した物質は配糖体と呼ばれる。配糖体の糖以外の部分をアグリコンという。天然由来の配糖体には重要な生理活性を示すものが多く，抗生物質（エリスロマイシン，カナマイシン一硫酸塩など）や抗悪性腫瘍剤（ドキソルビシン塩酸塩など），強心薬（ジギトキシン）などの医薬品としても開発されている。

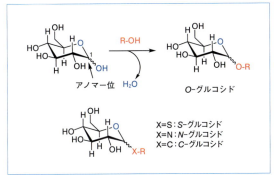

図9-3　グリコシド（グルコシド）結合[16]

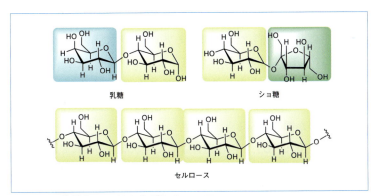

図9-4　乳糖とショ糖およびセルロース
D-グルコースを黄色，D-ガラクトースを青色，D-フルクトースを緑色で示す。

2．六炭糖および五炭糖の化学

　D-グルコースは，天然に存在する六炭糖の中で圧倒的に多く存在する。なぜ，D-グルコースが普遍的な糖になったのだろう？　すでに述べたように，D-グルコースの鎖状構造は5位のヒドロキシ基が1位のアルデヒドに求核付加し，ヘミアセタールを形成することによって環状構造になる。変旋光（コラム9-1参照）が観察されるように，D-グルコースの

環状構造は，水溶液中では2個の立体異性体（α-グルコピラノースとβ-グルコピラノース）の平衡混合物として存在する。一方，この変旋光という現象は，D-グルコースは水溶液中ではもっぱら6員環の環状構造であるα-グルコピラノースとβ-グルコピラノースとして存在し，5員環の環状構造であるα-グルコフラノース，β-グルコフラノース，および直鎖状構造はほとんど存在しないことを示唆している（図9-5）。では，D-グルコース以外の糖は，水溶液中ではどのような環状構造を形成しているのだろうか。直鎖状の構造はないのだろうか。

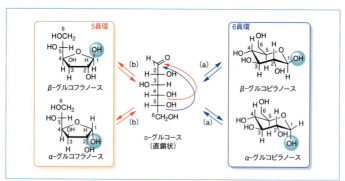

図9-5　D-グルコースの環状ヘミアセタール構造

(1) 糖のさまざまな構造

　ヘミアセタール形成による環状構造を確認するには，^1H NMRを重水中で測定するのが最も簡便な方法であろう。実際にD-グルコースを測定してみると，5位のヒドロキシ基が1位のアルデヒドに求核付加した6員環ヘミアセタールであるα-グルコピラノースとβ-グルコピラノースの混合物（36：64）で存在することが確認でき，4位のヒドロキシ基が1位のアルデヒドに求核付加した5員環ヘミアセタールであるα-グルコフラノース[17]とβ-グルコフラノース[17]（図9-5 (b)）は確認できない。直鎖状の構造も認められない。ほかの糖ではどうなのか調べてみると，少し古い本[18]ではあるが，ポーラログラフ法により[19]直鎖状構造を調べ（図9-6），^1H NMRによって環状構造のそれぞれの存在比を測定した（表9-1），興味深いデータが記されていた。天然に存在する量が比較的多い六炭糖であるD-グルコース，D-マンノース，およびD-ガラクトースにおいては，水溶液中では直鎖状の構造はごくごくわずかである（D-グルコースでは0.024％，D-マンノースでは0.064％，D-ガラクトースでは0.082％の存在比である）（図9-6）。このような低い存在比では^1H NMRの測定をしてもその存在を確認できないのは納得できる。最も直鎖状の構造が少ないD-グルコースについて，「水溶液中ではもっぱらα-グルコピラノースとβ-グルコピラノースとして存在する」といって差し障りはなさそうである。一方，五炭糖であるD-リボースでは8.5％も直鎖状構造が存在する。ほかの五炭糖における直鎖状構造の存在比（D-キシロースでは0.17％，D-リキソースでは0.40％）を考慮すると，六炭糖と比較して五炭糖ではやや直鎖状構造が多いとはいえ，D-リボースだけ特別に直鎖状構造が多いことがわかる（図9-6）。

表 9-1　環状ヘミアセタールの水溶液中における平衡状態での存在比
（^{1}H NMRの測定による[20]）
赤色が自然界に広く存在する糖，青色がほとんど存在しない糖

		ピラノース（6員環）		フラノース（5員環）	
		α （%）	β （%）	α （%）	β （%）
六炭糖	D-グルコース	36	64	0	0
	D-マンノース	68	32	0	0
	D-ガラクトース	36	64	痕跡量	痕跡量
	D-アロース	18	70	5	7
	D-アルトロース	27	40	20	13
	D-イドース	31	37	16	16
	D-タロース	40	29	20	11
五炭糖	D-リボース	20	56	6	18
	D-キシロース	37	63	0	0
	D-リキソース	72	28	0	0

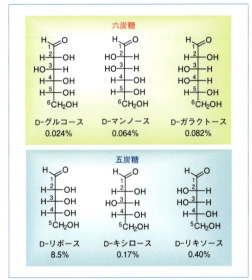

図 9-6　直鎖状の糖の水溶液中における平衡状態での存在比
（ポーラログラフ法による）

　さらに，環状構造についても存在比を比べてみよう（**表 9-1**）。天然に存在する量が比較的多い六炭糖であるD-グルコース，D-ガラクトース，D-マンノースでは，6員環の環状ヘミアセタール構造であるピラノース（グルコピラノース，ガラクトピラノース，マンノピラノース）が存在し，5員環の環状ヘミアセタール構造であるフラノースはほとんど認められない。この点について，平林淳博士はその著書「糖鎖のはなし」[21]において，D-グルコースには直鎖状構造がほとんどなく，6員環の環状ヘミアセタール構造が特に安定で存在比が高い理由を上手に説明されている（コラム 9-2参照）。平林博士は「直鎖状の構造が最も少なく，かつ，6員環ヘミアセタール構造がほかの構造よりも安定であるので，D-グルコースが最も自然界で繁栄した糖になった」と結論づけている。一方で，同じ六炭糖でもD-アロース，D-アルトロース，D-イドース，D-タロースでは5員環の環

状ヘミアセタール構造であるフラノースが比較的多く存在する。これらの糖が自然界にはほとんど存在しないことを併せて考えると，自然界においては，6員環ヘミアセタール構造の存在割合が高いことがその糖の行く末を決めたと推察できる。五炭糖についても，D-キシロース，D-リキソース[22]では5員環の環状ヘミアセタール構造であるフラノースは認められない。これらの糖についても，6員環状のヘミアセタールのほうが5員環状のそれよりも安定であるから，という理由が成り立つのだろう。さて，問題はD-リボースである。D-リボースはここでも際立った特質を示し，5員環の環状ヘミアセタール構造であるフラノースが比較的多く存在する。D-リボースはDNAやRNAに含まれる極めて普遍的な五炭糖であるが，6員環状のヘミアセタールの構造の割合はほかの糖と比べるとやや低めである。なんだかD-リボースはほかの糖とは違う不思議さをもっているように思えてくる。

(2) D-リボースの役割

　五炭糖であるD-リボース（図9-6）について，これまでわかったことをまとめると，①直鎖状の構造がほかの糖と比べて比較的多い，②5員環の環状ヘミアセタール構造であるフラノースも比較的多く存在する，となる。D-グルコースで認められる「6員環ヘミアセタール構造の存在比が高い糖は自然界に広く存在しやすい」という説に従うなら，D-リボースは自然界にあまり多く存在しない糖になってしまいそうである。しかし，実際はそうではなく，DNAやRNAに含まれる糖として存在量はとても多い。ここで注意すべき点は，D-リボースは自然界において，セルロースやデンプンといった多糖類（糖鎖）の構造中には含まれず，DNAやRNAに5員環ヘミアセタール構造であるリボフラノースとして含まれるという点である（図9-7）。D-リボースは独特の立ち位置にあると考えるべきなのだろう。ほかの糖と比較して異なる特質をもつD-リボースは，それゆえに，遺伝情報を伝えるための化学構造に必須な糖として選ばれたと推察される。また，生体内で酵素の機能を補う役割を果たすといわれる補酵素[23]には，リボヌクレオチド誘導体が含まれることが極めて多く（図9-7），ここにもD-リボースが登場する。最近，リボザイムやマイクロRNA活性など，生体内での重要な働きが見出されており，RNAには生体反応を制御する可能性も示唆されており，D-リボースが含まれることはとても興味深い。このような生命現象に関わる糖としてのD-リボースの役割について，これまでも多くの科学者が研究を行い，優れた成果が得られている[24]。

　冒頭で述べた糖の化学構造の多様性は，糖の機能性につながるものである。例えば，製剤化の過程においても，糖類の多様な化学構造に基づく新たな機能性の付与も可能になるのではないかと思う。

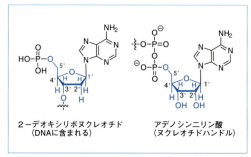

図9-7　D-リボースを含むヌクレオチド誘導体

コラム 9-2　D-グルコースの6員環の環状ヘミアセタール構造が最も安定である理由

　D-グルコースは水溶液中では6員環の環状ヘミアセタール構造をとり，ほかの糖に比べて環状構造が安定になる。その理由を考えよう。例えば，β-グルコピラノースの化学構造式は，図9-C1に示すように，必ず4位の炭素が上で1位の炭素が下になったいす形コンホメーションをとる（$^4C_1$のように表示する）。もう1つの4位が下で1位が上のいす形コンホメーション（$^1C_4$）はほとんど存在しないと考えられる。これは，$^1C_4$のコンホメーションでは，5-6位の炭素-炭素結合がアキシャル（垂直方向）になって不安定性を高めることと，それぞれアキシャル（垂直方向）になっているヒドロキシ基の間で多くの1,3-ジアキシャル反発（互いに2つ先の炭素に結合しているヒドロキシ基が立体的に障害となる）が生じるからである。一方，$^4C_1$で表されるコンホメーションでは，5-6位の炭素-炭素結合もそのほかのヒドロキシ基もすべてエクアトリアル（斜め方向）になって，1,3-ジアキシャル反発がほとんど起こらない。よって，β-グルコピラノースの熱力学的に安定なコンホメーションとしていす形コンホメーション（$^4C_1$）が優先される。D-グルコースは，その立体化学ゆえ，6員環のすべての置換基がエクアトリアルになり，安定性を獲得できる。これがD-グルコースの6員環の環状ヘミアセタール構造が最も安定である理由である。

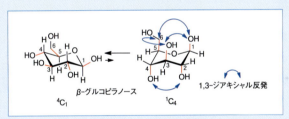

図9-C1　β-グルコピラノースのいす形コンホメーション

　比較するために，β-ガラクトピラノースの6員環の環状ヘミアセタール構造（図9-C2）について考えよう。前述のように，β-ガラクトピラノースにおいても4位の炭素が上で1位の炭素が下になったいす形コンホメーション（$^4C_1$）が優先されることは理解しやすい。しかし，β-ガラクトピラノースでは，このコンホメーションにおいても4位のヒドロキシ基だけはアキシャルになってしまう。この点において，β-ガラクトピラノースの環状ヘミアセタール構造の安定性はすべての水酸基がエクアトリアルであるβ-グルコピラノースのそれに比べて劣る。

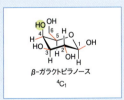

図9-C2　β-ガラクトピラノースのいす形コンホメーション

10. 水素結合，電気陰性度とはなんだろう？

はじめに

すでに，有機化合物の塩基性および酸性をテーマとして，なぜ，アミンとアミドの窒素原子の性質が違うのか？　なぜ，アルコール，フェノール，カルボキシ基などのヒドロキシ基の性質が違うのか？　なぜ，窒素原子と酸素原子の性質が違うのか？　などを考えてきた（第1章1，2，3）。医薬品分子あるいは生体内分子の構成成分として重要な官能基について一通り理解していただけたと思う。ここでは，これらの官能基の構造的な特徴の1つである「水素結合」について述べたい。また，「電気陰性度」についてもとりあげる。すでに何度か登場している言葉ではあるが，「電気陰性度(electronegativity)は，原子が電子を引き寄せる強さの相対的な尺度である」と定義しただけでは，その意義を理解しづらかったかと思う。実は，電気陰性度は，有機化合物の物性（酸性・塩基性，水素結合の強さなど）や化学反応性（官能基の電子供与性・吸引性など）を理解するうえでたいへん重要な概念である。

1．電気陰性度

原子同士の共有結合は，2個の電子を共有することによって形成されているが，電気陰性度が異なる2つの原子の結合では，その結合電子対は電気陰性度がより大きいほうへ引き寄せられる。その結果，電気陰性度が大きい原子は負電荷を帯び，電気陰性度が小さい原子は陽電荷を帯びることになる［この電荷（電子雲）の偏りを分極と呼ぶ］。電気陰性度は，分子の性質や反応性を，ある程度の定量性をもって考える際に極めて有効なパラメータである。このパラメータの定量化を最初に試みたのが，著名な科(化)学者であるポーリング(Pauling)である。現在でも，ポーリングによって定義された値が広く用いられている。**表10-1**に元素周期表の一部（第3周期まで）を示した。各々の元素の下に示した数字が電気陰性度であり，数値が大きいほど電子を引きつける能力が高い。

表10-1　元素周期表（第3周期まで）と電気陰性度

^{1}H							^{2}He
2.1							—
^{3}Li	^{4}Be	^{5}B	^{6}C	^{7}N	^{8}O	^{9}F	^{10}Ne
1.0	1.5	2.0	2.5	3.0	3.5	4.0	—
^{11}Na	^{12}Mg	^{13}Al	^{14}Si	^{15}P	^{16}S	^{17}Cl	^{18}Ar
0.9	1.2	1.5	1.8	2.1	2.5	3.0	—

記号の左上は原子番号（＝陽子数），下の数字が電気陰性度
（表の左から右にかけて電気陰性度は高まる）。

電気陰性度は，周期表で左から右へ，下から上に行くほど値が大きくなる。この傾向は，価電子（結合に関わる最外殻電子）と原子核との間の電気的引力の大小によって説明される。まず，同じ周期（横の列）であれば，右に行くほど〔原子番号（＝陽子数）が大きくなるほど〕原子核の正電荷が大きくなり，電子はより強く原子核に引き寄せられる。その結果，電気的な陰性度が高まる。一方，同一族（縦の列）で比較した場合は，周期表の上に行くほど電気陰性度の値は大きくなる。これは，周期表の下に行くほど核の正電荷が大きくなり，電子はより強く核に引き寄せられ，より電気陰性になるだろうという予想とは矛盾しているように思われる。しかし，縦の列はそれぞれ周期が異なることを思い出してほしい。縦の列が下へ行くほど，原子核と荷電子の平均距離が遠くなり，クーロン力が弱まる。さらに，1周期ごとに内殻電子が入り込んできて核の正電荷を遮蔽してしまう。その結果，電気的な陰性度は減少するといわれている。なお，希ガス（He, Ar, Ne）は一般的には結合を形成しないので電気陰性度は定義されない。したがって，希ガスを除いた原子のなかで，周期表の右上，すなわちフッ素（F）が最も電気陰性度の高い原子である（電気陰性度4.0）。

2．電気陰性度はどのように使われるか？

　この電気陰性度の値は，2つの原子の結合型を区別する目安として便利に使われる。図10-1に示すように，結合する2つの原子（A–B）の電気陰性度の差により，結合型をイオン結合，極性共有結合，非極性共有結合に分類することができる。

　電気陰性度の差が1.9以上ならば，その結合はイオン結合とみなせる。例えば，塩化ナトリウムは，電気陰性度が0.9のナトリウムと3.0の塩素の結合であるが，その差は3.0 − 0.9 = 2.1であり，1.9より大きいのでイオン結合である。この場合，ナトリウムはもともと最外殻にもっていた電子を塩素に奪われた形になるので1価の陽電荷（＋）をもつナトリウムカチオンとなり，塩素は最外殻にナトリウムから奪った電子を配置するので，1価の負電荷をもつ塩素アニオンとなる。一方，結合する2つの原子の電気陰性度の差が1.9未満の場合，

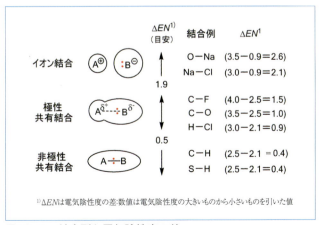

図10-1　結合型と電気陰性度の差

イオン結合ではなく共有結合になる。共有結合のなかでもイオン結合に近い場合（電気陰性度の差が0.5以上1.9未満）を極性共有結合という。このときの分極の様子（部分的な電子の偏り）を示すために電気陰性度が大きく部分的に負電荷を帯びている原子に$\delta-$（デルタマイナス）を，電気陰性度が小さく部分的に正電荷を帯びている原子に$\delta+$（デルタプラス）をつけて表す。また，電気陰性度の差が0.5未満で分極が小さい結合が非極性共有結合である。

3．水素結合とは

　水素結合は，分子間あるいは分子内で水素（H）を介して形成される弱い結合（結合エネルギーは5〜30 kJ/mol）である[25]。もう少し具体的に記すと，電気陰性度が大きな原子（X：例えば，フッ素，酸素，窒素など）に共有結合した水素原子は$\delta+$に分極し，電子を受け取る性質（電子受容性）をもつ。そのため，近傍に位置するもう1つの電気陰性度が大きな原子（Y）との間で，非共有結合性の引力的相互作用（X−H…Y）を生じる。これが水素結合である。この際，水素原子が内殻電子（結合に関与しない電子）をもっていないことがポイントである。もし，内殻電子をもっていると，相手から供与される電子と反発しあうことになり，分子間結合は形成できない。したがって，H以外の原子は水素結合のような分子間力をもたない。

　これまでに解説してきた官能基（アンモニア，アミン，アミド，水，アルコール，カルボキシ基など）は，水素結合を形成する部分構造をもち，分子は単純な1分子構造をもつ化合物としてよりも，水素結合が関与した多分子の構造として考えたほうが妥当である場合が多い。水素結合は，有機化合物の立体構造を規定し，その物理化学的な性質に大きな影響を与えている［例えば，沸点・融点，分子の会合（カルボン酸二量体），水に対する溶解性，酸の解離度，分子の立体構造など］。さらに，水素結合は生体内で重要な役割を果たしている。酵素や受容体はタンパク質からなるが，水素結合によって，二次構造ばかりでなく，その三次構造も規定され，高選択的な生理作用の発現に大きな寄与をしている。また，DNA分子のらせん構造形成にも水素結合が大きな役割を果たしており，生体系で行われているさまざまな現象（反応）も水素結合が関与している。以下に代表的な水素結合を記す。

(1)水およびアルコールの水素結合

　O−Hの結合は，酸素の電気陰性度が3.5，水素の電気陰性度が2.1でその差は1.4となり結合電子対が酸素側に偏った極性共有結合である。したがって酸素は（$\delta-$），水素は（$\delta+$）を帯びている。水のように部分的に電荷をもつ分子同士は互いに部分的な電荷が引き合って分子間で水素結合ネットワークをつくる（**図10-2a**）。アルコール分子（ROH）も水分子と同様に水素結合を形成する（**図10-2b**）。水素結合の形成により，水やアルコールは大きな分子として振る舞うため，同程度の分子量をもつアルカンやハロゲン化アルキルと比

べて沸点が高い［沸点，水100℃，メタノール65℃，メタン −162℃，クロロメタン −24℃］。また，一般的に，低分子のアルコールが水に溶けやすいのも，アルコールが水分子と水素結合を形成するためである。水素結合による水溶性は，後述するように，カルボン酸（RCOOH）やアミン（NR₃）でも同様である。ただし，置換基（R）として炭素数の大きな置換基（疎水性基）が存在する場合には，水溶性は低下する。

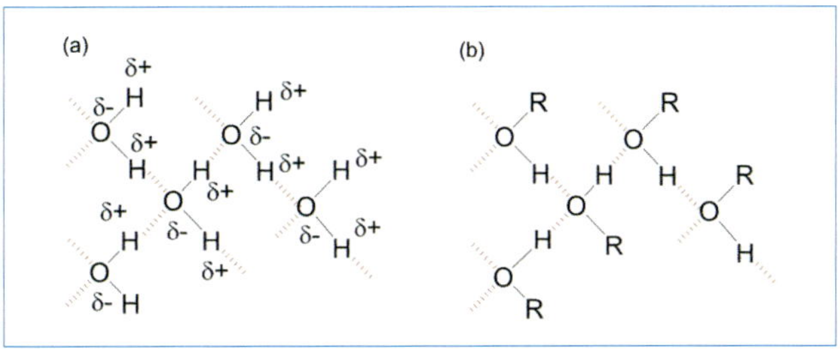

図10-2　(a)水分子および(b)アルコール分子の水素結合

(2) カルボン酸の水素結合

カルボキシ基はカルボニル二重結合とヒドロキシ基に由来する高い極性をもち，水やアルコールと同様に，分極した分子と水素結合を形成する。カルボキシ基の酸素はどちらも水素結合を形成し得るので，カルボン酸の分子間力はアルコールの分子間力より大きい。そのためカルボン酸の沸点・融点は同程度の炭素数をもつアルコールの沸点・融点より高い（酢酸：融点 16.7℃，沸点118.2℃）。単純なカルボン酸をベンゼンのような無極性溶媒に溶解すると2つの水素結合によって結びつき，環状二量体として存在する（**図10-3**）ようになり，カルボン酸自身よりも分子量の大きい物質のように振る舞う。

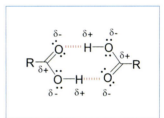

図10-3　水素結合によるカルボン酸二量体

(3) アミン類の水素結合

これまでに，アミン類の窒素原子のもつ非共有電子対（あるいは孤立電子対ともいう）が塩基性を示す要因であることを概説してきた。この非共有電子対は，水素原子に電子を供与して水素結合を形成し得る（**図10-4**）。また，一級，二級アミンの水素原子は，ほかの電気陰性度の高い（δ −性を帯びた）原子と水素結合することもできる。アミン類は，水分子とこのような水素結合形成をするので水

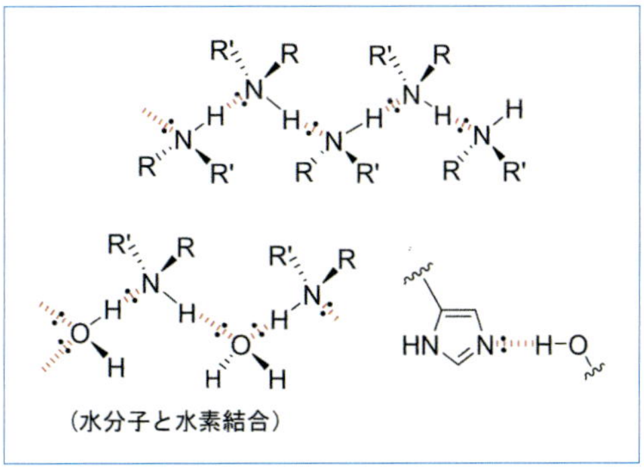

図10-4　アミン類の水素結合

溶性が高い。

(4)アミド(タンパク質)と核酸塩基における水素結合

　アミド基(ペプチド結合)も水素結合を形成し得る(**図10-5a**)。アミノ酸が結合したタンパク質についても，水素結合によってポリペプチド鎖の二次的な立体的な配列(α-ヘリックスやβ-構造)ばかりでなく，高次の三次構造も規定されており[26]，生体での特異な生理作用発現(酵素作用の選択性発現など)に寄与している。また，核酸もタンパク質と同様に，塩基間で水素結合を形成することにより，高次の立体構造が保たれている。DNAは通常，2本の鎖が互いに逆の方向を向きながら右巻きのらせん状に絡み合った二重らせん構造をとっている。この二重らせん構造は，ピリミジン塩基とプリン塩基がA-TおよびG-C同士で対になって水素結合を形成し，2本のポリヌクレオチド鎖間を一定の距離に保つことで形成されている。このような塩基間の水素結合は，RNAが関与するタンパク質合成の際に必要なコードの読み取りに対しても大きな役割を果たしている(**図10-5b**)。

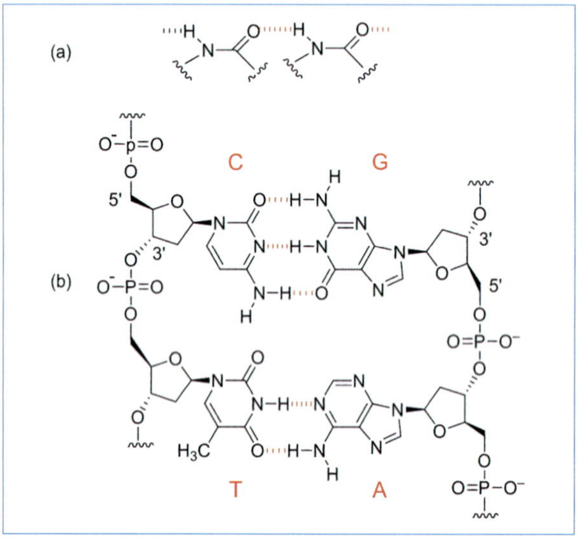

図10-5　(a)アミドの水素結合,(b)DNAの二本鎖を形成する塩基対 [シトシン(C)とグアニン(G) の間で3本，チミン(T)とアデニン(A)の間で2本の水素結合を形成]

(5)分子内の水素結合

　水素結合は分子間だけではなく，分子内でも形成される(**図10-6**)。図に示すように，分子が水素結合により6員環構造をとるような場合，特に水素結合を形成しやすい。サリチル酸はプロトンが解離して生じる陰イオン(共役塩基)が分子内水素結合により安定化するため，安息香酸に比べて酸性度が高い [pKa, 2.97 (サリチル酸)vs 4.21 (安息香酸)]。

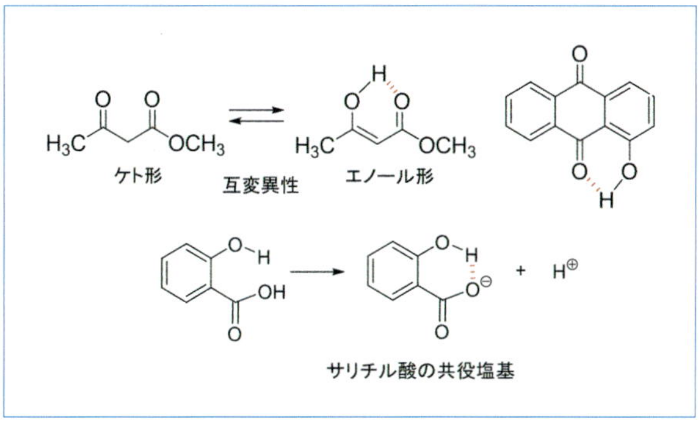

図10-6　分子内の水素結合

11. 生体内で起きている酸化・還元の化学

はじめに

　生体内で酸素(O_2)が利用されるとき，酸素自身は還元されて最終的には水に変換される。この過程において，スーパーオキシド($O_2{}^-$)，過酸化水素(H_2O_2)，ヒドロキシラジカル($HO\cdot$)など活性酸素と呼ばれる反応性の高い中間体が生じている。活性酸素は，体内に侵入した細菌・ウイルスなどの病原菌や身体にとって異物となる有害物質を分解するなど，生体にとって有用な役割を果たしているが，しばしば生体を構成する重要な有機分子(脂質など)も酸化して損傷する。このような損傷から身を守るために，生体内にはもともと酸化的なストレスに対する抗酸化能(抗酸化剤)が備わっている。

　ここでは，有機化学における酸化還元反応を概説し，生体内での酸化還元状態の維持に寄与している代表的な分子であるフェノール類，ビタミンCおよびグルタチオンについて解説する。

1．酸化と還元

　一般的には，酸化と還元は，酸素と水素に関連する反応としてとらえられる。すなわち，酸化は「酸素が増える・水素が減る」ことであり，還元は「酸素が減る・水素が増える」と定義される。わかりやすい例が，**図11-1**に示すアルコールの化学反応である。アルコールを酸化すると，アルデヒドが得られる。この反応では，炭素に結合している水素が1つ減って，炭素と酸素が二重結合になったアルデヒドが得られるので，酸化反応である。アルデヒドをさらに酸化すると，カルボン酸が得られる。これも，炭素に結合している水素が1つ減って，代わりにOHの酸素が結合したカルボン酸が得られるので，酸素が増えたことになり，酸化反応となる。一方，この式の右から左方向への化学反応では，カルボン

酸からアルデヒドへの変換は酸素が1つ減り，さらにアルデヒドからアルコールへは水素が増えるので，これらの一連のステップは還元反応である。

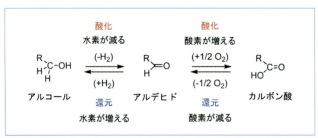

図11-1　酸化反応と還元反応

このように，左から右へ向かう反応と右から左へ向かう反応を比較すると，酸化反応と還元反応は，ちょうど表裏の関係にある。また，これら酸化反応，還元反応で用いられる反応剤は，それぞれ，酸化剤，還元剤であるが，例えば，アルコールが酸化されてアルデヒドになる反応で用いられる酸化剤は，自身は水素原子を受け取るので還元されている。一方，アルデヒドが還元されてアルコールになる反応で用いられる還元剤は，水素を与えているので自身は酸化されている。酸化還元反応では，ある物質の酸化プロセスと並行して，別の物質の還元プロセスが起こっており，関連する用語の使い方は，混乱を招くことがある。酸化剤とは，「相手を」酸化する物質のことであり，自身は還元される。逆に，還元剤とは「相手を」還元する物質で，自身は酸化されることに注意したい（コラム11"還元糖"を参照）。

コラム11　還元糖

「グルコースは還元糖である」といわれるが，この言葉に違和感を覚えたことはないだろうか？　糖のどこが還元されるというのか？　実は，「還元糖」とは相手を還元する糖という意味であり，糖自身は酸化される。したがって，酸化されやすい官能基であるアルデヒド構造をもつ糖類（アルドースという）は「還元糖」になる。アルドースにはリボースやグルコース，およびマンノースなどが含まれ，相手を還元することによって，これらアルドース自身は酸化されてカルボン酸（アルドン酸）になる。このように，還元糖には酸化されやすい官能基であるアルデヒドがあることが必要なので，このアルデヒド部分が，アセタール構造に変化したスクロースのような二糖類は還元糖にはならない。

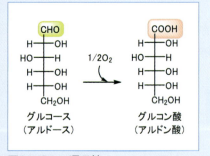

図11-C1　還元糖

このような酸素と水素に関連する反応として，酸化・還元を定義することは直感的にわかりやすいが，有機化学全体として，酸素や水素が関与しない反応(付加反応や置換反応)を考えるには十分ではなく，酸化・還元はもっと広い意味で理解する必要がある。これはちょうど，酸・塩基[27]の定義の拡大・変遷と似ている。有機化学は炭素を中心とする化学なので炭素の電子密度の増減を重要視して，酸化・還元を定義する。すなわち，酸化を「炭素の電子密度が減少する」とし，還元を「炭素の電子密度が増大する」ととらえる。また，電子の授受を考えて，「電子を失う(与える)反応」が酸化，「電子を得る(受け取る)反応」が還元と定義することもできる。これは一般的な無機化学において，原子が電子を1つ以上失うことを酸化と呼び，逆に電子を得ることを還元というのと同様である。**図11-2**に酸化と還元の要件をまとめて示す。

炭素の電子密度の増減に基づいて，**図11-3**の有機化学反応［(**a**) アルカンからハロゲン化アルキルへの置換反応と(**b**) アルケンへのハロゲンの付加反応］を考えると，これらは酸化・還元反応としてとらえることができる。炭素の電子密度の増減は，電気陰性度(P.54参照)の比較によって判断できる。ハロゲンは炭素よりも電気陰性度が大きいので，炭素-ハロゲン結合の形成では炭素原子のもつ電子はハロゲンのほうに引き寄せられる。その結果，炭素-ハロゲン結合の炭素の電子密度は炭素-水素結合のそれより減少するので，右方向への反応は酸化であり，逆に左方向への，炭素-ハロゲン結合が炭素-水素結合に変化する反応は還元である。また，以下に述べる生体内での酸化還元反応は，電子の授受による定義に基づいて考えると理解しやすい。

酸化：酸素が結合する／水素が失われる
炭素上の電子密度が減少する
(C-H 結合が切断され，C-O,C-N,C-X 結合が形成される)
電子を失う／電子を与える

還元：酸素が失われる／水素が結合する
炭素上の電子密度が増加する
(C-O,C-N,C-X 結合が切断され，C-H 結合が形成される)
電子を得る／電子を受け取る

図11-2　酸化・還元の要件

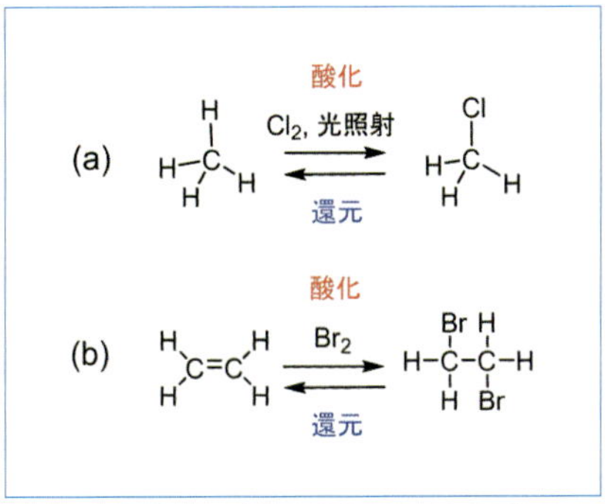

図11-3　有機化合物の酸化・還元反応
酸化・還元は，各々炭素の電子密度が減少・増大する反応と定義される。炭素の電子密度は，炭素に結合する原子の電気陰性度から判断できる。(電気陰性度：C 2.5，H 2.1，O 3.5，Cl 3.0，Br 2.8)

2．生体内で働く抗酸化剤

生体内で抗酸化作用を有する代表的な化合物が，フェノール類，ビタミンC(アスコルビン酸)，グルタチオンである。以下に示すように，これらは，一般的には生体内の分子

が反応性の高いフリーラジカルになったときに，1個の電子（ラジカル）を供与してそれを還元し（自らは酸化されて），分子を非ラジカル種にする。その際，自ら酸化された形となった分子を還元して元へ戻すシステムも生体内にある。

(1)フェノール類

フェノール性ヒドロキシ基は，Hラジカル（H・）を放出して生体内で生成したラジカル種を還元して消去することができる［あるいは，この還元反応はヒドロキシ基からの電子1個（ラジカル）の供与とそれに伴うプロトン（H^+）の脱離として考えることもできる］。これらの過程で生じるフェノキシラジカルは，芳香環との共鳴によって安定化されているのでほかの生体分子との反応には関与しない。生体内での抗酸化性フェノールは，ビタミンEおよび還元型ユビキノンである。

①ビタミンE（α-トコフェロール）

フェノール構造をもつビタミンEは同時に長い炭化水素鎖をもち脂溶性が高いので，同じく脂溶性の高い脂質膜に入り込むことができる。脂質膜にスーパーオキシドやヒドロキシラジカルが作用すると，脂質ラジカルや過酸化脂質ラジカルが生成し細胞膜が損傷を受けるが，ビタミンEは電子1個（ラジカル）を放出して，ラジカルを補捉することによりラジカル反応を停止させて脂質の酸化を防ぎ，細胞膜を保護する（**図11-4**）。

ここで生成するビタミンEラジカル（α-トコフェロキシラジカル）は，ラジカルを非局在化させて安定化させるので比較的反応性が低く，ほかの生体分子を酸化することなく，ビタミンCや還元型ユビキノン（後述）などのより反応性の高い抗酸化物質によりビタミンEに再生される。このようにフェノール性分子を生体内の抗酸化剤として上手に利用するシステムが整っているので生体は酸化的ストレスから身を守ることができる。

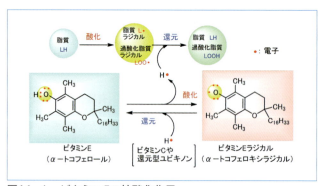

図11-4　ビタミンEの抗酸化作用

②還元型ユビキノン（ユビキノール）

ベンゾキノンは還元されて容易にヒドロキノンになるが，ヒドロキノンは酸化されやすいので容易にキノンに戻る（**図11-5**）。すなわち，キノンとヒドロキノンの間では相互に

酸化・還元反応が起こりやすく，生体はこれを上手に利用して電子を輸送している。そのような働きをする生体内分子がユビキノンである。

ユビキノンは細胞のミトコンドリアのなかで生体内の還元剤であるNADHから酸素分子へ電子を輸送する呼吸過程（NADHがNAD$^+$に酸化され，酸素が水に還元される）を媒介する働きをする。生体はキノン（ユビキノン）とヒドロキノン（還元型ユビキノン：ユビキノール）の間の酸化還元反応を上手に利用して電子を輸送する（**図11-6**）。好気性生物はこの呼吸過程によってエネルギーを生産するので，ユビキノンの存在は重要である。また，前述のビタミンEラジカルも，還元型ユビキノンにより還元され，ビタミンEに再生される。

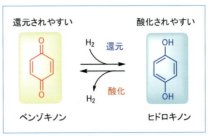

図11-5　ベンゾキノンとヒドロキノン

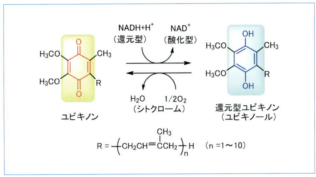

図11-6　ユビキノンと生体内電子伝達系

(2) ビタミンC（アスコルビン酸）

ビタミンCは水溶性ビタミンの一種で，化学的にはL-アスコルビン酸（Ascorbic Acid：AA）といわれる。エンジオール構造をもち，高い酸性を示すが，これはH$^+$を放出した後のビタミンCアニオンが共鳴構造をもち，負電荷を非局在化させ安定化できるためである。ビタミンCは，強い還元能力（自身は酸化される）を有し，生体内で活性酸素類を消去する（**図11-7**）。前述したビタミンEラジカル（VE・）も，ビタミンCにより還元されビタミンE（VE）に戻る。**図11-7**に示すように，この強い還元力はビタミンCから電子あるいはプロトンを放出して，モノデヒドロアスコルビン酸（ラジカル）を生成することによって引き起こされる。このラジカルは次いで不均化を受けて還元体であるアスコルビン酸とデヒドロアスコルビン酸[28]になる。これらのビタミンCの酸化体は，次項のグルタチオンと協働してグルタチオン-アスコルビン酸回路と呼ばれるシステムにより，還元されてビタミンCが再生する。

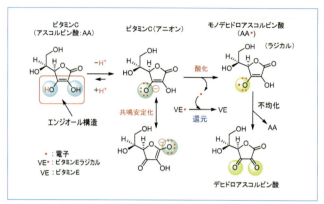

図11-7　ビタミンCの抗酸化作用

(3) グルタチオンの抗酸化能

　細胞内に存在するグルタチオンは，アミノ酸のグルタミン酸（Glu），システイン（Cys），グリシン（Gly）からなるトリペプチドである（**図11-8**）。このシステイン残基のスルファニル基（-SH）が抗酸化能をもち，生体内での酸化還元状態の維持に寄与している。グルタチオンはヘモグロビンの鉄の酸化状態を保つ役割が重要であるが，生体にとって有害な活性酸素類を還元によって無毒化する役割を果たしている。例えば，**図11-8**で示すように，過酸化水素はグルタチオンにより水に還元されて無毒化される。このとき，グルタチオン自身はジスルフィド体にいったん変換（酸化）されるが，酵素によって還元されてスルファニル基をもつ元のグルタチオンが再生される。

　以上，生体内で起こっている酸化・還元反応のごく一部を化学的な面から紹介した。酸化・還元は表裏一体であることを確認してほしい。生体は，自らが酸化される分子をもち，電子の授受（＝酸化・還元反応）によりほかの重要な分子を酸化的ストレスから守るシステムになっている。生体内で起こる精緻な化学反応を感じとっていただければ幸いである。

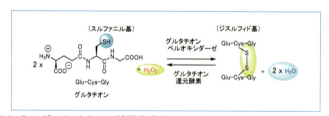

図11-8　グルタチオンの抗酸化作用
　　　　グルタチオンが過酸化水素と反応し，自身は酸化されてジスルフィド体となり，過酸化水素は還元されて水を生成する（→無毒化される）。

■参考文献

1) 塩基性度を示す値として塩基解離定数K_bから得られるpK_b（＝$-\log K_b$）が用いられることもあるが，違う尺度を使うのは不便なので有機化学では共役酸のpK_aを用いて表すことが多い。$pK_b = 14 - pK_a$の関係が成り立つ。例えば，メチルアミンの共役酸のpK_aは10.6なので，pK_bは3.4（14－10.6）である。

2) プロトンスポンジはシグマ・アルドリッチ社の商標。化学名は1,8-bis (dimethylamino) naphthalene。化合物は1941年に報告されていたが、1968年に異常に強い塩基性が明らかにされた：R. W. Alder, P. S. Bowman, W. R. S. Steele, D. R. Winterman, "*The Remarkable Basicity of 1,8-Bis (dimethylamino) naphthalene*" Chem. Commun. (London), **1968**, P.723.

3) 本書第Ⅱ部第2章-6.の図6-8で記したTAK-622/637の軸不斉は、アミドの平面性に基づいて生じている。また、TAK-622では、アミドに関する*cis/trans*異性体も室温で分離・単離され、すべての異性体間で生物活性が異なるという興味深い（医薬品開発の観点からは厄介な）知見が得られている：a) Y. Ikeura, Y. Ishichi, T. Tanaka, A. Fujishima, M. Murabayashi, M. Kawada, T. Ishimaru, I. Kamo, T. Doi, H. Natsugari, *J. Med. Chem.*, **1998**, *41*, 4232. b) H. Natsugari, Y. Ikeura, I. Kamo, T. Ishimaru, Y. Ishichi, A. Fujishima, T. Tanaka, F. Kasahara, M. Kawada, T. Doi, *J. Med. Chem.*, **1999**, *42*, 3982.

4) s性：sp³, sp², sp混成軌道に占めるs軌道の寄与の割合をいう。s性は、sp³混成軌道では25%（s：p＝1：3）、sp²混成軌道では33%（s：p＝1：2）、sp混成軌道では50%（s：p＝1：1）となる。s軌道はp軌道より原子核（正電荷）に近く存在するので、s性が高いほど、その混成軌道は原子核に近くなり、軌道に収容されている電子（負電荷）は原子核に強く引き込まれている。

5) アミノ酸であるヒスチゾンに含まれるイミダゾール基は、生体内で塩基としてだけではなく酸触媒としても機能している（本書P.138参照）。

6) M. R. Siggel, T. D. Thomas, Why are organic acids stronger acids than organic alcohols?, *J. Am. Chem. Soc.*, **1986**, *108*, 4360.

7) 一般にカルボン酸は酸性と考えてよいが、アルコールが強酸中では塩基としての性質を示す（プロトン化されてオキソニウムイオンを生成する：図3-3）ように、カルボキシ基（COOH）の2個の酸素原子の非共有電子対も原理的にはそれぞれがブレンステッド塩基あるいはルイス塩基［本書第Ⅰ部第1章-1．P.4参照］として働きうる。

8) そのほかに、二重結合などが特定の位置に存在する場合、光や熱のエネルギーによって、環状の遷移状態を経て1段階で結合を生成する「ペリ環状反応」と呼ばれる化学反応がある（例：Diels Alder反応）。

9) イミンはSchiff base（シッフ塩基）とも呼ばれる。

10) 糖化反応について、以下のサイトにわかりやすく解説されているので参考にしていただきたい。
http://ebn.arkray.co.jp/disciplines/glycation/ages-01/

11) 記号Lは脱離能を有する官能基（Leaving Group）を意味するために用いている。

12) そのほかに、DCCは融点が低い（35℃）ので扱いにくく、また曝露により咳やかぶれなどのアレルギー症状を示す場合があるなど、取り扱い上の欠点もある。

13) 縮合反応機序の解析をもとにして、DCCと添加剤（HOBt, HOAt, Oxyma）の縮合反応における働きを考慮し、両者を組み合わせたタイプの構造をもつ一体型のアミド結合の合成試薬（それぞれHBTU, HATU, COMU）も開発されている。例えば、COMUはOxymaの誘導体であり、以下の構造式をもつ。縮合反応では中間に活性エステル中間体（C4）（**下図**）を生成してアミド結合をつくると想定される。

COMU

14) 有機化学では不斉炭素の立体化学は*R/S*表記法によって表されるが、アミノ酸や糖などの生体成分は、古くから使われているL-グリセルアルデヒドを基準とする立体配置（D/L）表記法に従って表すのが慣例になっている。なお、*R/S*表記法では、システインを除き、天然のアミノ酸はすべて*S*と命名される。システインだけは、命名の優先順位［参考：*Pharm Tech Japan*, **2015**, *31*(14), 47.］の関係から*R*となる。

15) 栄養表示基準によると、糖質と糖類は分けられており、「糖質」は「炭水化物から食物繊維を除いたもの」の総称。「糖類」とは、「単糖類・二糖類」の総称（＝「糖質」から「多糖類・糖アルコールなど」を除いたものの総称）である。

16) 用語、グリコシド結合とグルコシド結合：グリコシド結合は、広く「糖」分子のヘミアセタール部位が別の有機化合物と脱水縮合した結合をいう。一方、グルコシド結合は、グリコシド結合のうち「糖」

が「グルコース」である場合を指す。

17) 糖の6員環ヘミアセタールをヘテロ環のピランに基づき，ピラノースと呼ぶ。グルコースの6員環ヘミアセタールはグルコピラノースと呼ばれる。一方，糖の5員環ヘミアセタールをヘテロ環のフランに基づき，フラノースと呼ぶ。グルコースの5員環ヘミアセタールはグルコフラノースと呼ばれる。

18) 阿武喜美子，瀬野信子，糖化学の基礎，講談社サイエンティフィク，**1984**

19) ポーラログラフ法とは，溶液中の物質に電圧をかけることにより酸化還元反応を行い，流れる電流をもとにして物質の濃度を測定する方法。同様な測定法にボルタンメトリー法がある。

20) 0％という存在比は，^{1}H NMRの測定による結果なので誤差はあると思われるが，ここでは本に記載されているとおりに記す。

21) 平林　淳，糖鎖のはなし，日刊工業新聞社，**2008**

22) D-リキソースには5員環の環状構造は認められないが，なぜか自然界にほとんど存在しない。不思議である。

23) 補酵素：機能と化学，本書第II部第1章-6．，P.144参照．

24) D-リボースに関連して，Eschenmoser博士による研究をあげる。

A. Eschenmoser, The TNA-family of nucleic acid systems: properties and prospects. *Orig. Life Evol. Biosph.*, **2004**, *34*, 277.

25) 一般的な結合エネルギーの例：H–H結合436 kJ/mol，C–H結合416 kJ/mol，O–H結合 463 kJ/mol，C–C 結合 357 kJ/mol

26) 生化学試験ではタンパク質の変性剤として尿素［$(NH_2)_2C=O$］が用いられる。これは，タンパク質の立体構造を規定しているタンパク質内の水素結合のネットワークに，尿素分子が入り込んで代わりに水素結合を形成し，タンパク質の立体構造を壊してしまうためである。

27) アミンはなぜ塩基性を示すのか？，本書第I部第1章-1．，P.3参照．

28) デヒドロアスコルビン酸は，3個のC＝Oをもち反応性が非常に高く極めて不安定な化合物である。側鎖のヒドロキシ基と反応した形の五員環ヘミアセタール構造あるいは水和物として存在する。

医薬品を支える有機化学 **第Ⅰ部**

第2章　有機化学は役に立つ！

1．ノーベル化学賞と有機合成

■ はじめに

　ノーベル賞は，物理学，化学，生理学・医学，文学，平和および経済学の6分野で顕著な功績を残した人物に1901年から授与されている[1]。第1回のノーベル化学賞は「化学熱力学の法則，溶液の浸透圧の発見」（ファント-ホッフの法則）により，J.H. ファント-ホッフ（オランダ）（当時49歳）が受賞した。ファント-ホッフは，物理化学の基礎を築いた化学者であるが，22歳のころ，パスツールが発見した光学異性体について炭素正四面体説（不斉炭素原子（P.36参照）の概念）を提唱したことでも知られる。この業績は，有機化学に立体構造の概念を初めて導入したものである。この概念は，翌年受賞したE. フィッシャー（後記）により，糖類を用いて実証され，現代の有機化学の基礎となった。ノーベル化学賞は，物理化学，生化学，無機化学，有機化学などの分野があり，これまでに178人が受賞している。有機化学の分野も，理論化学，分析化学，合成（反応）化学と幅広いが，合成化学での受賞研究は，現在，医薬品創製において常用される基本的な化学反応として位置づけられているものが多く，ノーベル賞を受賞していたことも意識せずに使っているケースも多い。本項ではそれらの一部を紹介する。

■ 1．有機合成におけるノーベル化学賞

　表1-1は，有機合成（反応）の開発という観点から，ノーベル化学賞の受賞者を①～⑫に抜粋したものである。**表1-1**には，受賞者，受賞理由などのほか，表の右列に，その反応が実際にどのくらい利用されているかを，2014年にJournal of Medicinal Chemistry（JMC）に掲載された代表的な125論文における当該反応の論文の数で記載している[2]。これらの受賞者のうち，①のE. フィッシャー，⑤のR.B. ウッドワード，⑨のE.J. コーリーは，一般的な合成以外にも複雑な天然物の合成や有機化学理論など幅広い業績により高く評価される。例えば，①のフィッシャーは，受賞理由の糖類とプリン誘導体の合成以外にも，フィッシャーの名がつくエステル合成やインドール合成，立体構造の表示に関するフィッシャー投影式[3]の考案などでも知られる。ウッドワード（⑤）とコーリー（⑨）については，有機合成化学全般にわたるすばらしい業績がある。日本人化学者は3名（野依良治，根岸英一，鈴木章）が受賞されている。野依先生のキラル触媒（⑩）については第Ⅱ部第2章-

67

表1-1　有機合成化学におけるノーベル化学賞受賞者

No	受賞年	受賞者[a]	国籍	受賞理由	JMC [b] (2014)
①	1902	E. フィッシャー (50)	ドイツ	糖類とプリン誘導体の合成	—
②	1912	P. サバティエ (58)	フランス	微細な金属粒子を用いる有機化合物の水素化法の開発	>40
③		V. グリニャール (41)	フランス	グリニャール試薬の発見	5
④	1950	O. ディールス (74)	ドイツ	ディールス・アルダー反応の発見とその応用	—
		K. アルダー (48)	ドイツ		
⑤	1965	R.B. ウッドワード (48)	アメリカ	有機合成化学に対する顕著な貢献	—
⑥	1979	G. ウィッティヒ (82)	ドイツ	リン含有試薬の開発 (有機合成における利用)	12
⑦		H.C. ブラウン (67)	アメリカ	ホウ素含有試薬の開発 (有機合成における利用)	3
⑧	1984	R.B. メリフィールド (63)	アメリカ	固相反応によるペプチド化学合成法の開発	(9)[c]
⑨	1990	E.J. コーリー (62)	アメリカ	有機合成理論および方法論の開発	—
⑩	2001	W.S. ノールズ (84)	アメリカ	キラル触媒による不斉水素化・酸化反応の開発	—
		野依良治 (63)	日本		
		K.B. シャープレス (60)	アメリカ		
⑪	2005	Y. ショーヴァン (75)	フランス	メタセシスを用いる有機合成方法論の開発	—
		R.H. グラブス (63)	アメリカ		
		R.R. シュロック (60)	アメリカ		
⑫	2010	R.F. ヘック (79)	アメリカ	有機合成におけるパラジウム触媒クロスカップリング反応の開発	3
		根岸英一 (75)	日本		3
		鈴木　章 (80)	日本		28

[a] カッコ内の数字は受賞時の年齢, [b] Journal of Medicinal Chemistry (JMC) の2014年の代表的な125論文についての解析[ref 2]：数字はそのうち使用された論文数, [c] ペプチド合成として一括して集計されているので, この数字は液相合成 (第Ⅲ部第1章P.244参照) も含むと思われる.

6. (P.176) で, 根岸先生・鈴木先生のメタセシスを用いる有機合成 (⑫) については, 次項で紹介する.

　JMCの論文での利用実績について, ②の金属を用いる水素化 (接触水素化) は, (全般にわたる反応のため) 解析ではいろいろな項目に分かれてしまっている [アルケンの水素化 (論文数9), アルキンの水素化 (4), ニトロ基のアミノ基への還元 (15), ベンジル保護基の脱保護 (17) など] ので, 正確な数ははっきりしないが, 第1位のアミド合成 (論文数 63[2]) に匹敵するかもしれない. ④のディールス・アルダー反応と, ⑪のメタセシスを用いる反応は, ともに新しい炭素-炭素 (C-C) 結合の形成反応の発見に基づく環状化合物の合成法であるが, このJMCの解析では出現していない. やや特殊な化合物の合成に用いられる反応なので, 天然物合成などで用いられることは多いが, 一般的な創薬研究では少ないのであろう. ⑩のキラル触媒による不斉水素化 (第Ⅱ部第2章P.176参照)・酸化反応の開発については, 論文中に出現していないが, 一般的な還元や酸化反応の項目に入れられているかもしれない.

　以下, これらの受賞研究のうち, 有機合成化学の教科書に出てくる基礎的な化学反応となっている4つの反応, 接触水素化反応 (②), グリニャール反応 (③), ディールス・アルダー反応 (④), ウィッティヒ反応 (⑥) を概説する.

2．接触水素化反応 －P.サバティエ－

分子に水素が増える反応（あるいは分子から酸素が奪われる反応）が還元反応（第Ⅰ部第1章-11., P.59参照）である。反応はさまざまな試薬（還元剤）によって引き起こされるが，水素ガス（H_2）を還元剤として用いる反応を水素化反応（あるいは水素添加，略して水添）という。この反応は触媒[4]を必要とし，触媒表面上で（接触して）反応が進む（**図1-1**）ため，接触水素化（あるいは接触還元）とも呼ばれる。

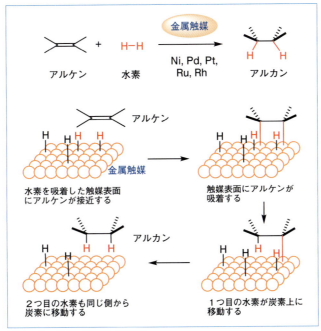

図1-1　接触水素化の機構

1897年，P. サバティエ（**表1-1**②）は触媒として微細なニッケル（Ni）粉末を使うと，アルケン（>C=C<）などの炭素化合物の分子に容易に水素を付加でき，アルカン（>CH-CH<）などが得られることを発見した。これによって，魚油などを固形の硬化油にすることが可能となった。これが，接触水素化のはじまりである。その後，パラジウム（Pd），白金（Pt），ルテニウム（Ru），ロジウム（Rh）などの金属が高い触媒活性をもつことが発見され，触媒の改良や反応条件の検討が行われた。この反応により，二重結合は単結合に，三重結合は二重結合あるいは単結合になる。さらに，単結合は水素添加により，結合が切断されることもある。さまざまな化合物に対して，この反応が適用できるようになり（**図1-2**），現在，接触水素化は有機合成化学の重要反応になっている。

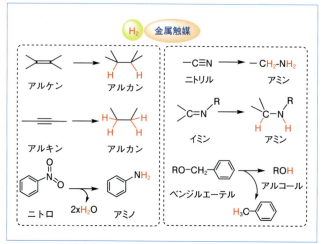

図1-2　接触水素化反応の例
原料と生成物。右下の反応は，アルコールをベンジルエーテルとして保護し，必要時にアルコールに戻す方法として，しばしば用いられる。

3．グリニャール反応 －V. グリニャール－

　1900年，V. グリニャール（**表1-1**③）は，有機ハロゲン化物（R-X）がエーテル溶媒中でマグネシウム（Mg）と反応して有機マグネシウム化合物（R-MgX）を形成し［**図1-3 (a)**］，これがケトン，アルデヒドのカルボニル（C=O）基と反応し，アルコール（C-OH）が生成することを見出した［**図1-3 (b)**］。この有機マグネシウム化合物はグリニャール試薬と呼ばれ，これを用いた反応をグリニャール反応という。

　その後，グリニャール試薬はケトンやアルデヒドだけではなく，エステル，アミド，酸塩化物，二酸化炭素，ニトリル，アルキルハライド，オキシラン，金属ハライドなどの基質と反応することも明らかにされ，さまざまな化合物が得られるようになった。代表例を**図1-4**に示す。

　グリニャール試薬（R-MgX）で特記すべき点は，Rがアニオン性（$\delta-$）を帯びていることである。原料の有機ハロゲン化物（R-X）では，ハロゲン（X）の電気陰性度（第Ⅰ部第1章-10.，P.54参照）が大きい（2.5〜4.0）ため，結合電子はXに引き寄せられRはカチオン性（$\delta+$）を帯びているが，R-MgXではマグネシウムの電気陰性度が小さい（1.2）ため，Rのイオン性が逆転し，アニオン性（$\delta-$）を示す（**図1-3**）。その結果，**図1-4**に示すように，$R^{\delta-}$が基質の$\delta+$性を帯びた部位と反応した生成物を与える。これは，有機ハロゲン化物（Rは$\delta+$性をもつ）を用いては合成できなかった新しいC-C結合の形成であり，有機合成の可能性が一挙に広まった。

　グリニャール試薬は，溶液中における構造・組成や，溶媒と反応基質によって異なる反応性を示す理由など，現在でも明らかでないことも多い。さらに，基本的な問題として，**図1-3 (a)**のグリニャール試薬の生成機構もいまだ議論があるようである。

医薬品を支える有機化学　第Ⅰ部

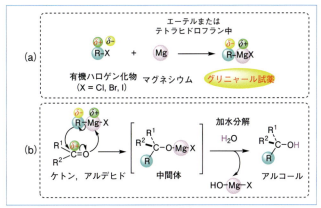

図1-3　グリニャール試薬の調製(a)とケトン，アルデヒドとの反応によるアルコールの生成(b)

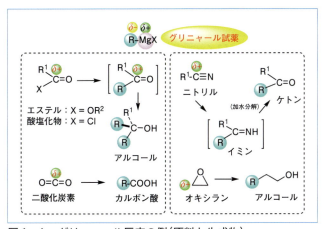

図1-4　グリニャール反応の例（原料と生成物）

4．ディールス・アルダー反応 －O. ディールスとK. アルダー－

　有機反応を反応機構（第Ⅰ部第1章-4．，P.19参照）に基づいて分類すると，その多くは，極性反応かラジカル反応のどちらかに属している。例えば，前項のグリニャール反応（**図1-4**）は極性反応である。しかし，このほかにもペリ環状反応と呼ばれるもう1つの重要な反応様式がある。これは，二重結合などが特定の位置に存在する場合，反応中間体を経由せず，熱や光のエネルギーによって一段階で進行する反応（協奏反応という）であり，環状の遷移状態を経て結合の開裂と形成が同時に進行する。その代表例が，1928年に報告されたディールス・アルダー（Diels-Alder：DA）反応である（**表1-1**④，**図1-5**）。DA反応は，**図1-5**のように，共役二重結合（単結合で連結された一組の二重結合）をもったジエン化合物と二重結合（あるいは三重結合）をもつ化合物（ジエンを求めて反応するという意味で，親ジエン化合物あるいはジエノフィルという）が一挙に付加して，新たなC-C結合の形成と電子の移動が起こり，環状化合物が生成する。

その後，DA反応は，反応基質や反応条件などの検討が行われ，環式化合物（特に６員炭素環）の合成や天然物の全合成に広く応用されている。

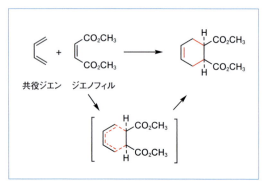

図1-5　ディールス・アルダー反応

5．ウィッティヒ反応 －G. ウィッティヒ－

　ドイツの化学者G. ウィッティヒ （表１-１⑥）は，1940年代からイリドの研究を行っていた。イリドとは，炭素とヘテロ原子（リン，硫黄，窒素など）が，おのおの負と正の電荷をもって直接結合した中性の双極性化合物のことをいう。例えば，リンイリド（ウィッティヒ試薬という）［図１-６（a）］はハロゲン化アルキルとトリフェニルホスフィンとの反応で得られるホスホニウム塩を塩基で処理して調製される。ウィッティヒは，このリンイリドにベンゾフェノンを反応させると，ジフェニルエチレンとトリフェニルホスフィンオキシドが得られることを見出した［図１-６（b）］。反応の一般性が調べられ，1954年に論文として公表されたのがウィッティヒ反応である。

　反応機構は，最初にベンゾフェノンのカルボニル（C=O）炭素にイリドの炭素アニオンが付加して双極性の中間体（ベタイン中間体という）を生じ，直ちにオキシアニオンがリン原子を攻撃して４員環中間体（オキサホスフェタン）を生成する。次いで，ここからホスフィンオキシドが脱離してジフェニルエチレンが生成すると考えられた［図１-６（b）］[5]。ウィッティヒ反応は，さまざまなケトンやアルデヒドの（C=O）から炭素－炭素二重結合（C=C）へ変換する化学反応としてたいへん重要な反応であり，第３項のグリニャール反応（P.70）とともに分子の炭素骨格をつくる化学反応として汎用されている。

　以上，ノーベル化学賞を受賞した４つの化学反応を概説した。現在では古典的となった有機合成反応であるが，創薬研究ではいまだ現役である。これらの反応は，その後さまざまな改良研究が行われ，実用に供されている。さらに，これらを起点とする新たな化学反応が多数開発され，有機化学の進歩にも大きく寄与している。ノーベル賞は，研究成果の新規性，独創性に加え，人類に最大の貢献をもたらした科学技術を受賞対象としている。これらはその趣旨に合致した化学反応である。

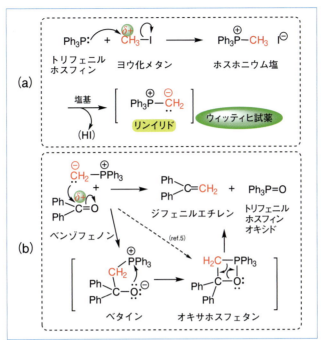

図1-6 ウィッティヒ試薬の調製(a)とベンゾフェノンとの反応(b)
各下部のカッコ内は反応中間体。

2．鈴木-宮浦カップリングと医薬品創製

はじめに

　2010年のノーベル化学賞は「有機合成におけるパラジウム触媒を用いるクロスカップリング反応の開発」という受賞理由で，リチャード.F.ヘック博士，根岸英一博士，鈴木章博士の3氏に贈られた。ノーベル賞は，研究成果の新規性，独創性に加え，人類に最大の貢献をもたらした科学技術を受賞対象としている。パラジウム触媒を用いる鈴木反応[6]（鈴木-宮浦クロスカップリング反応[7]：SMC反応）は，医薬品や農薬，液晶材料，有機EL（エレクトロルミネッセンス）などの合成反応として，企業の開発研究，実用化プロセスで広く利用され，人類に貢献している科学技術である。カップリング反応は，2分子を結合させてC-C単結合をつくるもので，有機化学における重要な化学反応の1つである。このうち，異なる2分子を結合させる反応がクロスカップリング反応と呼ばれる。特にアリール基（ベンゼン環など）が2分子結合したビアリール化合物（1）の合成は，かつては過酷な反応条件や多工程を必要とするなど，任意の化合物の合成が困難であった。SMC反応は，アリール-ハロゲン化物（A）（青色）と安定で取り扱いやすいアリール-ホウ素化合物（B）（赤色）を，塩基（例：Na_2CO_3水溶液）の存在下，触媒量の0価のパラジウム（Pd^0）［例：

Pd(PPh₃)₄]を用いて反応させ，緩和な条件でクロスカップリング反応を可能にした[7]ものであり，ビアリール化合物(**1**)の簡便かつ実用的な合成法(**図2-1**)として非常に高く評価されている[9]。ここでは，SMC反応が最近の医薬品創製の場でどのように活用されているかを紹介する。

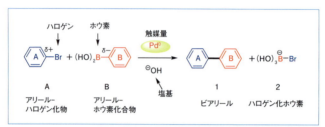

図2-1　パラジウム触媒クロスカップリング(鈴木-宮浦カップリング：SMC)反応
SMC反応は反応条件が温和(<100℃)で，ほかの官能基には不活性で，水中でも反応が進む。有機ホウ素化合物(**B**)は毒性が低く，安定で入手(合成)が容易であることから，クロスカップリング反応のなかでも最も汎用性に富むと評価されている。**A**および**B**のアリールはベンゼン環だけでなく，ヘテロ環(窒素や酸素を含む芳香環)でもよい。

1．創薬化学で頻用されるSMC反応

　前項でもとりあげたが，1984年と2014年の創薬化学研究で用いられている化学反応をタイプ別に分類し，30年間でどのような変化があるかを考察した論文が発表された[2]。解析に用いられた資料は，1984年と2014年にJournal of Medicinal Chemistryに掲載された代表的な125論文である。**図2-2**は，これらの論文中で用いられた化学反応の出現率について，2014年(青棒)の上位10の化学反応を1984年(赤棒)のデータと比較して示している。2014年第1位(50.4％)のアミド合成[10]は，1984年(第2位，24.8％)も変わらず頻用されている基本的な反応である。この数字以外にもアミド合成に関係するペプチド合成[11](第24位，7％)があるので，それも含めれば，アミド合成はおよそ60％の論文で使われていることになる。30年間の大きな変化として，1984年には第1位(25.6％)であったヘテロ環合成の減少(2014年は第7位，15.2％)があるが，これは現在，さまざまなヘテロ環化合物が市販化合物として入手が容易になっているためと思われる。第3位のBoc(*tert*-ブトキシカルボニル)基を用いるアミノ基やヒドロキシ基の保護／脱離反応の増加は，1984年当時はBoc化試薬の入手が容易でなかったことによる。このグラフで最も注目されるのが，第5位の鈴木-宮浦カップリング(SMC)反応である。SMC反応は，1981年に初めて報告された[7]。1984年には使用例はなかったが，2014年には約22％の論文に登場する重要反応となっている[12]。

　SMC反応は，ビアリール体の簡便で実用的な合成法であるため，製薬企業におけるスクリーニング用の化合物ライブラリーのなかでもビアリール構造をもつ化合物の比率が増加している。例えば，アストラゼネカでは，1982～1990年まではその比率は変わらず2％程度であったが，最近では約12％となり，約6倍に増加している[2]。

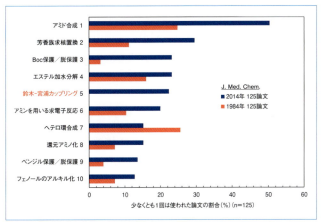

図2-2　創薬化学研究で用いられる化学反応（1984年と2014年の変化）

2．アンジオテンシンⅡ受容体拮抗薬のビフェニル基

　最近の医薬品のうち，最初にビアリール（ビフェニル）構造として注目されたのが，アンジオテンシンⅡ（以下，AⅡ）受容体拮抗作用に基づく高血圧治療薬（ARB），ロサルタンである。DuPont社（Merck社）では，武田薬品から特許公開されたCV-2961をリード化合物として新規ARBの探索を開始した（第Ⅱ部第1章-2．，P.127参照）。ターゲットとした化合物は，CV-2961にもう1つフェニル基を加えた一般式**C**のタイプの化合物である（**図2-3**，上段）。これは，昇圧物質である8つのアミノ酸からなるペプチドAⅡと受容体との相互作用の考察からデザインされた。重要な点は，**C**が武田薬品の特許請求範囲に入らないことである。一般式**C**のスペーサーXを種々変換した結果，単結合であるビフェニル体のロサルタンが誕生した。ロサルタンは，探索合成段階ではSMC反応を使わずに合成されていたが，プロセス合成では，**D**と**E**とのSMC反応が用いられた（**図2-3**，下段）[13]。その後，

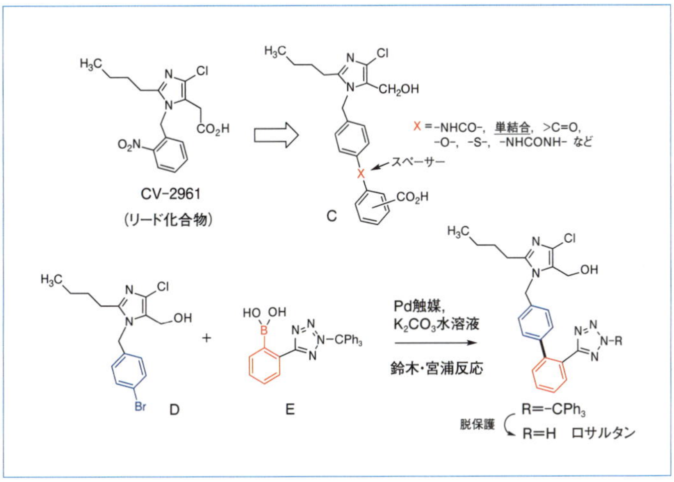

図2-3　最初のAⅡ受容体拮抗薬ロサルタンの創製

このビフェニル構造をもつサルタン系と呼ばれる8つ以上のAⅡ受容体拮抗薬が上市され，現在では高血圧治療薬の第一選択薬になっている。

3．C型肝炎治療薬

　C型肝炎ウイルス（HCV）感染症の治療に用いられる配合剤ハーボニー®（第Ⅲ部第2章-1.,P.257参照）の1成分であるレジパスビルもビアリール構造をもち，その合成にはSMC反応が使われた。そのほか，ダサブビル，ダクラタスビル，ベルパタスビル，エルバスビルなど多くのHCV感染症治療薬はビアリール構造をもち（**図2-4**），合成にはSMC反応が活用されている。

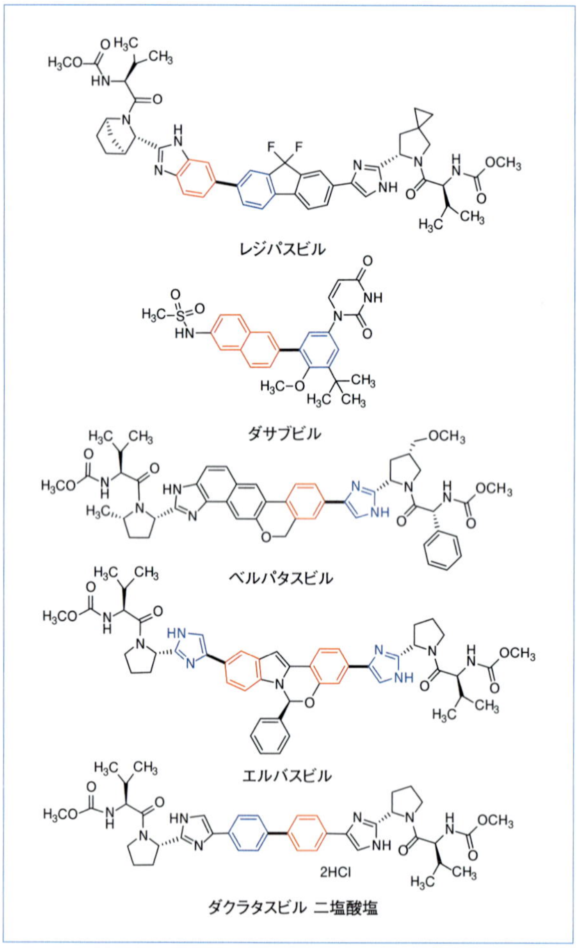

図2-4　HCV感染症治療薬
アリール基のうち，青線部分はアリール-ハロゲン化物，赤線部分はアリール-ホウ素化合物が用いられている。

4．新薬に見られるビアリール構造

　2014〜2016年に世界で認可された医薬品のうちにも，ビアリール構造をもつ医薬品が多数ある。**図2-5**にそれらの構造を示した。いずれも合成にはSMC反応が用いられている。多くは，SMC反応がなかったら，化合物自身が見出されない，あるいはプロセス化がうまくいかないなどから，創製には至らなかったであろう。また，SMC反応は特許が権利化されなかったので，実生産での製造法としても広く使われることになった[9]。

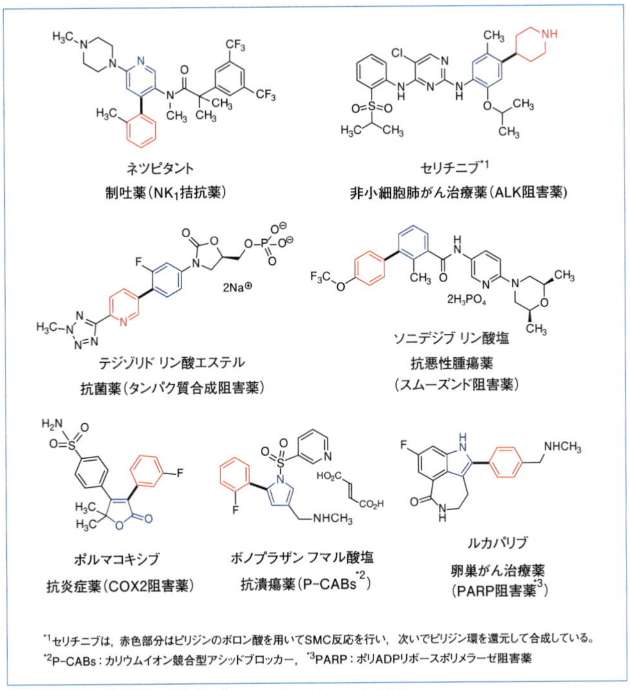

図2-5　新薬に見られるビアリール構造
　　　アリール基のうち，青線部分はアリール–ハロゲン化物，赤線
　　　部分はアリール–ホウ素化合物が用いられている。

5．SMC反応の機構（触媒サイクル）

　ここでは，SMC反応の機構を概説する。化学反応は，アリール–ハロゲン化物（**A**）とアリール–ホウ素化合物（**B**）を，塩基（OH^-）の存在下，触媒量の０価のパラジウム（Pd^0）を用いて，カップリングさせ，ビアリール化合物（**1**）とするものである（**図2-6**）。反応は触媒Pdの化学変化をもとにした触媒サイクルとして，①酸化的付加，②金属交換（トランスメタル化），③還元的脱離の３段階に分けて考えると理解しやすい。

　①の酸化的付加は，Pd^0触媒が，カッコ内に示したような状態を経て，C–Br結合の間に付加する段階である。Pd^0は，電子を与えて（＝酸化されて）（本書第Ⅰ部第１章-11., P.59），２価のパラジウム（Pd^{2+}）となり，２つの結合手をもつことになるので，酸化的付加と呼

ばれる。Pd⁰触媒としては，安定化のためにトリアリールホスフィン類（例えば，PPh₃）が配位した錯体［Pd(PPh₃)₄］が用いられる。また，酢酸パラジウム［Pd(OAc)₂］のような2価のパラジウムを用いる場合もあるが，この場合，ホスフィンやアミンなどにより，反応系で0価のパラジウムに還元して触媒反応を開始させる。

②の金属交換反応（トランスメタル化）では，アリール－ホウ素化合物（**B**）のホウ素原子と①で生成した付加体のPd²⁺との間で交換を起こす。これにより，Pd²⁺に2つのアリール基が結合した中間体が生成する。ホウ素化合物（**B**）としては，ボロン酸，ボロン酸エステル，アルキルボランなどが使われ，安定なものが多く，さまざまな化合物を用いることができる。ホウ素を用いるSMC反応では塩基（NaOH，EtONa，Na₂CO₃など）の存在が重要である。反応は，中性条件下ではほとんど進行しないが，塩基を用いて円滑に進行することが見出され，これが突破口となりSMC反応の発見につながった。塩基は，アリール－ホウ素化合物（**B**）のホウ素の空軌道にOH⁻を配位させてボラートイオン（**B'**）とする役割をもつ。これは，ホウ素原子の特徴的な性質である（ホウ素については第Ⅲ部第1章-2., P.224参照）。その結果，**B'**のホウ素と結合していたアリール基の炭素がイオン性を増し，金属交換反応を容易にすると考えられている。

③の還元的脱離反応では，中間体のアリール基の炭素部分がPd²⁺触媒から離れ，アリール－アリール結合が形成され，**1**が生成する。Pd²⁺触媒が，2つの炭素から電子を奪って（＝還元されて）（第Ⅰ部第1章-11., P.60参照），Pd⁰になって脱離するプロセスなので，還元的脱離といわれる。

このように，SMC反応では，パラジウムは0価と2価の状態を行き来し，アリール－アリール結合形成反応の触媒となる。

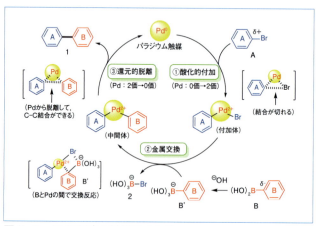

図2-6　SMC反応の触媒サイクル

以上，SMC反応と医薬品創製分野への応用について述べた。ノーベル賞の共同受賞者のヘック博士はパラジウム触媒を用いたクロスカップリングのパイオニアであり，根岸博士は，SMC反応で用いられたホウ素（B）の代わりに，亜鉛（Zn）やアルミニウム（Al）を用

いた反応を開発した。クロスカップリングの研究分野は，多くの日本人研究者が画期的な研究を展開してきた。SMC反応は，その流れのなかで誕生した反応であり，現在では，関連する新たな試薬や化学反応も多数開発されている。筆者自身，AⅡ受容体拮抗薬ロサルタンのビアリール構造（P.75，**図2-3**）を見たときの衝撃は忘れられない。当時（1989年頃）は，ビアリール構造は液晶に含まれる化学構造という先入観があり，医薬品としてはたいへん奇異に感じたのである。その後，SMC反応がビアリール構造をもつさまざまな医薬品の創製につながったことは本項で述べたとおりである。SMC反応は，まったく新しい分野も切り開いたノーベル賞にふさわしい化学反応である。

3．光化学反応を勉強しよう！(1)

はじめに

私たちは日ごろから光によるさまざまな恩恵を享受している。光触媒による環境浄化や太陽光発電によってクリーンな電気を得るような最先端の化学だけでなく，冬の日のひなたぼっこだって私たちの心を明るくしてくれる素敵なことである。一方で，光による害もある。特に医薬品に関しては，光毒性や光アレルギー，原薬の安定性などが危惧されるところである。さて，有機化学分野では光を活用できているのだろうか。ここでは光化学反応をとりあげる。

1．光化学反応の特徴[14, 15]

光化学反応の特徴を最もわかりやすく示す例がスチルベンのシス－トランス異性化反応[16, 17]である。スチルベンのシス体とトランス体の立体構造を比較すると，シス体はベンゼン環が互いに近く，立体的に込み合った状況であるのに対し，トランス体はベンゼン環が反対側を向いており，より安定な構造である。これらシス体とトランス体は二重結合が自由に回転しないため，それぞれがまったく別の分子（ジアステレオマー）として存在している。しかし，炭素－炭素二重結合が回転するために必要な活性化エネルギーが熱として外部から与えられれば異性化が起こる。その際には，立体的に込み合っていないトランス体のほうがポテンシャルエネルギーが低くより安定であるため，シス体からトランス体への異性化が進行し，トランス体が多く得られる（**図3-1**）。このような熱による化学反応は，有機化学の教科書では普通の有機化学反応として説明されるものであり，私たち有機化学者にとってもその結果には納得がいく。

一方で，光による異性化反応はちょっと驚きの結果になる。すなわち，トランス－スチルベンに光をあてるとシス－スチルベンに異性化するのである。**図3-2**および**図3-3**を

用いてこの光異性化反応を説明する。二重結合を形成するπ結合の電子2つは，それぞれ自転している向き(スピン)が逆の状態で1つの軌道に収容されている。トランス－スチルベンに対し特定の波長の光(この場合は313nm)をあてると光を吸収し，基底状態から励起状態になる。

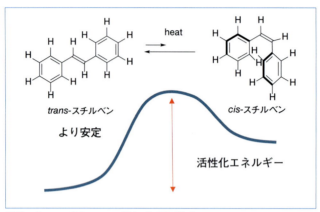

図3-1　スチルベンの熱による異性化
グラフはポテンシャルエネルギーの変化を表す。

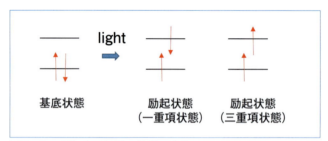

図3-2　光による電子の軌道の変化

　この励起状態では，1つの電子がよりエネルギーの高い軌道に移り，2つの軌道に互いに逆向きのスピンの電子が1つずつ収容された状態(一重項状態)になる。続いて，このスピンの向きが同じ向きになったもの(三重項状態)も生じるが，これらの状態では2つの電子は異なる軌道にあるため，もはやπ結合を形成することができない(図3-2)。結合を形成しない2つの電子は互いにできるだけ関わらないほうが好ましく，電子が存在するそれぞれの軌道は互いに90°ねじれた形になる。この励起状態はすぐに基底状態に戻り，トランス体とシス体のどちらかのジアステレオマーになるが，ベンゼン環が互いに立体障害となるシス体はこの波長では励起状態にならない。結果としてトランス体のみが光によって励起し続け，十分に長い時間をかけて光をあて続けることによってシス体ばかりが生成することになる。このような光によるトランス体からシス体への異性化を利用して，3つのベンゼン環が縮環したフェナントレンの合成が効率よく行われる(図3-3)。
　熱による反応とはまったく異なる反応が進行する光化学反応は，これまで得られなかっ

た新たな化合物を与えてくれる可能性を秘めている。光化学反応を上手に使いこなすためには，有機化学者が普段行っている有機化学反応は熱エネルギーによるものであり，私たちがあたりまえと思っていることが光化学反応では趣が異なることを再認識する必要がある。例えば，それぞれの化合物は特定の波長によって励起されるので，反応させたい化合物に適した波長の光を照射すれば，周囲の化合物に関係なく，その化合物だけに選択的に光化学反応を起こすことができる。つまり，混合物のままで化学反応を行えるのである。また，熱による反応では十分なエネルギーを得ることができないかなりの低温下でも光によって反応を進めることができるので，熱的に不安定な化合物でも問題なく化学合成することができる。

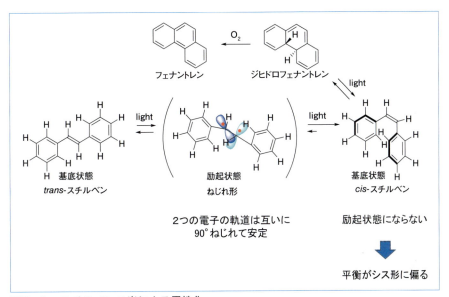

図3-3　スチルベンの光による異性化

2．ビタミンD_3の光化学合成

生体はやはりすごいものである。私たちの身体はあたりまえのように光化学反応を行い，効率よく生理活性物質を生合成している。「骨を強くするために日光浴をしましょう」といわれる所以であるビタミンD_3の生合成には光化学反応の力が発揮されている。まず，体内のコレステロールの7，8位が脱水素化された7-デヒドロコレステロール（**7-DHC**）が生合成され，皮膚において光に含まれる紫外線によってビタミンD_3に変換される。ビタミンD_3はこのままでは活性がなく，肝臓や腎臓での化学的変換を経て活性型ビタミンD_3（1α, 25-dihydroxyvitamin D_3）になって生理活性を示す（**図3-4**）。この合成過程において，光化学反応をより効率よく行えばビタミンD_3を化学合成できると考えたMalatestaらは**7-DHC**にさまざまな波長の光をあて，得られる混合物の割合を検討した[18]。

7-DHCに光を照射すると，**図3-4**に示すようにプレビタミンD_3（**P₃**），タキステロール

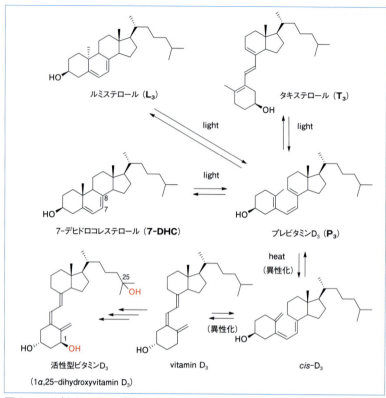

図3-4　ビタミンD₃の光化学合成

(T₃), ルミステロール (L₃), と原料の7-DHCの混合物になる。P₃は熱によってビタミンD₃に異性化するため，P₃がより高い選択性で得られれば，続いて熱をかけることでビタミンD₃を効率よく合成できる。そこで，光化学反応の励起波長を変えることによってP₃の存在比をできる限り高くしようとしたのである。

表3-1に示すように，248nmの光ではP₃よりもT₃の割合が高く，308nmの光ではP₃だけでなく，L₃の割合も高くなってしまう。これに対して248nmと337nmの光，もしくは248nmと353nmの光を同時に照射すると，80％の割合でP₃を得ることができた。これは，それぞれの化合物で吸収する波長が異なることを利用したたいへん効率のよい光化学反応といえる。すなわち，**7-DHC**は248nmの波長の光によってP₃に変換されるが，いったん生成したP₃は同じ波長の光でT₃へ変換される。このとき，同時に照射されている337nmもしくは353nmの光は主にT₃に吸収されるので，T₃ばかりが光によって励起し続け，十分に長い時間をかけて光をあて続けることによって平衡が偏り，結果としてP₃が多く生成することになるのである。

表3-1　励起波長による化合物の生成比

波長 (nm)	7-DHC (%)	P₃ (%)	T₃ (%)	L₃ (%)	D₃ (%)
248	2.9	25.8	71.3		
308	13.3	35.5	3.41	42.3	4.5
248+337	8.8	79.8	1.5	9.8	
248+353	0.1	80.1	11.0	8.7	

3. 光ニトロソ化反応によるナイロンの原料合成[15]

　光化学反応の応用例として，光ニトロソ化反応によるナイロンの原料合成が有名である。化合物が光を吸収して得たエネルギーが分子内の結合の切断に用いられると，不対電子を1つずつもつラジカルが生じる。ラジカルは非常に反応性が高く，連鎖的な反応を引き起こす。このような光によるラジカル生成が光ニトロソ化反応を進行させる。

　図3-5に示すように，シクロヘキサン中に塩化ニトロシル（NOCl）を吹き込みながら，400〜760nmの光を照射すると，NOClの結合が切断され，ニトロソラジカル（NO・）と塩素ラジカル（Cl・）が生じる。この塩素ラジカルがシクロヘキサンから水素ラジカル（H・）を引き抜く。生じたシクロヘキシルラジカルがニトロソラジカルと反応してニトロソシクロヘキサンが生成する[19]。ニトロソシクロヘキサンは反応系中で生成する塩化水素によってオキシムに異性化する。ここまでのステップが一段階で進んでしまうのだから，驚くほど効率よい反応といえる。こうして得られたオキシムからナイロンへの変換は高校の教科書にも載っている有名な反応であり[20]，原料のニトロソシクロヘキサンの合成はまさに光化学反応の真骨頂といえる[21]。

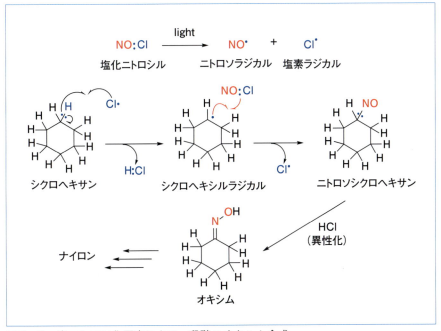

図3-5　光ニトロソ化反応による一段階のオキシム合成

おわりに

　光化学反応を使いこなせば，熱的な反応では得られなかった新たな構造をもつ化合物が得られる。また，何段階もかかる合成反応が一段階で効率よく進行する。しかし，このよ

うにすばらしい反応にも欠点はある。その１つは光源のエネルギーコストが熱による反応よりも高くなってしまうことである。前述のビタミンD_3の光化学合成において用いられた光源はレーザーである。ビタミンD_3が多様な生理活性を示すたいへん価値の高い化合物であっても，やはり，レーザーを使う有機合成はハードルが高いと思われる。筆者らのような物理の苦手な有機化学者は，一重項状態の遷移の図だけでも降参したくなるが，光化学を用いたさまざまな産業が未来世界をつくりつつある現代において，これから光化学反応は増えていくと思われる。

4．光化学反応を勉強しよう!（2）

はじめに

　引き続き，光化学反応について考える。光を使った有機化学反応では，電子が１つだけで動いてラジカルを発生させるため，ラジカル反応（第Ⅰ部第１章-４.，P.19参照）が進行することになる。２つの電子が一挙に動くイオン反応に慣れ親しんでいる筆者らのような有機化学者にとっては，電子が１個ずつ動くという反応機構を考えるのは難しく，頭を悩ますことになるのだが，それでも光化学反応の有用性を鑑みると，へこたれずに勉強すべきだと思う。光ってすごいなあ，と読者の皆様に思っていただけることを期待して，最近の知見も含めて紹介する。

1．視覚のふしぎ

　ヒトの視覚において11-シス-レチナールがたいへん重要な働きをしていることはよく知られている（第Ⅰ部第１章-５.，P.27参照）。11-シス-レチナールは網膜に存在するタンパク質に結合しており，可視光を吸収するとその立体構造を変化させ，トランス体になる。これがきっかけとなって網膜の神経細胞に電気的な信号が伝わり，私たちの脳が情報を処理して「ものを見る」のである。11-シス-レチナールの立体構造の変化は光によるスチルベンの二重結合の異性化と同じメカニズムであるが，よく考えると，これはちょっと不思議に思えてくる。特定の構造をもつ分子は特定の波長に吸収極大をもつはずで，可視光，すなわち，波長域にすると400～700nm余にわたるすべての波長の光を吸収して11-シス-レチナールの立体構造が変化することはあり得るだろうか？　実際，植物は波長の長短それぞれに対応してフラビンやクロロフィルなど，異なる分子を使い分けて光エネルギーを吸収している。同一の分子を使って光エネルギーを吸収し，色まで見分けることができるヒトの視覚のからくりはどうなっているのだろう。まだ，その答えは完全にはもたらされていないが，私たちの目のなかでは11-シス-レチナールを取り囲むタンパク質によるたい

へん精緻な制御がなされているようである[22]（**図4-1**）。

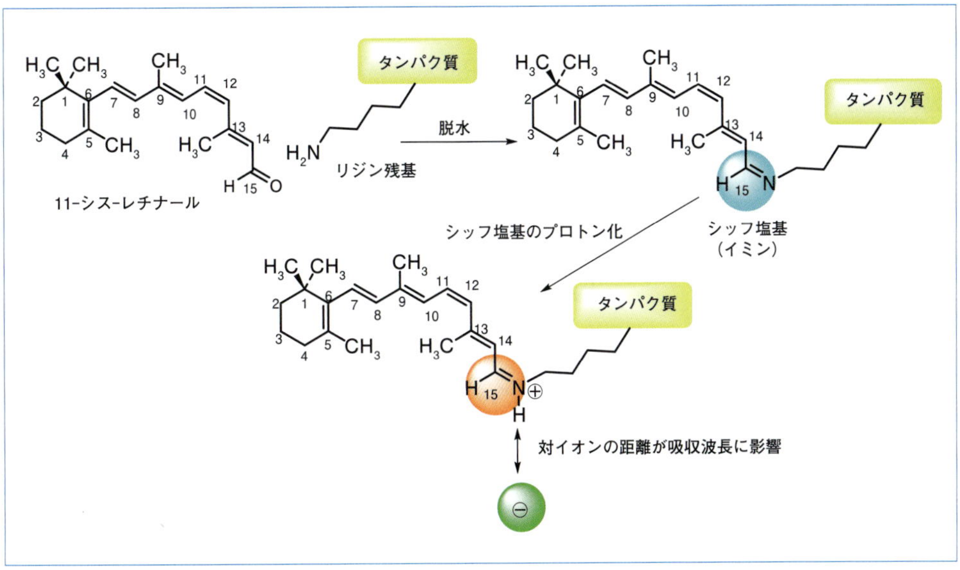

図4-1　11-シス-レチナールのシッフ塩基形成

　網膜にある11-シス-レチナールはタンパク質のリジン残基のアミノ基と脱水してシッフ塩基（イミンともいう）[23]を形成している。このシッフ塩基がプロトン化されると，生じた正の電荷はポリエン構造である11-シス-レチナール分子全体に広がり非局在化する。一方，周りにあるタンパク質や水からこの正電荷を安定化させる対イオン（負の電荷）が与えられると，正電荷はシッフ塩基に局在化する。プロトン化されたシッフ塩基に対する対イオンの位置が周りのタンパク質の構造の変化によって遠くなったり近くなったりすることで，11-シス-レチナール分子における電荷の局在化の程度が変化し，吸収波長が長波長側もしくは低波長側へ変化するのである。私たちの目は，今このときも，11-シス-レチナール分子の周りのタンパク質が立体構造を変えて幅広い波長の光を吸収し，ものを見ることができている。生体のしくみは本当にすごいものだと思う。

2．増感剤の利用

　視覚に関してはもう1つ興味深い話がある。1967年，魚類や哺乳類の目のなかにリボフラビンの結晶が存在することに興味をもったイギリスの研究者が，フラビン類の視覚における働きについてNature誌に報告した[24]（**図4-2**）。

　彼らは，オール-トランス-レチノールにルミフラビンを共存させて400nmを超える光を照射し，二重結合の異性化が起こることを示唆する結果を得た。詳細は不明であるが，ルミフラビンだけでなく，リボフラビンでも同様な結果が得られること，さらにシス体とトランス体の間の異性化も起こり得ることが論文には記されている。この50年近くも前の研

究を2015年になってGilmourらが検証し，一般的なトランス形のアルケンに対し，同様な
異性化反応が（−）-リボフラビンを共存させることで進行し，効率よくシス体を与えること
とを明らかにした[25]（**図4-3**）。

　安価で入手が容易な（−）-リボフラビンが５％存在するだけでトランス体からシス体へ
の異性化が室温下１日でほぼ完了するすばらしい反応である。この反応においてリボフラ
ビンは光エネルギーを効率よく吸収し，アルケンに受け渡す増感剤の役割を果たしている。

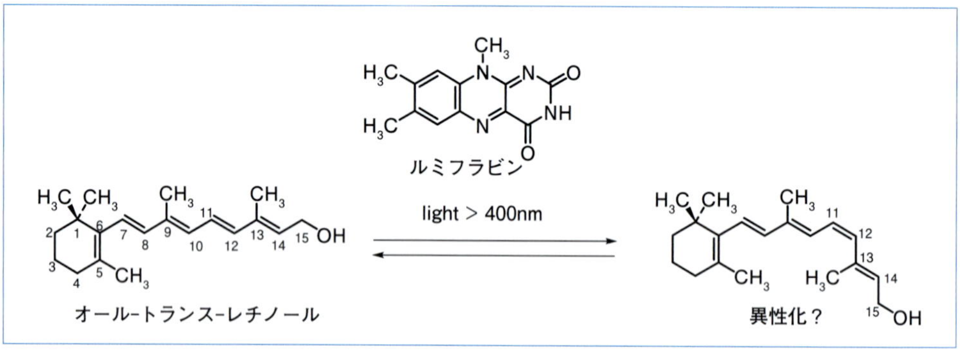

図4-2　ルミフラビンによるレチノールの異性化

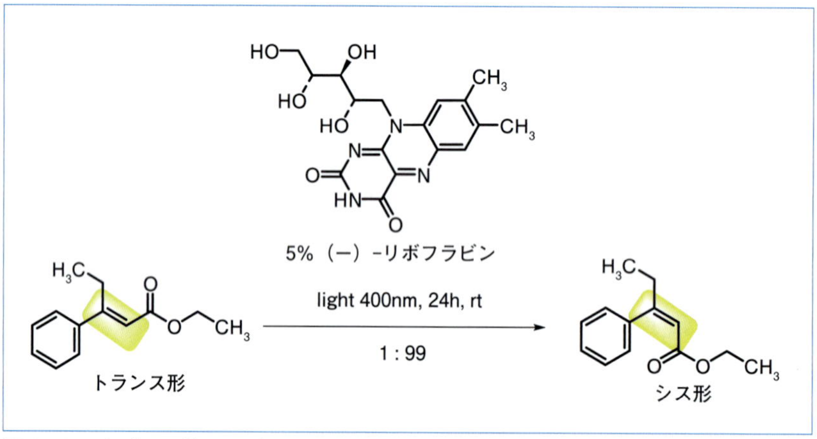

図4-3　（−）-リボフラビンによるアルケンの異性化

3．増感剤の問題点

　増感剤となる分子（**A**）は，光を吸収して基底状態から励起し，一重項状態になった後，
三重項状態へ移行する。その後，エネルギーを放出して基底状態に戻るが，この励起エネ
ルギーを分子（**B**）へ移動させて，本来なら励起しないはずの三重項状態に励起させ，分子（**B**）
に光化学反応を起こすことができる（**図4-4**）。前述のリボフラビンによるアルケンの異
性化反応は，本来なら励起しないはずのアルケン分子が増感剤から与えられたエネルギー
によって波長に関係なく励起し，結果として異性化反応に至ったものである。

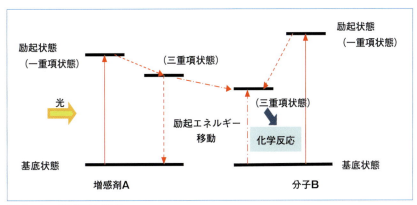

図4-4 増感剤の働き

　このように，増感剤を有効利用することでさまざまな光化学反応が可能になるが，一方で，医薬品の副作用や安定性に影響する負の面もある。ベンゾフェノンがその例である。ベンゾフェノンは365nmの光を吸収すると励起して一重項状態になるが，高速でほぼ100％が三重項状態に移行するため，多くの光化学反応において増感剤として用いられる。ベンゾフェノンについてはかなり古くから注目され，1911年に太陽光を用いた光化学反応が報告されている[26]。ベンゾフェノンとベンズヒドロールをベンゼンに溶かして太陽光にさらすと，数日でベンゾピナコールが結晶として析出する。この反応は，ベンゾフェノンが光によって一重項状態を経て三重項状態に励起し，ベンズヒドロールから水素を引き抜き，2分子のジフェニルヒドロキシメチルラジカルを与える。これらがカップリングしてベンゾピナコールが生成するというメカニズムである（**図4-5**）。

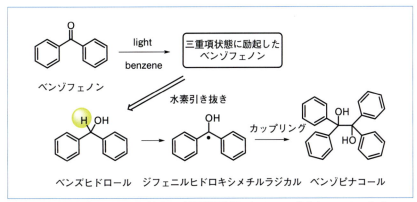

図4-5　ベンゾフェノンに対する太陽光照射によるベンゾピナコールの生成

　このように光に対する反応性の高いベンゾフェノンを化学構造のなかに含む医薬品については，光に対して十分な注意を払う必要がある。例えば，非ステロイド性鎮痛消炎剤として用いられるケトプロフェンは，経皮吸収性がよいことからクリームやローションといった剤形で用いられるが，ベンゾフェノンを化学構造のなかに含むため，光接触皮膚炎や光

線過敏症が発症することがある。ケトプロフェンの光による分解反応はさまざまに推定されているが，インタビューフォーム[27)]に記されている光による分解物A〜Cを一例として図4-6に示す。

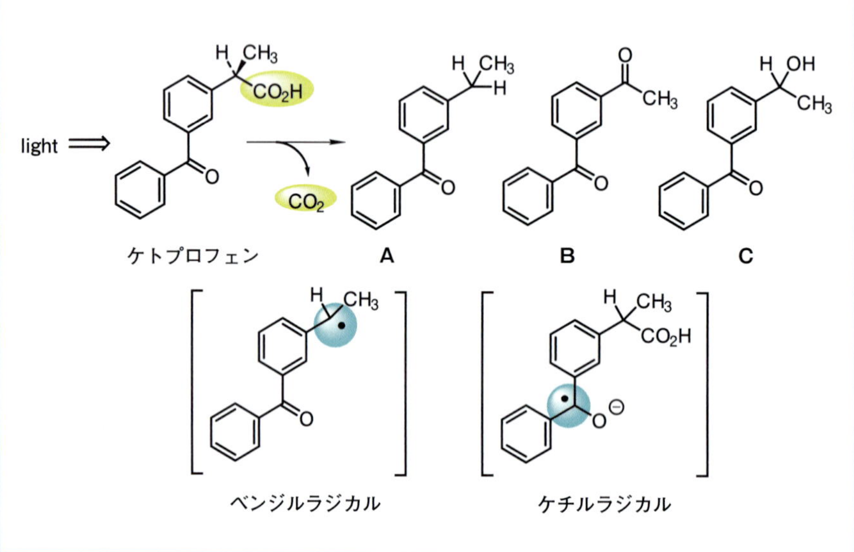

図4-6　ケトプロフェンの分解

　分解物A〜Cのいずれもカルボン酸を失っており，光の照射によって脱炭酸反応が起きていることがわかる[28)]。おそらく，ケトプロフェンは光照射によって励起して直ちに三重項状態になり，脱炭酸してベンジルラジカルが生成すると思われる。また，カルボニルの非共有電子対は比較的容易に光によって励起されるため，ケチルラジカルを生成することも予想される。これらのラジカルが周囲の分子と反応して複雑なラジカル反応が連鎖すると思われる。最終的にラジカル反応を停止させた化合物が分解物A〜Cとして得られたわけだが，このような反応が皮膚で起きた場合に生じたさまざまな化合物がタンパク質と結合して抗原となる可能性がある。運悪くできてしまった抗原に対して激しい抗原抗体反応（アレルギー反応）が引き起こされると光接触皮膚炎や光線過敏症が発症するのである。

おわりに

　ふと思い出したが，研究室に入りたての頃，実験に使うテトラヒドロフランを脱水する際，加熱還流させる丸底ナスフラスコにベンゾフェノンを加えておき，そこにナトリウムを削って入れていた。ナトリウムによってベンゾフェノンのケチルラジカルが生じ，とてもきれいな青い色が出ていた。あの青い色はラジカルの色だと先輩から教わって有機化学ってなんだか素敵だなあ，と思った。改めて光化学反応について考えてみると，ラジカルを生じさせる反応はあのケチルラジカルの青い色に象徴されるように，とても美しいもので

医薬品を支える有機化学　第Ⅰ部

はないかと感じる。イオン反応と異なり，均等に電子が動くラジカル反応を制御できることができたら，今よりもっと有機化学の世界が魅力的に見えてくるのではないだろうか。

5. 時代は回る：有機分子触媒(2021年ノーベル化学賞)

はじめに

　今の最先端の化学が「ちょっとデジャブ？」と感じられることが時々ある。ほかの分野と異なり，有機化学は過去のアーカイブをじっくり読み直すことによってヒントを得られることがとても多く，「時代は回る」という言葉があてはまる事象は意外と多い。そんな例の1つかもしれないと思われる有機分子触媒についてとりあげる。2021年ノーベル化学賞は，有機化学分野から，「不斉有機触媒の開発」の業績に対し，ベンジャミン・リスト(B. List)博士(ドイツ：マックス・プランク研究所)およびデヴィッド・マクミラン(D. MacMillan)博士(米国：プリンストン大学)に授与されたが，本稿内容はその業績の端緒となった化学である。

　現在，最もホットな研究テーマの1つが有機分子触媒による不斉反応の開発である。この20年ほどの間に有機分子触媒の発展はめざましく，特に日本においては多くの研究者がこの分野に参入し，独自性の高い，たいへん優れた触媒[29]が多く開発されている。有機分子触媒(organocatalyst)とは，金属元素を含まない炭素，酸素，窒素などの元素から構成され，有機反応の触媒として機能する低分子量の有機化合物のことである。従来から反応速度を高めるために使われてきた単純な構造の有機化合物(*p*-トルエンスルホン酸など)とは異なり，立体選択性や位置選択性を制御する目的で精密に分子設計されたやや複雑な立体構造をもつものが多い。この有機分子触媒が注目されるようになったきっかけは2000年に報告されたL-プロリンを用いた不斉アルドール反応[30](後述)であるが，実はその30年近く前から有機分子触媒の報告はなされており，日本でも関連した研究は行われていた。1970年代から現在までの有機分子触媒の変遷について，ごくごく簡単に眺めてみよう。

1. 見過ごされた触媒反応

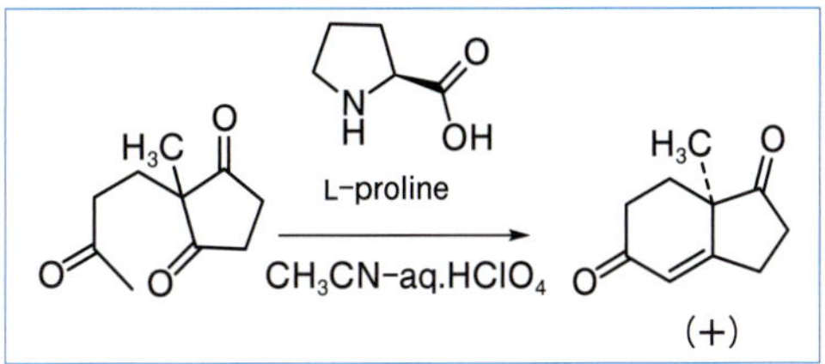

　1971年にWiechertらはL-プロリンを用いた分子内不斉アルドール反応を報告した[31]。彼らはステロイドの薬理作用に興味をもち，ステロイド骨格合成の途上でL-プロリンの触媒作用を見つけた(図5-1)。当時はキラルカラムも存在

図5-1　L-プロリンを用いた触媒反応

せず，比旋光度だけで光学活性を判断するしかなかったが，報告されている生成物の比旋光度からは明らかにL-プロリンの触媒作用による不斉反応が進行したことがわかる．Wiechertらの興味はあくまでもステロイド骨格の合成にあったため，その後この不斉反応については検討されず，有名な雑誌に掲載されたにもかかわらず，そのまま見過ごされてしまった．

　一方，日本においては井上らが1975年にアミノ酸のポリマーを用いた共役付加反応を報告している[32]．L-グルタミン酸の側鎖のカルボン酸をエステル保護したものを単量体とするポリマーであるため，実際に触媒活性を示すと思われる官能基は末端のアミノ基だけである．もちろん不斉の制御は十分ではないが，酵素を模した触媒としてアミノ酸を用いて不斉反応を行った点は現在の有機分子触媒のさきがけといってよいだろう（**図5-2**）．

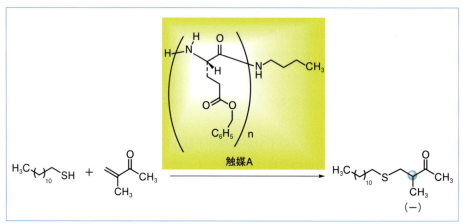

図5-2　アミノ酸ポリマーを触媒として用いた不斉共役付加反応
触媒AはL-グルタミン酸由来

　さらに，奥，井上らは2つのL-アミノ酸からなるジペプチドを触媒に用いてシアン化水素による不斉シアノ化反応を検討し，鎖状のジペプチドよりも，環状にした構造であるジケトピペラジン（diketopiperazine）のほうがより不斉制御に優れていることを明らかにした[33]．**図5-3**に示すようにベンズアルデヒドに対して0.02当量のジケトピペラジン（この場合はL-ヒスチジンおよびL-フェニルアラニンからなる）を用いて90%eeという高い不斉収率で不斉シアノ化を実現している．彼らはこのジケトピペラジンの触媒機構を**図5-4**のように推定している[34]．

　まず，ベンズアルデヒドのカルボニル基（C=O）がジケトピペラジンのヒスチジン由来のNHと水素結合を形成し，カルボニルの向きが固定される．続いて，シアン化水素がヒスチジンの残基であるイミダゾール環と相互作用する．すなわち，シアン化水素の水素がイミダゾール環をプロトン化し，これによって生じたシアン化物イオン（CN$^-$）がイミダゾール環の側からカルボニルの炭素を攻撃して不斉シアノ化が進行する．わずか2つのアミノ酸が環状ペプチドを形成することで，高分子量のタンパク質である酵素と同様な触媒作用を示す点はたいへん興味深い．残念ながら，このシアノ化反応は平衡反応であるため，長

い時間をかけると不斉収率が低下する傾向が認められ，実用性は低いと考えられるが，1970年代にこのような優れた研究が日本で行われていたことは記憶にとどめておくべきと思う。

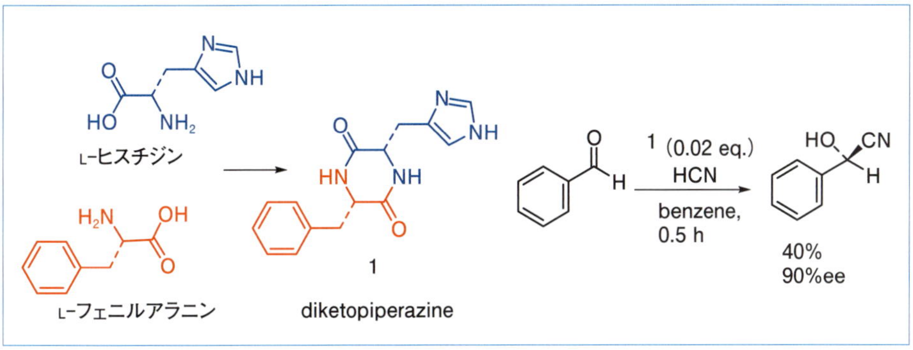

図5-3　ジケトピペラジンを触媒として用いた不斉シアノ化反応

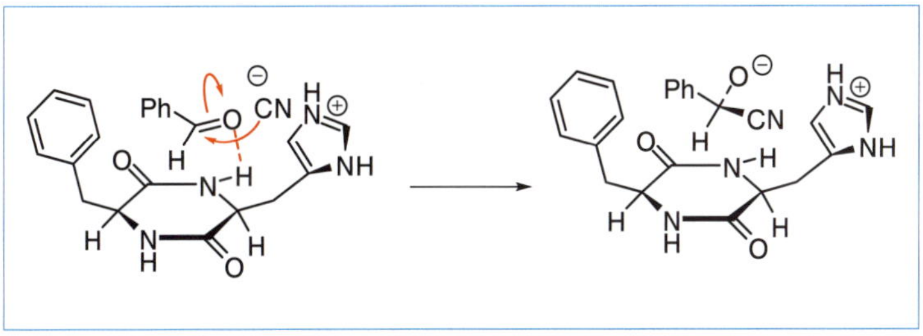

図5-4　ジケトピペラジンによる触媒機構

2．21世紀になって（ノーベル化学賞受賞へ）

　このように，アミノ酸やペプチドを触媒として用いる不斉反応がすでに芽吹いていたにもかかわらず，21世紀になるまでこの周辺の化学に大きな進展は認められなかった。その原因の1つとして，金属を用いた触媒反応がすさまじい勢いで発展したことがあげられるのではないだろうか。光学活性な有機化合物からなる不斉配位子を金属に配位させ，金属を中心として不斉な環境を構築することで効率よく不斉反応を行うという発想はとても魅力的である。実際に，ほぼ完全な不斉制御を達成した例が数多く報告[35]され，実用性の高い不斉反応として医薬品合成にも応用されるようになった。その成果の1つの表れとして，野依良治先生のルテニウム金属を用いた不斉還元反応の開発に対してノーベル賞が授与された（第Ⅰ部第2章-1．，P.67，第Ⅱ部第2章-6．，P.176参照）。このような流れのなか，2000年にListならびにBarbasらによってL-プロリンを触媒として用いた不斉アルドール反応が報告された（図5-5）[30]。この研究によって，Listはノーベル化学賞受賞者となり，MacMillanはL-プロリンの代わりとなる新たな有機触媒［MacMillan 触媒と呼ばれる（図5-5c）］を開発してノーベル賞受賞に至った。ほぼ20年近く金属を中心として不斉環

境を構築する反応を開発し続けた有機化学者にとって，必ずしも金属は必要ないかも？と思わせる衝撃的な報告だったのではなかろうか。

　この反応において，L-プロリンはアミン部分がケトンと反応し，求核性の高いエナミンを形成する。続いて，カルボン酸部分（COOH）がブレンステッド酸として働いてアルデヒドのカルボニル基を活性化すると同時に，エナミンの近傍に活性化されたカルボニルの炭素を呼び込んで9員環遷移状態を経て立体選択的にアルドール反応を進行させる。生成するイミニウムイオンは加水分解されてアルドール生成物になり，L-プロリンが再生する。この不斉アルドール反応をきっかけとしてたいへん多くの有機分子触媒が開発されており，さまざまな反応に適用されている。現在では，1つの有機分子触媒を用いて多段階の有機反応を行うドミノ反応（連続的反応を一挙にワンポットで行える反応）[36]（**図5-6**）まで可能になっている。

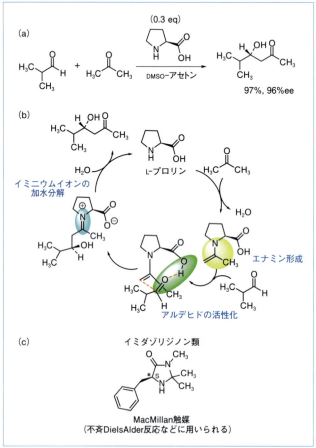

図5-5　(a) L-プロリンを触媒として用いた不斉アルドール反応と(b)そのメカニズム，および(c) MacMillan触媒

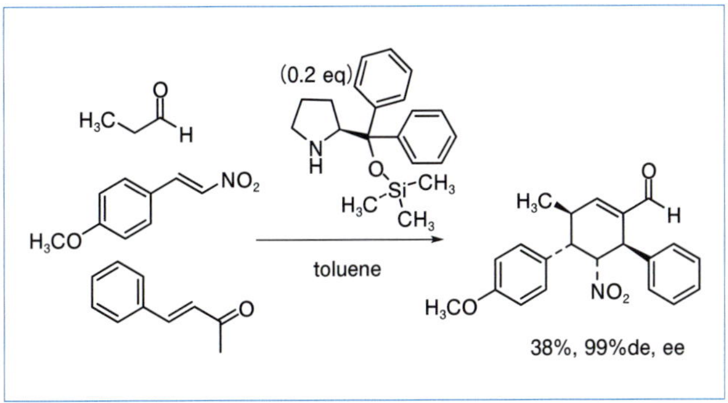

医薬品を支える有機化学　第Ⅰ部

図5-6　L-プロリン誘導体を触媒として用いたドミノ反応

　有機分子触媒による不斉反応は，これまでの金属を中心とした錯体（金属錯体）を触媒に用いた不斉反応と異なる特徴がある。有機分子触媒は共有結合によって形成された有機化合物であるので，一般に空気や水にも安定であり，取り扱いが容易である。また，医薬品の製造工程にこのような反応が利用された場合，当然のことではあるが，生成物に有害な金属が混入する可能性はなく，安全に医薬品を製造することができる。地球上の金属資源が限られることから，できるかぎり金属を使用しない反応の開発は今後の化学の発展のためにも推進されるべきである。こういった数々の利点が多くの有機合成化学者を魅了し，新たな不斉反応を怒涛のごとく開発していく動機付けになっていると思われる。一方で，今後の有機分子触媒の課題の1つとしてあげられるのは金属錯体を用いて達成されたような非常に高い効率性をいかにして実現するか，という点であろう。例えば，ナノモルやピコモル，といったごくごく少ない触媒の量でも完全な不斉制御がなされることが望まれる。

おわりに

　はじめに述べたように，有機分子触媒による不斉反応の開発は現在の有機合成化学の分野で最も脚光を浴びている課題の1つである。多くの研究者が参入し，新たな反応の開発を競い合っている。門外漢として眺めると，現在の有機分子触媒の開発をめぐる熱気と，金属錯体を触媒に用いた不斉反応の開発が盛んに行われていたあの頃の雰囲気がなんだか重なって，追体験をしているように感じてしまう。金属を使ったたいへんすばらしい触媒反応が多く開発された結果，その反動のように金属を使わない触媒反応に振り子が揺れていった。「時代は回る」という言葉のとおり，またいつか金属を使う優れた反応が盛んに研究されるときがくるのかもしれない。もしくは，両者を融合させたさらにすばらしい触媒が開発されるのかもしれない。

　もう1つ付け加えるならば，1970年代に報告された有機分子触媒の先駆けともいえる不斉反応がいったんは見過ごされたものの，30年後に花開き，2021年のノーベル化学賞受賞まで成長したことはとても心強いことである。現在においては脚光を浴びなくとも，もしかしたら30年後に誰かに振り向いてもらえるかもしれない。重箱の隅っこをつつきまくっ

ていてもよいのかな？　と楽しみになってくる。もちろん，そのためには独自性の高い研究を続けていく勇気と度量の広さ，加えて，長生きを心がけることも大事なのだが。

6．セルロースはなぜ水に溶けないの？

はじめに

　過日の学会で，懇意にさせていただいている昭和薬科大学の田村修先生（とても優秀な有機化学者）から「セルロースって水に溶けないのですけど，なぜだかわかりますか？」と問われて，一瞬，答えに詰まった。改めて考えてみると，はてな？　と思うところがある。水溶性のD-グルコースの連なった高分子であるセルロースは水に溶けてもよいのかもしれない…。田村先生もこの点を不思議に思ったらしく，研究室の学生に卒業研究としてセルロースについて取り組んでもらったそうである。学生さんのまとめた卒業論文がとても興味深いものだったので，今回は，田村先生とその学生である永田拓海さんに感謝しつつ，セルロースなどの多糖類の化学について考えてみたい（糖の化学については，第Ⅰ部第1章-9．，P.47参照）。

　身近に存在する多糖類には，デンプン，グリコーゲン，セルロースがある。いずれも，D-グルコース（単糖）をモノマー単位とし，それらが脱水縮合によって何千も連なった多量体で，グルカンと呼ばれる。デンプンはじゃがいもや米などの食品に含まれ，いわゆる炭水化物として体内に摂取され，主要なエネルギー源となる。グリコーゲンは私たちの体内に入った炭水化物が貯蔵されるときにつくられ，肝臓や筋肉などに多く存在する。一方，セルロースは植物の細胞壁に含まれる主要な繊維質成分で，植物が光合成によって水と炭酸ガスから生み出す地球上で最も多い生物資源（バイオマス）として知られている。薬学に関わる皆さんにとって，デンプンやセルロースは固形製剤に用いられる賦形剤としてのイメージが強いかもしれない。ヒプロメロースやカルメロースはセルロースの誘導体であり，医薬品の製剤化には欠かせない。普段，何気なく扱っているデンプンやセルロースの化学構造と物性には興味深い関連性がある。

1．デンプン

　デンプンはD-グルコースの1位と4位の間でα-1,4-グリコシド結合が形成されてできる長い直鎖状のアミロースと，この主鎖に加えてα-1,6-グリコシド結合によって枝分かれした鎖をもつアミロペクチンからなる（**図6-1**）。デンプンの種類によってアミロースとアミロペクチンの割合は異なり，馬鈴薯デンプンなどの通常のデンプンは約2割のアミロースを含み，もち米デンプンはほとんどアミロペクチンからなる。デンプンは澱粉（澱

む粉)というその名前のとおり冷水中では溶解せずに沈殿するが，80℃くらいの温水にさらすとアミロースが溶け出し，不溶性のアミロペクチンが残ることが知られている。つまり，直鎖状のアミロースは水溶性で，枝分かれしたアミロペクチンは難水溶性ということになる。この物性の違いはどうして生じるのだろうか。

アミロースとアミロペクチンの水溶性の相違は，高分子としての全体の構造の違いによるところが大きい。アミロースの分子量は10^5〜10^6であり，α-1,4-グリコシド結合の立体化学のため，水溶液中では6個のD-グルコースが一回転を形成する左巻きのらせん構造をとる。このらせん構造は外側に向かっている水酸基が水分子と相互作用(水素結合形成)するので水に溶解する。らせんの内側にヨウ素が入り込むと，D-グルコースの6員環構造(アキシアル方向のC-H結合)およびグリコシド結合酸素と相互作用してアミロース-ヨウ素複合体ができ，青色に呈色する(図6-2)。これが有名なヨウ素-デンプン反応である。ヨウ素-デンプン反応で青色になった水溶液を加熱すると，アミロースのらせん構造が形を変える(ゆるむ)ため，ヨウ素が外れて色が消える。小学校のときにこんな実験をした方がいらっしゃるかもしれない。

一方で，アミロースよりさらに大きい10^6〜10^7の分子量をもつアミロペクチンは，α-1,4-グリコシド結合をしている直鎖状グリコシドの20〜25残基ごとに，α-1,6-グリコシド結合による分岐した樹状構造を形成し，複雑なクラスター構造をとっている。アミロペクチンの分子全体の構造についてはまだ不明な点があるようだが，分子量がより大きいことと，樹状構造がからみあって内部で水素結合を形成しているため，難水溶性の物性を示すと考えられている。デンプンについては，アミロースやアミロペクチンの重合度やそれらの割合，立体構造などがそれを生産する植物ごとに異なっており，デンプンの物性にも関わるため，現在でもデンプンの結晶のX線構造解析研究が行われている。

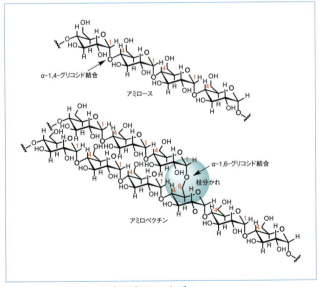

図6-1　アミロースとアミロペクチン

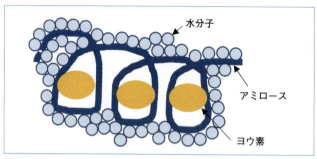

図6-2　アミロース-ヨウ素複合体

2．セルロース[37)]

　セルロースは，D-グルコースがβ-1,4-グリコシド結合した直鎖状の多糖類である。図6-3に示すように，D-グルコースが互いに180度反転した構造が繰り返されてまっすぐに伸びており，らせんを形成しない。この直鎖においてD-グルコースはいす形配座をとるため，アキシアル方向には6員環上の水素原子が向き，エクアトリアル方向には水酸基が配置される。したがって，アキシアル方向は水素が立ち並ぶので疎水性を示し，エクアトリアル方向には水酸基が並ぶので親水性を示すことになり，分子全体としては疎水性部分と親水性部分を両方もつことになる。

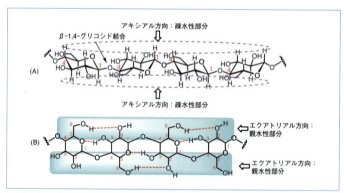

図6-3　セルロース:(A)いす形配座を横から眺めた図，(B)いす形配座を上から眺めた図(赤い破線は水素結合を表す)

　このような構造的特徴をもつセルロース分子間では，互いにアキシアル方向では疎水性部分同士がファンデルワールス力により相互作用する。また，エクアトリアル方向では親水性部分同士が水素結合することにより相互作用が生じる。これらに加えて，分子内でも2位の水酸基と6位の水酸基，および6員環内の酸素と3位の水酸基との間に水素結合ができるため(図6-3(B))，セルロースはセルロースミクロフィブリルと呼ばれる強固な結晶を形成する。植物においては，セルロースミクロフィブリルが細胞壁に存在することによってその構造が剛直に保たれ，生命が維持される。モノマーであるD-グルコース

1分子あたりではグリコシド結合に関わらない水酸基が3つもあることや，同様にD-グルコースのポリマーであるアミロースが水溶性を示すことなどを考慮すると，セルロースが水に溶けてもおかしくないように思ってしまうのだが，実際には疎水性部分および親水性部分の両方でこのような強固な相互作用をしているため，水だけでなく，一般的な有機溶媒にもセルロースは溶解しない。セルロースでできている紙が水にも有機溶媒にも溶けないというのはいわれてみればあたりまえのことだが，このような物性がD-グルコースのβ-1,4-グリコシド結合（α-1,4-グリコシド結合でないことが重要である）によってもたらされるのはたいへん興味深い。

3．溶けないセルロースをどうやって溶かすのか？

　このような水にも有機溶媒にも溶けないセルロースをどのようにしてセルロース誘導体へと変換することができるのだろう。セルロースの結晶は250℃近くまで加熱すると溶解せずに分解してしまうので，加熱して溶かすことはできない。したがって，何らかの溶媒に溶かしてから誘導体化する必要がある。セルロースの溶解については，1857年に銅アンモニア溶液による溶解が報告[38]されて以来，現在までに100種を超える溶媒が見出されている。糖の化学構造がほとんどわかっていなかった19世紀ごろから，セルロースをなんとかして利用しようという試みがなされていたのは，セルロースを原料とする繊維産業の勃興が背景にあったためであろう。現在まで，ほとんどの溶解法が特定の組成をもつ多種類の溶媒を組み合わせて行うものとなっているが，セルロースを溶かすという工程にはノウハウがたくさんあり，化学工業メーカーの技術力が活きてくる分野でもある。溶けないセルロースを溶媒によって溶かすための戦略は，セルロースを結晶化させている要因である多様で強固な分子間および分子内の水素結合をいかにして壊すか，に尽きる。水素結合が切断されればされるほど，セルロースはモノマーとしてのD-グルコースの水溶性を発揮し，水に溶けやすくなるはずである。例えば，**図6-3 (B)** に示すように，セルロースの分子内水素結合には2位の水酸基と6位の水酸基の間，および，6員環内の酸素と3位の水酸基の間の2つがあるが，これらの水素結合を切断することによって長鎖を構成するD-グルコースの回転が起こり，整然と並んでいる高分子鎖がエントロピーを増加させることで水に溶解していくと考えられる。セルロースを溶解する溶媒として最初に見出された銅アンモニア溶液を使う溶解法では，D-グルコースの2位と3位の水酸基が銅アンモニアと錯体構造を形成し，これによって2位の水酸基と6位の水酸基の間，および，6員環内の酸素と3位の水酸基の間の2つの水素結合が切断されて溶解することがわかっている。この銅アンモニア錯体の立体構造について，1944年にReevesがたいへん論理的な実験を行い，推定構造を提唱している[39]。当時から，銅アンモニア溶液によって溶解したセルロースが左旋性でとても大きい値を示すことが知られていた。Reevesは，その理由をセルロースの構成単位であるD-グルコースのもつ水酸基と銅が錯体を形成するためであると推論し，水酸基をさまざまに保護したグルコース誘導体と銅アンモニア溶液を反応させ，それぞれ

の旋光性を調べた（**表6-1**）。

　セルロース（**1**）はβ-1,4-グリコシド結合しているため，その鎖のなかでモノマー単位であるグルコースは2位，3位および6位の水酸基が銅と錯体形成する可能性がある。そこで，セルロースと同様にグルコースの1位と4位をマスクした化合物（**2**）の旋光性を調べた結果，左旋性を示し，セルロースとほぼ同じ高い値が得られた。また，4位と6位をマスクした化合物（**3**）でも同様な値が得られ，1位の立体化学の異なる化合物（**4**）では，やや低下したものの，左旋性を示すことは変わらなかった。一方で，1位のみをマスクした化合物（**5**）（**6**），および，3位もしくは4位もマスクした化合物（**7**）（**8**）では，右旋性も認められ，数値も低かった。このことから，Reevesは2位および3位の水酸基が銅と錯体を形成することによって（**図6-4**），セルロースの水素結合が切断され，溶解すると結論付けた。彼の説は，その後のCDやORDなどを用いた分析[40]によっても裏付けられている。

表6-1　セルロースおよびD-グルコース誘導体の銅アンモニア水溶液中での旋光性

	銅アンモニア水溶液中の旋光性 $[\alpha]^{25}_{436}$
セルロース　**1**	−1200°
β-メチル-4-メチルグルコシド　**2**	−1008°
β-メチル-4,6-エチリデングルコシド　**3**	−1058°
α-メチル-4,6-ベンジリデングルコシド　**4**	−608°
β-メチルグルコシド　**5**	+67°
α-メチルグルコシド　**6**	+432°
α-メチル-2,4-ジメチルグルコシド　**7**	+275°
β-メチル-3-メチル-4,6-エチリデングルコシド　**8**	−128°

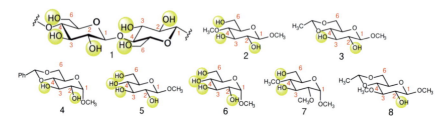

（構造式中，銅と錯体構造を形成する可能性のある水酸基を黄色で囲ってある）

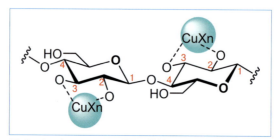

図6-4　セルロース／銅の錯体構造

医薬品を支える有機化学　第Ⅰ部

おわりに

　「セルロースはなぜ水に溶けないの？」という疑問がきっかけで，グルカンの高分子には興味深い化学が多く含まれていることが見えてきた。実は，筆者らは高分子には親しみがなく，これまであまり深く考えたことがなかった。おそらく，ほかの薬学の有機化学系の先生方も，高分子は工学部などの独壇場であって，薬学の有機化学とはちょっと違う，という印象をもたれているのではなかろうか。しかし，薬剤を製剤化する過程においては，セルロースだけでなくさまざまな高分子が用いられており，それらの化学を理解することは薬学の世界にいる私たちにとって重要なことではないかと感じる。少なくとも，カタカナで書かれている高分子の名前と構造および物性を結び付けて考えられる薬剤師を育てていくことは，これからの時代に必要ではないだろうか。高分子っておもしろいね，役に立つんだね，と薬学生に思ってもらえるような授業をしたいものである。

7．シクロデキストリンの化学

はじめに

　シクロデキストリンは，薬学の研究者にとってなじみ深いものと思う。古くからさまざまな目的で医薬品の製剤化に用いられるだけでなく，最近では，ロタキサン（第Ⅱ部第2章-11.，P.203参照）の重要な構成要素としてDrug Delivery System（DDS）にも応用されている。円錐台形のプリンのような形が特徴で，その内側には疎水性の空洞があり，そこに化合物を取り込んで包接複合体をつくることが知られている。今後もシクロデキストリンをめぐる化学は発展していくと思われるので，ここでいったんおさらいしてみようと思う。

1．シクロデキストリンの構造と機能

　19世紀末に発見されたシクロデキストリンはD-グルコースがα-1,4-結合した環状オリゴ糖であり，比較的安価に入手できることから，医薬品だけでなく，化粧品や食品など，幅広く用いられている。D-グルコースの数が6，7，8個のシクロデキストリンをそれぞれ，α-，β-，γ-と区別し，さらに多い9〜13個まで，すなわち，δ-，ε-，ζ-，η-，θ-までが天然物として存在する。D-グルコースがα-1,4-結合した鎖状の分子であるデンプン（アミロース）が6個のD-グルコースで一回りするらせん構造を有することから予想されるように，α-，β-，γ-シクロデキストリンは比較的環状構造を組みやすいこともあって，微生物由来の酵素を使って工業生産される。ここで用いられる酵素はCGTase（cyclodextrin glucanotransferase）と呼ばれる糖転移酵素で，デンプンを加水分解した後

99

に環状にするが，一方で開環したり，直鎖状の糖鎖を連結したりする多機能性をもっている。したがって，せっかく閉環しても環状構造が不安定であれば，また開環反応が進行する。実際に，より安定な構造であるβ-シクロデキストリンは容易に得られるが，α-，γ-シクロデキストリンの場合はやや効率が悪い。一方，9個以上の糖を環状構造にするのは難しいらしく，D-グルコースを30個程度まで環状にα-1,4-結合させる酵素や化学合成は検討されているものの，実用化はされていない。

シクロデキストリンの環状構造は物性に大きく影響している。内径の狭い側にはD-グルコースの6位の一級水酸基があり，広い側には2，3位の二級水酸基があって隣接するグルコースと分子間で水素結合している。一方，空洞の内部には3，5位の炭素に結合している水素とグリコシド結合している酸素があって疎水性を示すため，有機化合物を包接することができる。α-，β-，γ-シクロデキストリンの物性を**表7-1**にまとめる。

環状構造を構成するD-グルコースの数が多くなるほど，空洞の内径や体積は大きくなり，包接する化合物の大きさも変わる。プロスタグランジンE_1について，シクロデキストリンとの包接複合体が推定されているので，**図7-1**に示す[41]。α-シクロデキストリンはアルキル鎖，β-シクロデキストリンは5員環部分を包接し，γ-シクロデキストリンはその内部を貫通するように分子全体を包接する[42]。

一般的に，β-シクロデキストリンがちょうどよく有機化合物を包接するので広く用いられるが，水溶性が低いことが難点である。これは，β-シクロデキストリンの環状構造が安定であることが示唆するように，隣接する水酸基の間で水素結合する割合が高く，外部の水分子と水素結合する割合が低いためである。シクロデキストリンのやや気になる点は，溶血性である。シクロデキストリンは赤血球の表面からコレステロールやリン脂質を引き抜いて溶血させる性質をもつので，生体に障害を与えることも起こり得る。そこで，このような難点を克服すべく，シクロデキストリンの化学構造の修飾が盛んに行われている。

表7-1　シクロデキストリンの物性

	α-	β-	γ-
D-グルコースの数	6	7	8
空洞の内径(Å)	4.7–5.2	6.0–6.4	7.5–8.3
空洞内体積(Å^3)	~174	~262	~427
溶解度(25℃，g/100mL水)	14.5	1.85	23.2

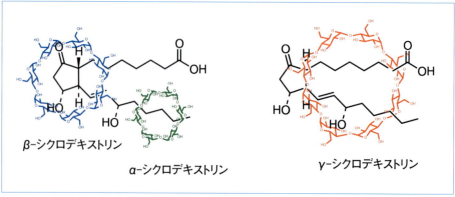

図7-1　PGE$_1$とシクロデキストリンとの包接複合体

2．シクロデキストリンの化学修飾

　幅広い疎水性化合物を抱合することはできるが，水溶性が低いβ-シクロデキストリンの水溶性を高めるために隣接する水酸基の間の水素結合を切ることを目的とし，2，3，6位を部分的にメチル化した誘導体が合成された。この部分メチル化体は，β-シクロデキストリンよりも水溶性が著しく向上し，25℃での100mLの水に対する溶解度は165gになる。また，スペーサーを介して水酸基のような親水性の官能基を導入する工夫もなされ，ヒドロキシプロピル基やスルフォブチル基が部分的に置換した誘導体が合成されている（**図7-2**）。特に，スルフォブチル化されたシクロデキストリンは，未修飾のものと比較して内部の疎水性の空間が縦に長くなり，包接能が高まっている。さらに，その末端にあるスルホン酸は生体内ではアニオンになって外側の水溶性もよりいっそう高まっている。

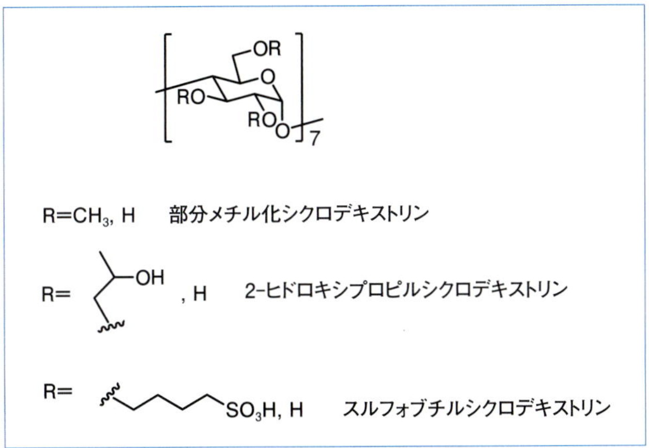

R＝CH₃, H　　部分メチル化シクロデキストリン

R＝　　OH　, H　　2-ヒドロキシプロピルシクロデキストリン

R＝　　SO₃H, H　　スルフォブチルシクロデキストリン

図7-2　β-シクロデキストリンの化学修飾

　このような化学修飾されたシクロデキストリンを医薬品として用いたのが，世界初の筋弛緩回復薬スガマデクスナトリウム（販売名：ブリディオン）である[43]。外科手術を行う際，筋肉の緊張を取り除いて手術をしやすくし，気管内へのチューブの挿管を容易にする目的でロクロニウム臭化物などの筋弛緩薬が投与される。筋弛緩薬は，神経筋接合部においてアセチルコリン受容体のアンタゴニストとして働き，アセチルコリンによる筋収縮を阻害する。ロクロニウム臭化物は，効果の発現が速く副作用も少ないため汎用されるが，その作用が1時間程度持続するのが問題になる。手術が終わった後で速やかに筋収縮を回復させ，自発呼吸を可能にするためには神経筋接合部においてアセチルコリンの濃度を高めてアンタゴニストであるロクロニウムを追い出す必要がある。このような場合，ネオスチグミンを用いてアセチルコリンエステラーゼ（アセチルコリンを分解する酵素）を阻害し，アセチルコリン濃度を高めようとするが，効果が出るには時間がかかり，徐脈や低血圧などの副作用が起こることもある。そこで，即効性を示し副作用の少ない筋弛緩回復薬としてスガマデクスナトリウムが開発された。スガマデクスナトリウムは，γ-シクロデキスト

リンの第一級水酸基すべてが，末端にカルボン酸のナトリウム塩を有するチオアルキル基によって置換された構造をしている。これにより，ロクロニウムのステロイド環構造全体を包接できる縦に長い空洞が形成され，さらに，ロクロニウムのもつ四級アンモニウム塩由来のカチオンとスガマデクスのもつカルボキシ基のアニオンが相互作用するため，非常に高い結合親和性（$15.1×10^6$ M^{-1}）を示す（図7-3）。スガマデクスナトリウムを静脈内に投与すると，血流中でロクロニウムとの間に1：1の複合体を形成する。その結果，血液中にある遊離のロクロニウムの量が減り，組織内の神経筋接合部にあるロクロニウムが濃度勾配によって血中に移行するので，ロクロニウムの作用部位での濃度が減少し，筋弛緩作用が速やかに減弱する。スガマデクスナトリウムは投与後，1.5〜4.5分で効果を示す革新的な筋弛緩回復薬である。

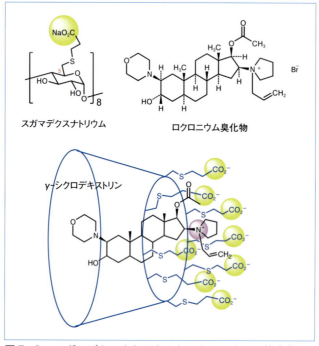

図7-3　スガマデクスナトリウムとロクロニウムの複合体
スガマデクスナトリウムは$γ$-シクロデキストリンの5位の-CH$_2$OH基が，-CH$_2$SCH$_2$CH$_2$CO$_2$Naに代わっている。

3．シクロデキストリンの酵素としての働き

シクロデキストリンにはまるで酵素のような働きがあることが知られている。例えば，エステルである酢酸フェニルの加水分解反応は$α$-シクロデキストリンを添加すると反応速度が増す。さらに，メタ置換体のほうがパラ置換体よりもより速く加水分解されるため，基質選択性があることも認められている[44]（図7-4）。

このようにシクロデキストリンは酵素モデルとして適当と考えられるが，実際の酵素と

比較すると相違点もある。まず，シクロデキストリンのもたらす反応の加速効果はpH10を超える塩基性条件下でのみ認められる。これはシクロデキストリンの有する水酸基がアニオンになる必要があるからであろう。また，触媒として最も重要な触媒回転がなく，酵素と比較すればその活性はかなり低い。このため，シクロデキストリンを化学修飾して，より酵素らしく働かせるための試みがなされた。少し古い研究ではあるが，現代の有機触媒の開発研究に通じるところがあるので紹介する。

　Breslowらは，RNAのホスホジエステル結合が開裂する反応を触媒する酵素であるリボヌクレアーゼのモデルとしてβ-シクロデキストリンの一級水酸基を誘導体化した化合物AおよびBを合成し，環状のリン酸エステルを位置選択的に加水分解する反応を検討した（図7-5）[45]。この反応では，シクロデキストリンの一級水酸基の側に適当な位置で配置された2つのイミダゾール環が，片方は環状の窒素がプロトン化されて酸性になり，もう一方は環状の窒素がそのまま塩基性を示すことで協働して働く。図7-5に示すように，化合物Aはβ-シクロデキストリンとイミダゾール環の距離が短く，化合物Bは距離がより長くなっている。このような長さの違いにより，化合物AとBは環状リン酸エステルと相互作用する部位が異なる。化合物Aの場合は，イミダゾール環がシクロデキストリン環に近い位置にあるため，包接されたベンゼン環の2位の側から塩基性を示すイミダゾール環が近づき，水を介してリン酸エステルのリン原子を求核攻撃する。このとき，プロトン化されて酸性を示すイミダゾール環がベンゼン環の1位の側から作用し，O-P結合を切断しやすくする。これにより，2位にリン酸基が置換した生成物が得られる。これに対し，化合物Bの場合は，イミダゾール環がシクロデキストリン環から遠い位置にあるため，包接されたベンゼン環の1位の側から塩基性を示すイミダゾール環，2位の側から酸性のイミダゾール環が作用して，1位にリン酸基が置換した生成物が得られる。

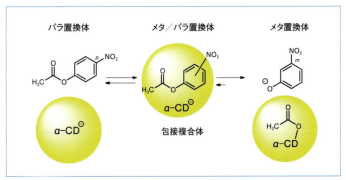

図7-4　α-シクロデキストリンによるメタ置換酢酸フェニルの加水分解

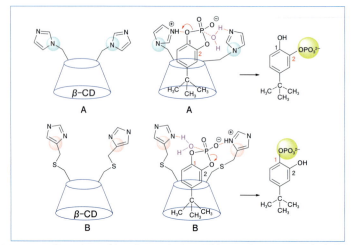

図7-5　β-シクロデキストリンによる環状リン酸エステルの加水分解

おわりに

　教科書にもよく書かれていることだが，シクロデキストリンは疎水性分子を包接して医薬品の水溶性を高めるといわれる。しかし，よくよく考えるとこれはちょっと不思議に思える。シクロデキストリンに複合されて水溶性になったとしても，体内に吸収されるとき，シクロデキストリンとの複合体のままで膜を通過するとは思えない。そうすると，シクロデキストリンから分離した疎水性分子は当然ながら溶けていられないはずなので，シクロデキストリンから離れたときに運よく近くに脂溶性の膜があるということだろうか？　このような素朴な疑問に対する答えは，シクロデキストリンの役割は水溶性の向上だけではない，ということである。実は，シクロデキストリンの役割は，むしろ，脂溶性分子を１つひとつの分子にばらけさせるところにある。脂溶性の高い医薬品の分子は，水中では凝集しやすい性質があり，これが吸収を妨げる。シクロデキストリンは脂溶性分子を内部に包接することで凝集を防ぎ，１分子ずつにばらけた状態で膜に近づくことを可能にして腸管からの吸収を促進するのである。

　シクロデキストリンは薬局方にも収載されており，今後も医薬品の製剤化において汎用されると思われる。最近の創薬が抗体やペプチド，核酸などにシフトしつつあることを鑑みると，こういった分子量の大きい中分子を包接できる，内径のより大きいシクロデキストリンのようなものを安価で供給する新たな方法を見出すことが必要であろう。酵素であれ，化学合成であれ，よりよい供給法が開発され，製剤化されることを期待する。

医薬品を支える有機化学　第Ⅰ部

8．生体直交型反応とクリック反応（2022年ノーベル化学賞）

はじめに

2022年のノーベル化学賞は「クリックケミストリーと生体直交化学の開発」の研究業績で，バリー・シャープレス（B.Sharpless）教授（米国：スクリプス研究所），モーテン・メルダル（M. Meldal）教授（デンマーク：コペンハーゲン大学），キャロライン・ベルトッツィ（C. Bertozzi）教授（米国：スタンフォード大学）の３名に授与された。本稿では，生体直交型反応（生体直交化学）がどのようなものか，クリックケミストリー（クリック反応）とは何かを紹介する。

一般的に有機化学者が行っている有機合成反応は，水の含有量が極めて少ない高純度の有機溶媒に純度の高い有機化合物を十分な濃度で溶解し，可能であれば不活性気体の存在下で反応液を撹拌しながら行うものである。もし，反応がうまく進まないときは100℃以上に加熱することもある。このように，現代ではそれほど構造が複雑でない低分子化合物であれば，確立された実験手法を用いて合成することができる。一方で，生体成分を相手にした有機合成反応を求められると，ほとんどすべてが初体験で，おそらく多くの有機化学者は右往左往してしまうだろう。なにしろ，有機溶媒の代わりに中性付近の水を用い，比較的低い濃度の混合物として存在する化合物（多くは高分子である）を相手にしているのに，熱をかけることはできず，それでも選択性よく化学反応を行わなくてはいけないのだから。近年，低分子創薬の難易度が高くなり，なかなか新薬が上市されない状況下，生体成分を修飾した抗体医薬や核酸医薬へのシフトが目立っている。これらを医薬品にするためにこれまで培ってきた有機合成化学を活用しようという試みが世界的になされており，生体成分を相手にするケミカルバイオロジーの分野はいっそう発展しつつある。製薬企業においても，これまで低分子創薬にいそしんできた多くの有機合成化学者が慣れない生体成分相手の反応に取り組むことを求められ，新たな反応開発に取り組んでいる。その１つが生体直交型反応（bioorthogonal reaction）である。生体直交型という言葉はとてもわかりにくく，いったいどういうことを意味するのかイメージしづらいが，「生体反応を邪魔しない」という意味を「生体反応と交わらない＝直交」と表現しているようである。生体直交型反応（bioorthogonal reaction）という言葉を最初に提唱したBertozziらによれば，このような反応に求められる要件は，①生理的条件下で反応が速く進むこと，②生体の無数の機能に対して不活性であることである[46]。生体直交型反応（生体直交化学）とはどういうものなのか，どのようにして開発されてきたのか簡単に紹介する。

1．生体成分のもつ官能基を利用した生体直交型反応

生体直交型反応は抗体や核酸のような生体成分を可視化したり，機能制御するために用

いられる。例えば、抗体(タンパク質)のどこかのアミノ酸残基に蛍光を発する分子や抗がん剤やほかのタンパク質などを結合させたいとなったら、生体直交型反応の出番である。そのさきがけとしてタンパク質に普遍的に存在するアミノ酸の残基のうち、特にリシンとシステインを標的として修飾する手法が開発された。リシンは親水性を示す第一級アミノ基を側鎖にもち、タンパク質の表面近くに存在することが多い。アミノ基は水中でも比較的高い反応性を示すうえ、その反応は多様であり、生理的条件下でさまざまに修飾することができる。一方で、リシン残基はとても多く存在するため、タンパク質では修飾がまばらに起こったり、部位特異性を実現するのが難しいという短所も見受けられる。これに対して、システイン残基は、通常ジスルフィド結合を形成していることが多く、化学修飾され得るスルファニル基(-SH基)はタンパク質のなかではとても少ない。このような数少ないシステイン残基に対するジスルフィド結合形成や、アルキル化のほか、ジスルフィド結合を還元して生じるスルフィド基を修飾するという方法もある。特に、1994年にKentらによって開発されたnative chemical ligation (NCL)[47]は、タンパク質のN-末端のシステイン残基に対して選択的に天然型のアミド結合を形成するため、汎用性が高い。この反応は、反応性の高い官能基であるチオエステルをN-末端のシステイン残基の-SH基と反応させた後、S-N間で起こるアシル基転位反応によって安定なアミド結合に変換するものであり(**図8-1**)、保護基を用いることなく、生理的条件下で反応を行うことができる点が特徴である。以上のような、もともとタンパク質に存在しているアミノ酸の特定の官能基を標的として選択的に修飾する反応は一段階で完結するという長所があるが、一方で、タンパク質そのもののアミノ酸配列に依存して修飾部位が決まるという短所もある。

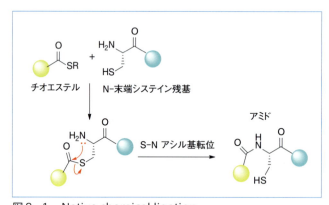

図8-1　Native chemical ligation
(図8-1〜4中に示されている青い丸、黄色い丸はタンパク質などの機能性分子を模式的に表したものである。)

2．あらかじめ標的を組み込んで行う生体直交型反応

　最近の生体直交型反応では、はじめに特定の官能基を組み込んだ代謝前駆体とともに細胞を培養し、細胞の代謝経路を利用して生体内成分に標的となる官能基を表出させる。続

いて，その官能基に相補的な官能基をもつ分子を加えて選択的結合形成反応を行う。このとき，標的として組み込まれる官能基も，それと相補的な官能基も互いに相補性が高く，かつ生体反応に差し障りがないことが重要である。また，生体内の成分は濃度が低いため，反応にあたってはできるだけ反応速度が高いほうが好ましい[48]。例えば，モノクローナル抗体が抗原と結合するときの速度定数 k は $10^9\ M^{-1}s^{-1}$ であるが，この反応は多くの化学反応と比べて8～15桁も高速である。これだけの速さを生体直交型反応は要求されることになる。

生体内のシステムにまったく存在しない，すなわち，生体直交性を十分に満足させ，生体成分に組み込んでもその機能を妨げない程度に小さい官能基としてアジド基がある。これを用いて行われる生体直交型反応としてStaudinger ligationおよび，アジド–アルキン環化反応がある。Staudinger ligation[49]は，アジド基を生体成分の表層にあらかじめ導入した後，このアジド基を標的としてトリアリールホスフィンと反応させ，生じたイリドを分子内環化–加水分解して安定なアミドを形成するものである（**図8-2**）。この反応は生体直交型反応として有用性が高いが，反応速度がやや低い（速度定数 $k = 10^{-3}\ M^{-1}s^{-1}$）ため，比較的高濃度のトリアリールホスフィンを必要とすることや，ホスフィンが空気酸化を受けやすいという短所もある。

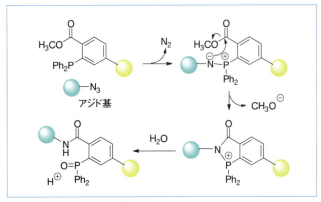

図8-2　Staudinger ligation

3．クリックケミストリー（クリック反応）

さまざまな分子を効率よくシンプルに結合させる「クリックケミストリー（click chemistry）」は，Sharplessによって提唱された。『クリック』とは，シートベルトのバックルがカチッと音を立ててつながるように，2つの分子がシンプルに反応（結合）する様子を表している。この結合反応の基礎になる反応は，**図8-3**に示したアジド（-N₃）とアルキン（-C≡C-）を結びつけるトリアゾール環の形成反応である。

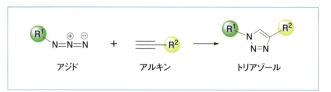

図8-3　Huisgen 環化反応(Cu^{2+}の存在下で反応が加速される)

　この反応自体は，1960年代に，ドイツのロルフ・ヒュースゲン教授(1920-2020)が発見した古くから知られている有名な化学反応(Huisgen環化あるいは1,3-双極子環化反応といわれる)(P.110のコラム8参照)である。Sharpless教授はこのHuisgen環化に注目し，ほかの分子や水，酸素が存在しても，選択的に化学結合(トリアゾール環)をつくれること，複雑な分子を簡単に合成する目的に有用であることを実証した。そして，トリアゾール環を何らかの機能性を示す2つのパーツ(R^1とR^2)をつなぎ合わせる連結器としてとらえるという「クリックケミストリー」を提唱する総説を2001年に発表した。この総説は2022年までに15,000回以上も引用されている。しかし，この「クリックケミストリー」として用いられたオリジナルのHuisgen環化は，反応の進行にかなりの加熱を必要とするなど，未成熟の反応であった。これに解決の糸口を与えたのがMeldelである。彼はHuisgen環化が銅触媒によって劇的に加速される事実を見出した。一方，ほぼ同時期に，Sharpless教授も銅触媒による加速効果を見出した。このようにして，余分な生成物をほとんど生成せずに求める化合物を簡便につくることができる「クリックケミストリー」は，別名「クリック反応」ともよばれ世界中で使用されるようになり，得られる分子の種類は大幅に増え，医薬品や材料の開発など，幅広い分野で活用されるようになった。また，熟練の化学者でなくても，単純な方法で複雑な分子を合成することができるようになったことも大きな成果の1つと評価されている。

　アジド-アルキンの組み合わせによるクリック反応は，生体反応を邪魔しない化学(生体直交化学)としての可能性をもつ。しかし，銅触媒を用いた反応では，銅イオンに生体毒性があるため，生体成分への適用が困難であった。これを回避し，生体内で化学反応を行うことを可能にしたのがBertozziである。彼女は，文献調査の結果，ひずみをもつアルキン分子とアジドとの反応が速く進行することが1960年代にドイツのゲオルク・ヴィッティヒ(G.Wittig)(1897-1987)らにより報告されていることを見出した。これを活用し，2007年に三重結合をもつ8員環のシクロオクチンを用いて銅触媒を必要としないアジドとアルキンの環化反応を開発した(図8-4)。アルキンはそもそも直線状の構造をしているが，これを中員環に組み入れ意図的にひずませてやると，不自然な形状をしたアルキンは，アジドとの反応性が極めて高くなり銅触媒なしでも室温で速やかに結合をつくれるようになったのである。さらに，アルキン(三重結合)の隣に電子求引基であるフッ素(F)基を入れると反応速度は加速された(図8-4)。このアジド-アルキン環化型の生体直交化学反応を用いて，生きた細胞や生物の生体分子の特定部分(糖鎖など)に，人工色素や発蛍光官能基を入れることができる。例えば，がん細胞内での糖鎖分子の移動の様子などを観察すること

が可能になり，ケミカルバイオロジー分野で広く活用されるようになった。このような研究をもとにした新しいタイプのがん治療薬の開発なども進められている。

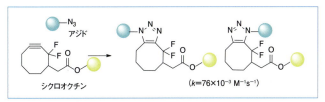

図8-4　ひずんだアルキンを用いたアジド-アルキン環化
kは反応速度定数

4．さらに高速な生体直交型反応

さらに高い速度を求めて，逆電子要請型Diels-Alder反応（コラム8参照）が開発されている。2008年にFoxら[54]がひずんだ*trans*-シクロオクテン（TCO）とテトラジンによる環化付加反応を報告した（**図8-5**）。

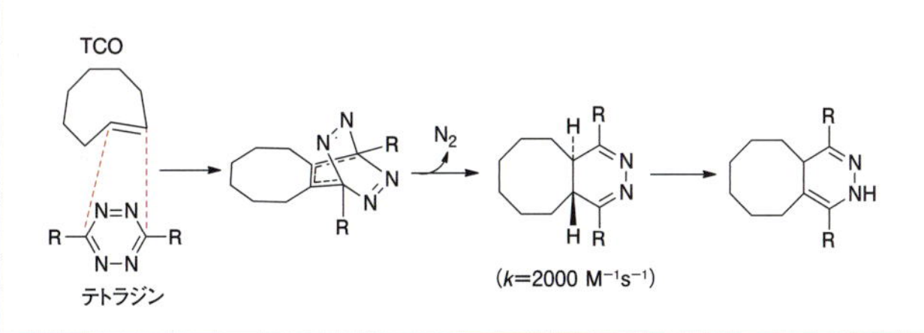

図8-5　逆電子要請型Diels-Alder反応
kは反応速度定数

この反応は副生成物が窒素のみであるうえ，水中でも問題なく進行するだけでなく，速度定数が$k=2000\ \mathrm{M^{-1}s^{-1}}$という高速で反応が進行することが特徴である。最近では，さらに改良されて速度定数が$k=94600\ \mathrm{M^{-1}s^{-1}}$の反応も達成されており，これらの分子を組み込んだ生体成分を用いた生体直交型反応は今後も増えていくと思われる。

以上のような最新のケミカルバイオロジーは，今後も生体成分を扱う化学として発展していくと思われるが，ここに紹介した多くの反応が，実はクラシカルな有機化学反応の応用にすぎないという点を最後に強調しておきたい。例えば，native chemical ligationは1953年に見出された転位反応[55]がもとになっている。クリック反応も19世紀末の反応を1950～1960年代にHuisgenが環化反応として精査し[56]，これに目を付けたSharpless, Meldal, Bertozziらが21世紀に新たな展開をなし，ノーベル賞に至ったものである。われわれ有機化学者は，たとえ細胞のなかであろうと，培地中であろうと臆することなく，古い論文のなかに眠っている反応を復活させ，新たな衣を着せることで今後も生体成分と対峙していけるのではないかと思う。

コラム 8 「1,3-双極子付加環化反応」と「逆電子要請型 Diels-Alder反応」

これらの反応は一段階で協奏的に 2 つの結合が生成して環状構造を形成する反応である。「1,3-双極子付加環化反応」は 3 つの原子からなる 1,3-双極子（分子全体としては電気的に中性であるが，分子内の原子に正，負の電荷がある）とアルケン（二重結合）やアルキン（三重結合）（親双極子という）との［3＋2］環化によって 5 員環が形成されるものである（**図 8-C1**）。アジドは 3 つの窒素からなる 1,3-双極子である。アジド以外にも，図に示すようなニトリルオキシド，ニトロン，オゾンなども 1,3-双極子であり，さまざまな 5 員環化合物が得られる。

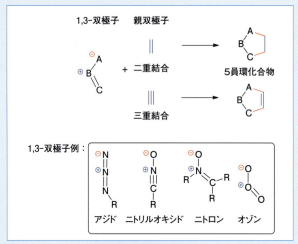

図 8-C1　1,3-双極子付加環化反応

「Diels-Alder反応」は，共役ジエン（炭素 4 つ）とジエノフィル（炭素 2 つ）が［4＋2］環化によって 6 員環を形成する反応である。電子供与性基をもつジエンと電子求引性基をもつジエノフィルを用いると反応が進行しやすく，このタイプの環化付加反応を通常型Diels-Alder反応（**図 8-C2a**）と呼んでいる。一方で，電子求引性基をもつジエンと電子供与性基をもつジエノフィルを用いても反応が進行しやすく，これを逆電子要請型Diels-Alder反応（**図 8-C2b**）と呼ぶ。

図 8-C2　Diels-Alder反応
　　　　a）通常型，b）逆電子要請型

医薬品を支える有機化学　第Ⅰ部

■参考文献

1) ノーベル経済学賞は後年になり創設され，1969年が第1回の授与。

2) ミニレビュー：D. G. Brown, J. Boström（AstraZeneca社），Analysis of Past and Present Synthetic Methodologies on Medicinal Chemistry: Where Have All the New Reactions Gone?, *J. Med. Chem.*, **2016**, *59*, 4443.

3) キラリティーを学ぼう，本書第Ⅰ部第1章-7., P.35参照.

4) 酵素反応の仕組み(1)，本書第Ⅱ部第1章-4., P.133参照.

5) 反応機構については，反応速度論的な研究結果などから，ベタイン中間体の存在について否定的な考えが出ている。現在では，ウィッティヒ試薬の炭素からのカルボニル基の炭素への攻撃とカルボニル基の酸素からのリンへの攻撃が一段階で（協奏的に）起こり，4員環のオキサホスフェタン中間体を形成する機構が主流となっているようである。ここでは，反応の進行が理解しやすい二段階での反応として説明した。

6) N. Miyaura, A. Suzuki, *J. Chem. Soc., Chem. Commun.*, **1979**, 866.

7) N. Miyaura, T. Yanagi, A. Suzuki, *Synth. Commun.*, **1981**, *11*, 513.

8) 共同研究者の宮浦憲夫博士（ref.1の研究発表時，北海道大学助手）と連名で鈴木-宮浦クロスカップリング反応と呼ばれることが多い。

9) 北海道大学の下記サイトにSMC反応の動画があるので，参考にされたい。http://costep.open-ed.hokudai.ac.jp/costep/contents/article/368/

10) アミドの窒素はなぜ塩基性を示さないのか？，本書第Ⅰ部第1章-2., P.9参照.

11) タンパク質・ペプチド・アミノ酸の化学，本書第Ⅰ部第1章-8., P.40参照.

12) SMC反応のほか，2014年の20位以内に入るパラジウムを用いる実用的なカップリング反応として，薗頭(Sonogashira)カップリング（第17位，12%）[ハロゲン化アルキル（アリール）と末端アルキン（三重結合）のカップリング反応(1975年発表)]，バックワルド・ハートウィグ(Buchwald-Hartwig)クロスカップリング（第20位，10%）[アリール-アミン，アリールエーテルの合成(1994年発表)]がある。

13) Robert D. Larsenら（Merck社），*J. Org. Chem.*, **1994**, *59*, 6391.

14) 伊澤康司，やさしい有機光化学，名古屋大学出版会，**2004**

15) 前田秀一，最初に読む光化学の本，日刊工業新聞社，**2017**

16) J. Saltiel, J. D' Agostino, E. D. Magarity, L. Metts, K. R. Neuberger, M. Wrighton, O. C. Zafirou, *Cis-trans* photoisomerization of olefins, *Org. Photochem.* **1973**, *3*, 1.

17) 新井達郎，徳丸克己，二重結合の光異性化の新展開，有機合成化学協会誌，**1986**, *44*, 999.

18) V. Malatesta, C. Willis, P. A. Hackett, Laser photochemical production of vitamin D, *J. Am. Chem. Soc.*, **1981**, *103*, 6781.

19) ラジカル反応は連鎖反応になるので種々の化合物が生じる可能性があるが，シクロヘキシルラジカルがニトロソラジカルと反応することで連鎖反応が停止すると考えられる。

20) オキシムからベックマン転位反応を経て，ナイロンの原料となる ε-カプロラクタムが合成される。

21) 本反応は光化学反応の工業化の成功例の1つであるが，残念ながら現在では行われていない。コスト面で不利と判断されたようである。

22) 長村利彦，川井秀記，光化学　基礎から応用まで，講談社，**2014**

23) カルボニル基の化学(1)，本書第Ⅰ部第1章-5., P.23参照.

24) A. G. Walker, G. K. Radda, Photoreactions of retinol and derivatives sensitized by flavins, *Nature*, 1967, *215*, **1483**.

25) J. B. Metternich, R. Gilmour, A bio-inspired, catalytic E → Z isomerization of activated olefins, *J. Am. Chem. Soc.*, **2015**, *137*, 11254.

26) 伊澤康司，やさしい有機光化学，名古屋大学出版会，**2004**

27) 医薬品インタビューフォーム，カピステン筋注，キッセイ薬品工業.

28) K. A. K. Musa, J. M. Matxain, L. A. Eriksson, Mechanism of photoinduced decomposition of ketoprofen, *J. Med. Chem.*, **2017**, *50*, 1735.

29) 「触媒」とは，原料と比較してより少ない量（触媒量）という狭義の意味よりも広くとらえ，反応を活

性化し，速度を高めるという意味での触媒を指す。生体内での触媒反応に関与するのが酵素である。酵素については，第Ⅱ部第1章-4., P.133参照.

30) B. List, R. A. Lerner, ; C. F. Barbas, Proline-catalyzed direct asymmetric Aldol reactions, *J. Am. Chem. Soc.*, **2000**, *122*, 2395.

31) U. Eder, G. Sauer, R. Wiechert, Total synthesis of optically active steroids. 6. New type of asymmetric cyclization to optically active steroid CD partial structures, *Angew. Chem. Int. Ed.*, **1971**, *10*, 496.

32) H. Fukushima, S. Ohashi, S. Inoue, Asymmetric synthesis catalyzed by poly (5-benzyl L-glutamate), *Makromolekulare Chemie*, **1975**, *176*, 2751.

33) J. Oku, S. Inoue, Asymmetric cyanohydrin synthesis catalyzed by a synthetic cyclic dipeptide, *J. Chem. Soc. Chem. Commun.*, **1981**, *5*, 229.

34) K. Tanaka, A. Mori, S. Inoue, The cyclic dipeptide cyclo [(*S*)-phenylalanyl-(*S*)-histidyl] as a catalyst for asymmetric addition of hydrogen cyanide to aldehydes, *J. Org. Chem.*, **1990**, *55*, 181.

35) 不斉な金属錯体を触媒として用いる反応はたいへん多い。代表例として向山光昭先生の向山アルドール反応と柴﨑正勝先生の直接的アルドール反応をあげる。a) Mukaiyama, Teruaki; Kobayashi, Shu; T. Mukaiyama, S. Kobayashi, H. Uchiro, I. Shina, Catalytic asymmetric aldol reaction of silyl enol ethers with aldehydes by the use of chiral diamine coordinated tin (Ⅱ) triflate, *Chem. Lett.*, **1990**, *19*, 129. b) H. Sasai, T. Suzuki, S. Arai, T. Arai, M. Shibasaki, Basic character of rare earth metal alkoxides. Utilization in catalytic carbon-carbon bond-forming reactions and catalytic asymmetric nitroaldol reactions, *J. Am. Chem. Soc.*, **1992**, *114*, 4418.

36) D. Enders, M. R. Huettl, C. Grondal, G. Raabe, Control of four stereocenters in a triple cascade organocatalytic reaction, *Nature*, **2006**, *441*, 861.

37) 磯貝　明，セルロースの科学，朝倉書店，**2003**

38) 1857年にE. Schweizerが報告した (*J. Pract. Chem.*, **1857**, *72*, 109.) ようであるが，今回，論文を入手することができなかった。

39) R. E. Reeves, The optical rotation of cellulose and glucosides in cuprammonium hydroxides solution, *Science*, **1944**, *99*, 148.

40) I. Miyamoto, Y. Matsuoka, T. Matsui, K. Okajima, Studies on structure of cuprammonium cellulose Ⅱ. Structural change of cellulose-cuprammonium complex as a function of hydroxyl ion concentration, *Polym. J.*, **1995**, *27*, 1123.

41) K. Uekama, F. Hirayama, S. Yamasaki, M. Otagiri, K. Ikeda, Circular dichroism study on inclusion complexes of some prostaglandins with C- and --cyclodextrins. *Chem. Lett.*, **1977**, *6*, 1389.

42) プロスタグランジンE₁は水に溶けにくく，化学的に不安定な化合物であり，そのままでは医薬品として用いることができない。しかし，シクロデキストリンとの複合体化によって安定化されることで持続性も向上し，医薬品製剤として用いることが可能になった。

43) A. Bom, M. Bradley, K. Cameron, J. K. Clark, J. V. Egmond, H. Feilden, E. J. MacLean, A. W. Muir, R. Palin, D. C. Rees, M-Q. Zhang, A novel concept of reversing neuromuscular block: chemical encapsulation of rocuronium bromide by a cyclodextrin-based synthetic host. *Angew. Chem. Int. Ed.*, **2002**, *41*, 265.

44) a) R. L. VanEtten, J. F. Sebastian. G. A. Clowes, M. L. Bender, Acceleration of phenyl ester cleavage by cycloamyloses. A model for enzymic specificity, *J. Am. Chem. Soc.*, **1967**, *89*, 3242.

　　b) R. L. VanEtten, G. A. Clowes, J. F. Sebastian, M. L. Bender, The mechanism of the cycloamylose-accelerated cleavage of phenyl esters, *J. Am. Chem. Soc.*, **1967**, *89*, 3253.

45) a) R. Breslow, J. B. Doherty. G. A. Clowes, G. Guillot, C. Lipsey, *β*-cyclodextrinylbisimidazole, a model for ribonuclease, *J. Am. Chem. Soc.*, **1978**, *100*, 3227.

　　b) R. Breslow, P. Bovy, C. L. Hersh, Reversing the selectivity of cyclodextrin bisimidazole ribonuclease mimics by changing the catalyst geometry. *J. Am. Chem. Soc.*, **1980**, *102*, 2115.

46) E. M. Sletten, C. R. Bertozzi, Bioorthogonal chemistry : Fishing for selectivity in a sea of functionality, *Angew. Chem. Int. Ed.*, **2009**, *48*, 6974.

47) P. E. Dawson, T. W. Muir, I. Clark-Lewis, S. B. Kent, Synthesis of proteins by native chemical ligation, *Science*, **1994**, *266*, 776.

48）基質Aと基質Bが反応するとき，この反応の反応速度は，
【k：速度定数】×【基質Aの濃度】×【基質Bの濃度】となる。生体内に存在する基質の濃度は極めて低いので，反応速度を稼ぐためには速度定数が大きいことが必須の条件になる。

49）E. Saxon, C. R. Bertozzi, Cell surface engineering by a modified Staudinger reaction, *Science*, **2000**, *287*, 2007.

50）V. V. Rostovtsev, L. G. Green, V. V. Fokin, K. B. Sharpless, A stepwise Huisgen cycloaddition process : Copper(I)-catalyzed regioselective 'Ligation' of azides and terminal alkynes, *Angew. Chem. Int. Ed.*, **2002**, *114*, 2708.

51）C. W. Tornoe, C. Christensen, M. Meldal, Peptidotriazoles on solid phase : [1,2,3]- Triazoles by regiospecific copper(I)-catalyzed 1,3-dipolar cycloadditions of terminal alkynes to azides, *J. Org. Chem.*, **2002**, *67*, 3057.

52） J. M. Baskin, J. A. Prescher, S. T. Laughlin, N. J. Agard, P. V. Chang, I. A. Miller, A. Lo, J. A. Codelli, C. R., Bertozzi, Copper-free click chemistry for dynamic in vivo imaging, *Science*, **2007**, *104*, 16793.

53）G. Wittig, A. Krebs, On the existence of low-membered cycloalkynes I, *Chem. Ber.*, **1961**, *94*, 3260.

54）M. L. Blackman, M. Royzen, J. M. Fox, Tetrazine ligation : Fast bioconjugation based on inverse-electron-demand Diels-Alder reactivity, *J. Am. Chem. Soc.*, **2008**, *130*, 13518.

55）T. Wieland, E. Bokelmann, L. Bauer, H. O. Lang, H. Lau, W. Shafer, Polypeptide synthesis. VIII. Formation of sulfur containing peptides by the intramolecular migration of aminoacyl groups, *Justus Liebigs Ann. Chem.*, **1953**, *583*, 129.

56）R. Huisgen, Kinetics and mechanism of 1,3-dipolar cycloadditions, *Angew. Chem.*, **1963**, *75*, 742.

第Ⅱ部

創薬を目指す医薬品化学

第1章　知っておきたい！医薬品化学の基礎

第2章　医薬品はサイエンスの結晶

創薬を目指す医薬品化学　第Ⅱ部

第1章　知っておきたい！医薬品化学の基礎

1．医薬品と生体内標的分子の間に働く力

はじめに

　疾患状態では，多くの場合，酵素，受容体などの生体内標的分子における機能が異常になっている。医薬品はこれらの生体内標的分子に働き，異常となった機能を調節，修復するものと考えられる。医薬品が生物活性を発現するには，生体内の標的分子が化学構造を認識し，医薬品と相互作用（複合体を形成）することが必要である。この複合体は，ちょうど鍵が鍵穴にマッチしたような関係を考えると理解しやすいが，その形成には以下のような相互作用（あるいは結合）が働いている。すなわち，1）共有結合，2）水素結合，3）イオン結合（イオン−双極子作用，双極子−双極子作用を含む），4）ファンデルワールス相互作用，5）疎水性相互作用である。これらのうち，2）〜5）は，原子間で電子を共有し合って形成される1）の共有結合とは異なり，"非"共有結合として分類され，それぞれは比較的弱い相互作用である。これらは通常の有機化合物でもみられるものであり，例えば，タンパク質の立体構造もこれらの相互作用が総和されてバランスよく働き，規定されている。タンパク質からなる酵素や受容体が，生体内分子として固有の機能を果たすためには，特定の立体構造をとることが必須であり，これらのバランスが崩れると立体構造が変化し，生理活性も失われる。生体内の標的分子あるいは糖や脂質などの生体構成成分の多くは高分子の有機化合物であり，一般的な医薬品の多くは低分子の有機化合物であるが，分子量の大小を問わず，分子レベルでは有機化合物同士の1）〜5）の相互作用が働いている。

　すでに，これらの相互作用の1つである「水素結合」[1]について述べたが，ここで改めて医薬品の作用発現に際して働く生体内標的分子との相互作用を考える[2]。

1．共有結合

　共有結合は，原子間で電子を共有することによって結合を形成するもので，相互作用のうちでは最も強固なものである。以下に，医薬品と生体内標的分子が共有結合を形成し，生物活性を発現している例を示す。

(1) プロトンポンプインヒビター（PPI）

　消化性潰瘍治療薬オメプラゾールに代表されるPPIは，胃酸の分泌をつかさどる酵素

117

（H⁺, K⁺-ATPase，プロトンポンプといわれる）に作用し，酵素タンパク質中のシステイン残基と医薬品との間でS-S（ジスルフィド）共有結合を形成して，酵素活性を阻害し，胃酸の分泌を抑える（図1-1）[3]。

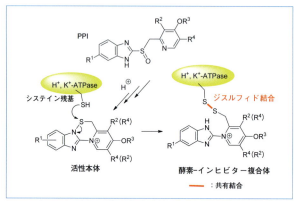

図1-1　PPIの作用機序（ジスルフィド結合の形成）

(2) β-ラクタム系抗菌薬

ペニシリン，セファロスポリンなどβ-ラクタム系抗菌薬は，反応性の高いβ-ラクタム環が，細菌の細胞壁合成に関与する酵素タンパク質のセリン残基のOH基と反応して共有結合を形成する。その結果，酵素活性が阻害され，細菌の増殖が抑えられる（図1-2）[4]。

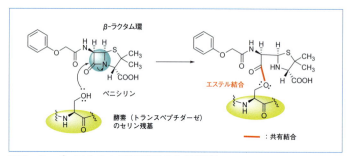

図1-2　β-ラクタム系抗菌薬の作用機序
　細菌の細胞壁を生合成する酵素がペニシリンのβ-ラクタム環と反応してエステル結合を形成し，酵素活性を失う。

(3) アスピリン

アスピリンの鎮痛・抗炎症作用は，発痛物質であるプロスタグランジン類の生合成に関与する酵素［シクロオキシゲナーゼ（COX）］のセリン残基のOH基がアセチル化され，失活することにより発現される（図1-3）。

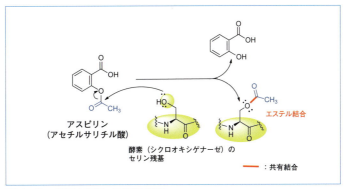

図1-3　アスピリンの作用機序
　　　　酵素のセリン残基がアセチル化(エステル結合形成)され，活性を失う。

(4) DNA架橋抗がん薬

　抗がん薬のうちアルキル化剤として分類される薬剤(例：ナイトロジェンマスタード，マイトマイシンC)も共有結合を形成する例である。これらの薬剤は，反応性の高い窒素を含む3員環構造(アジリジン構造)がDNA塩基のグアニンと反応して核酸をアルキル化することにより，DNA損傷を起こし，がん細胞の増殖を阻止する(図1-4)。

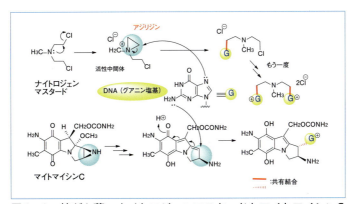

図1-4　抗がん薬：ナイトロジェンマスタードとマイトマイシンC
　　　　3員環のアジリジン(エチレンイミン)がDNAのアルキル化(共有結合形成)に関与し，抗がん作用を発現する。

(5) 5-FU系抗がん薬

　5-FU(5-フルオロウラシル)はDNA合成に必要なチミジンの生合成を阻害することによって，がん細胞の増殖を抑える。すなわち，ウラシルの5位フッ素化体である5-FUは，体内でリン酸化され，活性本体である5-フルオロデオキシウリジン-5'-一リン酸となる。この化合物は，チミジンの生合成過程で働くチミジル酸合成酵素(thymidylate synthase：TS)に対して作用し，本来の基質であるデオキシウリジン-5'-一リン酸の代わりにTSと共有結合を形成する。このTSとの結合体はその後のステップでジヒドロ葉酸を切り離すことができず，チミジン合成(ウラシルの5位のメチル化)に至る過程を滞らせる(図1-5)。

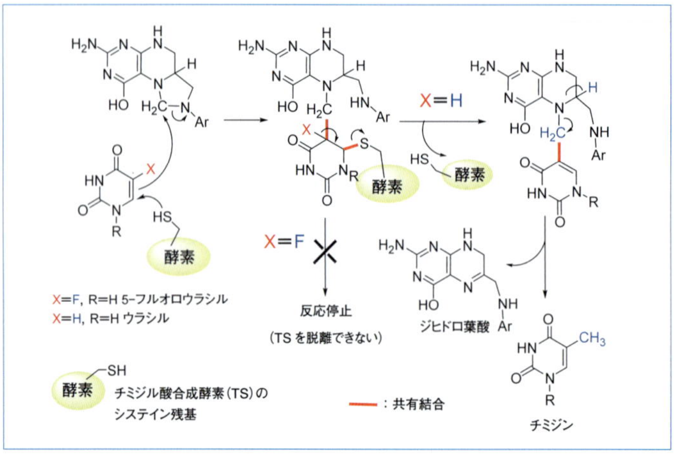

図1-5　5-FUの作用機序
X＝Fでは反応が途中で停止する。

共有結合は強固であり，いったん形成されると不可逆的で，生体成分の働きを止めてしまう。ただし，共有結合を形成して作用する医薬品は多くはなく，これらの例も特別なものといえる。一方，以下に記す第2～5節は，個々には弱い結合であるが，複数存在すると相互作用は強いものとなる。多くの医薬品では，これらが複数組み合わさって医薬品-生体分子の複合体の形成に関与し，作用の発現に寄与している。図1-6にその相互作用の様子を模式的に示す。

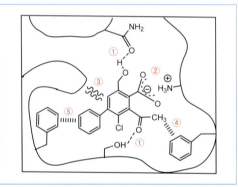

図1-6　有機化合物(リガンド)と生体成分との非共有結合のイメージ図
①水素結合，②イオン結合，
③ファンデルワールス相互作用
④CH-π相互作用，⑤π-π相互作用

2．水素結合

水素結合は，分子間あるいは分子内で水素(H)を介して形成される弱い結合(結合エネルギーは5～30kJ/mol)である。本書第Ⅰ部第1章[1])で詳しく記したように，電気陰性度が大きな原子(X：例えば，フッ素，酸素，窒素など)に共有結合した水素原子は$\delta+$(部分的に陽電荷をもつ)に分極し，電子を受け取る性質をもつ。そのため，近傍に位置するもう1つの電気陰性度が大きな原子(Y)との間で，非共有結合性の引力的相互作用(X-H・・・Y)を生じる。また，図1-6④に示したCH-π相互作用も$\delta+$性を帯びた水素原子とベンゼン環の電子雲との相互作用であり，広義の水素結合と考えられる。水素結合は，ほとんどすべての医薬品と生体内標的分子の相互作用において存在する，基本的かつ極めて重要な結合である。生物学的にも，DNAの二重らせん構造の根底となる塩基対

はアデニン-チミン,グアニン-シトシン間の水素結合であり,DNAの複製,転写,翻訳というセントラルドグマ(分子生物学の基本的考え方)のなかで重要な役割を担っている。

3. イオン結合

正と負の電荷を有する化合物間のクーロン引力による結合である。例えば,水酸基はそのO-H結合間が$\delta -$,$\delta +$に分極しており,カルボニル基はそのC=O結合間が$\delta +$,$\delta -$に分極している(すなわち,双極子を形成している)ので,完全なイオン化はしていないものの,これらもイオン性の相互作用を生じ得る。タンパク質を構成するアミノ酸には酸性あるいは塩基性の側鎖をもつものがある。このようなアミノ酸は生体のpHではイオン化していることから,イオン結合は重要な相互作用であり,イオン結合による薬理作用の発現例は非常に多い。

例えば,高血圧治療薬のカプトプリルは標的タンパク質であるアンギオテンシン変換酵素(angiotensin converting enzyme:ACE)との3カ所の相互作用(2個のイオン結合,1個の水素結合)を想定し(**図1-7**),創製された[5]。このうちの1つは,酵素側に存在するZn^{2+}の正のイオンと,カプトプリルのR-S$^-$の負イオンとの結合である。このように金属イオンもイオン結合に関与する。

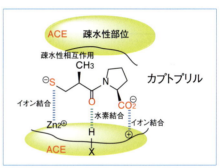

図1-7 カプトプリルとACEの相互作用のイメージ図

4. ファンデルワールス相互作用

無極性の分子であっても,分子中の電子は動いていることから,一時的(10^{-6} sec程度)に共有結合電子に偏りが生じ,非対称な電荷分布をもつ双極子となることがある。これに別の分子が接近すると逆の双極子を誘起し(誘起双極子という),2つの分子間に弱い引力が生じる。このような誘起双極子が介在する相互作用をファンデルワールス力と呼ぶ(**図1-8**)。医薬品と生体内標的分子(酵素や受容体)(=タンパク質)が接近すると,一方に存在する双極子が他方の分子に逆向きの双極子を誘起する。その結果,分子間にファンデルワールス力が生じて相互作用する[6]。双極子同士が近づくことにより生じる相互作用のため,分子間の距離が大きくなるとその引力は弱まる。1つのファンデルワールス力あたりの結合エネルギーは2〜4 kJ/molと小さいが,その強さは分子の表面積に比例することから,タンパク質などの巨大分子を含む相互作用においては,ファンデルワールス力は非常に重要である。**図1-6**⑤に示した$\pi-\pi$相互作用は,芳香環同士が向き合う弱い相互作用であるが,これもファンデルワールス力に起因すると考えられている。

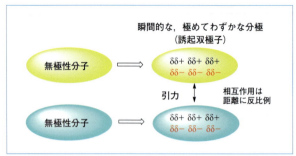

図1-8　ファンデルワールス相互作用のイメージ図

5．疎水性相互作用

　水は，分子が互いに水素結合して，3次元的な網目のような構造をしている。疎水性化合物が水のなかに入った場合，水はそれを排除しようとする性質がある。その結果，疎水性化合物(または官能基)が(あたかも引き合うように)集まる。この疎水性構造同士が水中に存在するときに生じる弱い相互作用が，疎水性相互作用である。生体成分は水中に存在しており，医薬品が相互作用する部分も通常は水で占有されているが，薬物はその水を追い出しながら，結果的に疎水性相互作用を生じて，生体分子-医薬品複合体が安定化する(そのイメージ図を図1-9に示す)。さらに，凝集した疎水性分子間にはファンデルワールス力が働き，より安定化される。

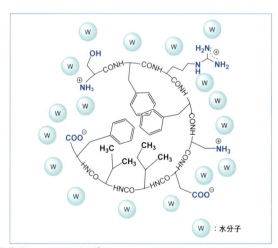

図1-9　疎水性相互作用のイメージ図[7]
　　　　水中でペプチド(タンパク質)は疎水性基が水と接触しないように内部に集まり，親水性の残基は分子の外側に配置されて，水分子と相互作用し合う。

　以上，医薬品(リガンド)と生体内標的(タンパク質)分子との間の相互作用を紹介した。最近では，X線結晶構造解析や核磁気共鳴(NMR)構造解析によるリガンド-タンパク質(標的分子)複合体の立体構造解析によって，結晶および溶液中での相互作用(結合)の様子を

創薬を目指す医薬品化学　第Ⅱ部

直接的に観測することができる。さらに，タンパク質のアミノ酸を一部変えた標的分子とリガンドとの結合活性から相互作用の情報も得られる。このような相互作用（結合）の情報をもとにして，新薬創製のためのドラッグデザインが行われている。

2．ドラッグデザインの基礎知識
　　　—ファーマコフォア，バイオアイソスター—

はじめに

　前項で，医薬品と生体内標的分子（酵素や受容体）の間に働く力（相互作用）について述べた。この相互作用により医薬品の官能基と標的分子側の官能基は立体的位置関係も含めて相補的関係になり，標的分子の機能が制御される。医薬品創製において，メディシナルケミスト（創薬化学者）はこのような相互作用をイメージしながら，それをファーマコフォア（pharmacophore）やバイオアイソスター（bioisostere：生物学的等価体）のような概念・知識に置き換えて新規化合物のデザインや合成を行っている。ここでは，ドラッグデザインにおいて重要なこれらの基礎的な考え方について実例を交えて紹介する。

1．ファーマコフォア

　やや抽象的な概念ではあるが，医薬品の構造のなかで，標的とする生体分子と相互作用するために必要な構造要素（官能基群とその相対的な立体配置を含む）をファーマコフォアという。より具体的に述べるなら，構造中の芳香族性，疎水性，水素結合の受容体／供与体，カチオン，アニオンなどの性質をもつ官能基群とそれらの相対的な立体配置（距離や角度）を総合した情報がファーマコフォアである。例えば，同じ標的分子と相互作用する化合物は，電子的および立体的に類似した部分構造，すなわち，共通のファーマコフォアをもつと考えられる。ファーマコフォアが特定されれば，それをもとに新規化合物を検索あるいはデザインすることが可能になる。また，現在では，計算化学を用いてファーマコフォアモデルを作成する手法も種々開発されている。

　化合物と酵素の相互作用を想定し，ファーマコフォア概念をドラッグデザインに取り入れて医薬品創製に成功した初期の代表例が前項でもとりあげたACE（angiotensin converting enzyme）阻害薬（高血圧症治療薬）カプトプリルである。カプトプリルはファーマコフォアとして図2-1に示す3カ所の部位（赤字の2個のアニオン部位と1個の水素結合受容部位）が考えられて創製された。次いで，カプトプリルをもとにして，次節で述べるバイオアイソスター変換が行われ，エナラプリルをはじめとする多くのACE阻害薬が開発された[8]（図2-1）。

123

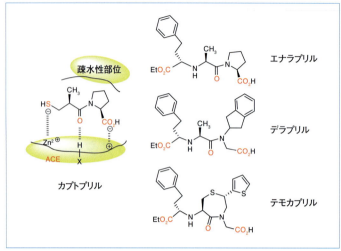

図2-1　代表的なACE阻害薬
カプトプリルでは、酵素側に存在するZn²⁺とイオン結合を形成させるために、構造中にSH基が組み込まれた。しかし、SH基は副作用発現の原因となるため、その後に開発されたACE阻害薬では、イオン結合部位はSH基に代わってCO₂H基が用いられている。なお、これらのCO₂H基はエチルエステルとしてプロドラッグ化されている。

2．バイオアイソスター

　ドラッグデザインでは、生物活性、選択性、薬物動態などの改善、毒性の低減などを目的として、既存の医薬品やリードとなる生物活性化合物のファーマコフォア構造の一部をほかの原子や原子団に置き換える方法が日常的に行われている。このような置き換えでは、標的とする生体分子と化合物の相互作用を維持(または増強)することが重要である。このように、置き換えが可能な、分子の大きさ、形、電子的性質などが類似する官能基の一群をバイオアイソスター(生物学的等価体)という。バイオアイソスターによる構造変換では、化合物のもつ物理化学的な性質に変化を与えることが多いので、生物活性を維持したまま(または増強し)、化合物の物性(溶解性、安定性など)や薬物動態(代謝安定性、吸収性など)が改善された新たな生物活性化合物の創製につながる可能性が高い。また、この変換は、合成面でより簡便な化合物を得ることを期待して行われる場合もある。化学的性質が類似し、バイオアイソスターとして扱われる原子団を**表2-1**に示した。

　表2-1に示さなかったものとして、水素原子のF原子への変換[9]やペプチドのペプチドミメティクス化もバイオアイソスター変換である。ペプチドミメティクス化は、ペプチドが体内に存在するプロテアーゼなどで分解されやすいため、ペプチド結合(アミド結合)をバイオアイソスターである置換アルケンやヒドロキシエチルアミン構造などに置き換える[10]ことにより、薬物動態や生物活性を改善することを目指すものである。

表2-1 代表的なバイオアイソスター

官能基	バイオアイソスター
芳香環	(ベンゼン/ピリジン/ピリミジン/チオフェン)
カルボキシ基	(ヒドロキサム酸/スルホン酸/スルホンアミド/ホスホン酸/テトラゾール/オキサジアゾロン/チアゾリジンジオン/ヒドロキシピロン)
カルボニル基	(スルホキシド/スルホン/アミド)
アミド基	(逆アミド/チオアミド/ヒドロキシエチル/アルケン/アリール)
尿素基	(チオ尿素/グアニジン/シアノグアニジン)

3. ファーマコフォア/バイオアイソスターの活用事例

　以下に，ファーマコフォア概念とバイオアイソスター変換を用いた代表的な医薬品開発の成功事例を簡単に紹介する．

(1) ヒスタミンH₂受容体拮抗薬（抗潰瘍薬）

　シメチジンは，胃酸分泌刺激作用をもつ生理活性アミンであるヒスタミンのイミダゾール環をもとにした構造変換によってfirst in classの抗潰瘍薬として開発された．次いで，シメチジンについてファーマコフォアとして，［芳香環(赤色部)-(連結鎖)-水素結合部位(青色部)］（図2-2）を考え，そのイミダゾール環およびグアニジノ基をバイオアイソスター

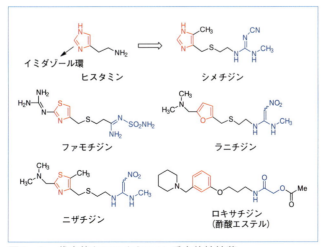

図2-2　代表的なヒスタミンH₂受容体拮抗薬

の関係にある構造に置き換える研究が展開された。その結果，シメチジンに比べて，生物活性が強く，副作用が少なく，かつ，薬物動態も改善されたファモチジンをはじめとする改良医薬品が相次いで創製された（**図2-2**）[11]。ただし，これらの芳香環部分は，形式上はシメチジンのイミダゾール環のバイオアイソスターと思われるが，構造活性相関研究から，実際にはシメチジンとは異なった様式で受容体と相互作用していると考えられている[12]。

(2) 1,4-ベンゾジアゼピン系中枢神経系抑制薬（睡眠薬・抗不安薬）

初期に開発されたジアゼパムをもとにして，非常に多くの改良型医薬品が創製された。そのうち，アミド（ラクタム）部分を芳香環に換えた化合物では特に優れた薬理作用を示すことが明らかになり，トリアゾール環やイミダゾール環をもつエスタゾラム，トリアゾラム，ミダゾラムなどが誕生した。この変換は，アミド部分の平面性[13]に関連するバイオアイソスター変換であるが，これにより活性発現に重要な7員環の立体構造に影響を及ぼし，より受容体にフィットする構造にしていると考えられる。トリアゾラムのベンゼン環をバイオアイソスターであるチオフェン環に置き換えたエチゾラムも優れた性質をもつ（**図2-3**）。

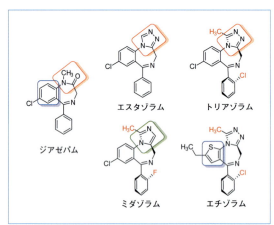

図2-3　代表的な1,4-ベンゾジアゼピン系の中枢神経系抑制薬

(3) HMG-CoA還元酵素阻害薬（スタチン系コレステロール低下薬）

最初に，発酵法によって得られたプラバスタチン系化合物が開発されたが，次いで純粋な化学合成による探索研究が行われた。その結果，**図2-4**に示すように，活性発現には鎖状のジヒドロキシヘプタン酸部位［A］（赤色部分）が必須であり，下部［X］（青色部分）のヘキサヒドロナフタレン環はほかの脂溶性の高い芳香族性基で代替できること，また，化学合成品で強い活性を発現するには［A］を挟むようにしてイソプロピル（あるいはシクロプロピル）基と4-フルオロフェニル基が存在することが重要であるということが明らかにされた。この知見をもとにして，下部［X］についてバイオアイソスター変換が検討され，アトルバスタチンやロスバスタチンなど，異なる薬理作用のプロファイルをもつ医薬品が創製された。

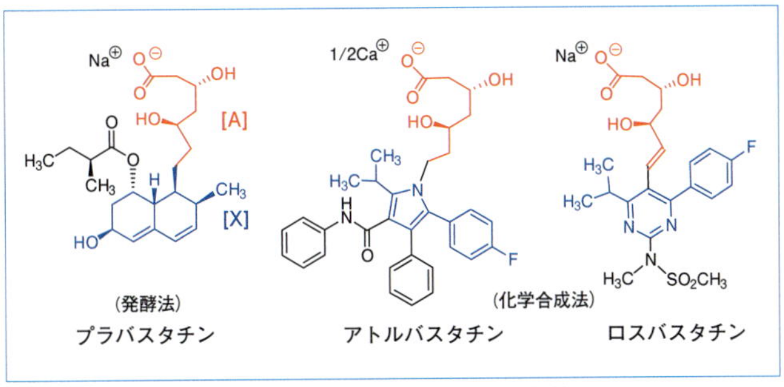

図2-4　代表的なHMG-CoA還元酵素阻害薬

(4) AII受容体拮抗薬（サルタン系高血圧症治療薬）

　アンギオテンシンII（AII）に対する拮抗作用をもつCV-2961（1-ベンジル-5-イミダゾリル酢酸誘導体，第I部第2章の参考文献8）参照）がリード化合物として用いられ，CV-2961とリガンドであるペプチド（AII：8個のアミノ酸からなる）との構造を比較したドラッグデザイン・合成が展開された。その結果，もう1つのフェニル基を介してカルボキシ基を配置させた（AIIの末端アスパラギン酸に対応させた）ビフェニル誘導体（1）（IC_{50}，230 nM）が最初に見出された。次いで，このカルボキシ基をバイオアイソスターとして，脂溶性がより高くpKaが類似するテトラゾリル基に変換することにより，良好な薬理活性，薬物動態を示すロサルタン（IC_{50}，20 nM）が誕生した（**図2-5**）。さらに付け加えると，ロサルタンは，CV-2961の特許の請求範囲に含まれない化合物を探索した結果でもある。ロサルタンをもとにして，膨大な構造活性相関研究が世界中の製薬企業で行われ，いくつかの改良型のAII受容体拮抗薬が創製された。その1つがカンデサルタンである。そのドラッグデザインでは，CV-2961で活性発現に重要な役割をしていると想定されたカルボキシ基が，

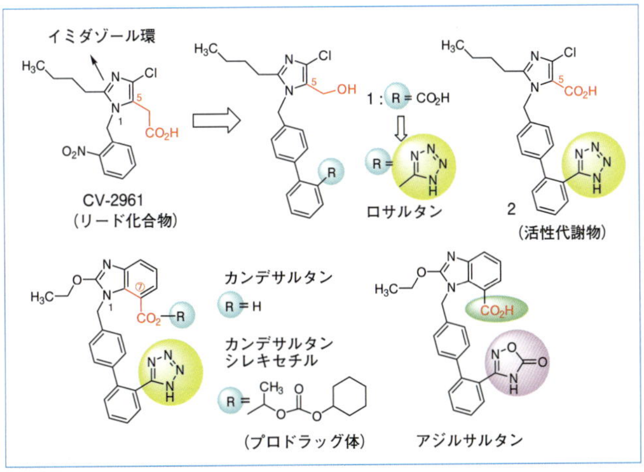

図2-5　代表的なAII受容体拮抗薬

ロサルタンはイミダゾール環の5位に-CH_2OH基をもつが，生体内で-CH_2OH基は-CO_2H基に代謝（酸化）され，これが活性代謝物（**2**）として作用している。-CO_2H体（**2**）は，活性は強いがBAが低い（IC_{50} 1.3 nM，BA 12%）ので，活性は弱いがBAがよい-CH_2OH体（IC_{50} 20 nM，BA 33%）として開発された。したがって，ロサルタンは一種のプロドラッグ体と考えられる。

ベンゾイミダゾール環を用いて7位に配置・固定化されている。カンデサルタン自体はBA（bioavailability：生体内利用率）が低い（ラットBA，5.0%）ので，カルボキシ基をエステル型のプロドラッグ体としたカンデサルタンシレキセチルが開発された（BA，33%）[8]。さらに，カンデサルタンのテトラゾリル基をバイオアイソスターであるオキサジアゾロン基に変換することによりBAが改善され（20%），プロドラッグ化を必要としないアジルサルタン（図2-5）が市場に登場した（2012年日本発売）。

(5) HIV（ヒト免疫不全ウイルス）インテグラーゼ阻害薬（エイズ治療薬）

図2-6に示すように，酵素（インテグラーゼ）の活性中心に存在するマグネシウムイオンと結合（キレート形成）する能力をもつ部分構造（C＝O基とOH基の組み合わせ構造）（黄色部分）とベンジル基の疎水性部位（青色部分）が存在するファーマコフォアモデルが考えられ，これをもとにして阻害薬がドラッグデザイン・合成され，現在3個の阻害薬が開発されている。このうち，ラルテグラビルとドルテグラビルは，2個のマグネシウムイオンを同時にキレート（配合）させる構造をもっている。

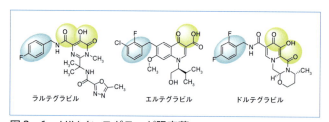

図2-6　HIVインテグラーゼ阻害薬

以上，メディシナルケミストが日々，化合物合成の前に考えるドラッグデザインの進め方を紹介した。最後に，バイオアイソスターの知識は特許戦略上も極めて重要であることを付け加える。近年，多くの方が感じておられるとおり，低分子創薬はたいへん困難な状況にある。ファーマコフォアやバイオアイソスターによるドラッグデザインといっても，理論化されたものではなく，まだまだ試行錯誤の創薬化学である。厳しい環境下ではあるが，このような創薬手法がさらに進化し，新薬創製に活かされることを願っている。

3．薬物の物性改善の実際

はじめに

フッ素[14]は電気陰性度が最大の小さな原子ではあるが，それでも原子量は酸素より大きいので疎水性を高めそうに思われる。しかし，意外なことに脂肪族のF置換体の場合は，

C-F結合の分極によって，もとの化合物と比較すると疎水性は低下する。一方，芳香族の場合は，芳香族のπ電子系とフッ素の電子系が重なることによりC-F結合の分極が抑えられ疎水性が高まるとされている。実はこの点についてたいへん興味深い報告例がある[15]。すなわち，芳香族化合物においてもフッ素の効果により，分子の水溶性が高まるというのである（後記，P.130参照）。ご存じのとおり，化合物の溶解性は生体内利用率（BA）などADMEに影響を与えるので，医薬品の研究開発において重要な要因の1つである。創薬研究者の皆さま方は，溶けにくい化合物にたいへんご苦労されておられることと推察する。医薬品化学者である筆者の1人(N)も，企業にいた頃，製剤系の研究者の方から，「Nさんが持ってくる化合物は石ころのようなものが多い」と何度も言われたことを思い出す。ここでは，薬物の溶解性や物性に関する話題を，筆者(N)が経験した事例を含めて紹介したい。

1. 化合物の溶解性（溶解度・溶解速度）と膜透過性

薬物（経口投与剤）の消化管吸収性は，1)生理条件下での溶解性（溶解度と溶解速度），2)膜透過性，および3)代謝・分解による安定性という3つの因子によって決まる。したがって，1)を満たすためには水に対する溶解度や崩壊性が，2)を満たすためには一般的には脂質膜を透過するためのある程度の脂溶性（疎水性）が必要となり，この相反する性質をバランスよくもつ化合物が医薬品として理想的である。しかし，医薬品化学者が行う*in vitro*試験によるリード化合物からの探索・最適化の構造変換では，分子量が大きくなりがちであり，それに伴って脂溶性が高まりすぎて水溶性が低下することが多い。さらに，さまざまな官能基を含む複雑な構造になった結果，固い結晶となり，有機溶媒に対しても溶けにくく，「石のような」といわれる化合物がつくられることになる。これらは，有名なLipinskiの「ルール・オブ・ファイブ（Rule of 5）」[16]（**図3-1**）を逸脱した性質をもち，経口剤としては適当でない化合物になるおそれが大である。

分子量（MW）	500以上
Log *P*値[*1]	5以上
水素結合の供与基[*2]の合計個数	5以上
水素結合の受容基[*3]の合計個数	10(5×2)以上

[*1]オクタノール／水分配係数（脂溶性の指標）

[*2]−NHと−OH，[*3]O原子とN原子

図3-1　Lipinskiの「Rule of 5」[16]
この4つの化学特性のいずれかをもつ化合物は経口医薬品になりにくい。なお，このルールの水素結合に関する個数の指標は，膜透過性の低下が懸念される要件と考えられる。

化合物の溶解性（水系溶媒に対する）を上げる方策として，1)分子へ極性基を導入する化学的な変換，および2)塩の形成，結晶形の変換（結晶多形）や結晶の粉砕化など，剤形的な変換が一般的に用いられている。1)は，化学変換で用いられる常法であるが，極性基の導

入により生物活性自体が低下してしまう場合も多い。また，元来，化合物の溶解性は結晶構造の充填（パッキング）度合によって影響を受け，パッキング度が高まると溶解性は低下する。極性基の導入は，結晶の分子間のパッキング度を高め，溶解性を低下させることも多いといわれる[17]。2)は現実的な方策であるが，最終化合物が決定された後であるので限界もある。最近，橋本らにより新たな興味深い化学的なアプローチが提案された[18]。分子構造の非平面化・非対称化は，酵素・受容体との相互作用（生物活性）を改善するためのドラッグデザインにしばしば用いられているが，橋本らは，この変換によって結晶のパッキングの度合が減少することを見出し，その結果，溶解性が向上するというデータを得た。その例を図3-2に示す。溶解性向上のためのドラッグデザインには理論化されたものはなく，化合物ごとにさまざまな方法が試行錯誤的に行われているのが現状であるが，今後その1つとして応用されていくと思われる。

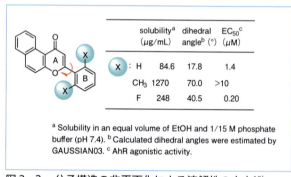

図3-2　分子構造の非平面化による溶解性の向上[18]
AとBの平面間にねじれ構造をもたせることにより結晶のパッキング度合を減らす。

2．物性の改善事例

以下に，物性，特に溶解性の改善に関係した話題を筆者の経験を交えて紹介したい。

(1)ベンゼン環へのフッ素の導入による水溶性の向上

「はじめに」で述べたように，芳香族化合物においてもフッ素の導入により，分子の水溶性が予想外に高まるという興味深い例が報告されている（図3-3）。この研究はBristol-Myers Squibb社で行われたcalcitonin gene-related peptide（CGRP）受容体拮抗薬の探索である[15]。その結果，図3-3の化合物が見出された。生物活性（K_i値）はH体とF置換体（BMS-694153）にほとんど差がないが，F置換体では水溶性が飛躍的に向上した。大きな分子のなかの置換基1つだけの違いであるが，フッ素原子の高い電子求引性のため，隣接する尿素構造中のN-H結合が分極して水素結合を形成しやすくなり，水との溶媒和が高まったと考察されている。

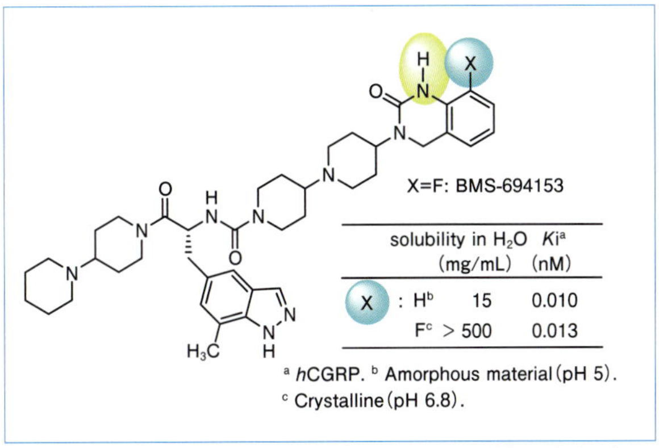

図3-3　芳香環へのフッ素導入による水溶性の向上[15]

(2) ラセミ体と光学活性体の結晶

　一般的にラセミ体は，鏡像異性体同士が対をなして結晶構造の充填（パッキング）の度合を高めているので，光学活性体の結晶に比べて水溶性が低いようである。例えば，キノロン系抗菌薬のレボフロキサシン（LVFX）はラセミ体のオフロキサシン（OFLX）からキラルスイッチによって製品化された光学活性体である（**図3-4**(a)）[19]。LVFXはOFLXと比べて同等の脂溶性（分配係数：～5）を示すが，水に対する溶解性は約10倍も向上する（LVFX 24.5mg/mL vs. OFLX 2.4mg/mL）という望ましい性質を示す[19b]。この差は結晶構造の違いによると推定される。実際にOFLX（ラセミ体）の結晶は鏡像異性体同士が対をなした構造をとるが，LVFX（光学活性体）の結晶はそれがないうえに，1/2水和物という興味深い構造をとっている。

　筆者も**図3-4**(b)に示したTAK-637（NK₁受容体拮抗薬）の研究[20a]において同様な経験をした。すなわち，最初に合成していたこの三環性タイプのラセミ体の化合物群は分子量も大きく（MW>500），反応後，抽出有機溶媒を減圧留去中にも結晶が析出し，物性の悪さ（水・有機溶媒への溶解性の低さ）が懸念された。しかし，ラセミ体に代えて光学活性体で合成すると，物性やBA（Bioavailability）などのプロファイルは改善されて比較的良好となり，光学活性体のTAK-637を臨床試験へ進めることができた[20a]。

　また，TAK-637に先行した化合物に**図3-4**(c)④のTAK-622[20b]がある。最終的に，この化合物は珍しい軸不斉構造[21]に基づくラセミ体であるということが判明し[20c]，TAK-637へ開発がスイッチされてしまったのであるが，TAK-622も物性面でのさまざまな課題をクリアして見出された化合物なので，経緯を少し記したい。当初，膨大な探索研究の結果，X部位（青色丸印）がCHの化合物①に強い*in vitro*活性を見出したが，経口投与での*in vivo*作用は*in vitro*活性を反映せず，経口吸収性の悪さが示唆された。種々検討の結果，X部位をNとして塩基性を付与した化合物②や③で吸収性は改善され，*in vivo*活性も良好であった。しかし，これらは血中からの消失が遅いことが判明し，R部位（黄色丸印）に代謝を受けやすいCH₃基を組み込むことにより動態面が改善された化合物④（TAK-622）に至った[20b]。

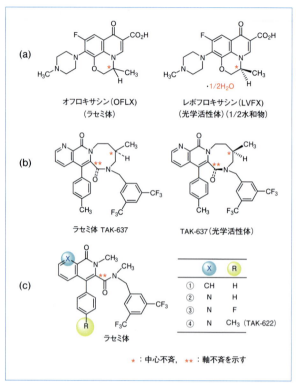

図3-4　ラセミ体からキラル化合物（a：キノロン系抗菌薬，b：NK$_1$拮抗薬）による溶解性改善とN原子導入による経口吸収性の改善（c：NK$_1$拮抗薬）

(3) ユニークな結晶形

次に，プロセス化学グループと共同して行った第3世代セファロスポリン系抗菌薬（セフメノキシム）[20a]（図3-5）の最終剤形（注射用）の検討において，興味深い塩の結晶の化学を学んだので紹介したい。セフメノキシムには，基本的には，図3-5の遊離体①，カルボン酸部位のNa塩②，塩基性の2-アミノチアゾール部位がつくる1塩酸塩③が存在する。一般的には，注射用製剤としては水溶性の高い②のNa塩が望ましいが，製品化には室温保存可能な安定な結晶が必要になる。しかし，Na塩②は安定な結晶として得ることができず，また遊離体①も粉末としても得られていた。仕方なく検討したのが1塩酸塩③である。実際に，アセトン-水の混合溶媒中で濃塩酸を加えることにより1塩酸塩③が結晶として得られた。しかし，この③はアミノチアゾールという弱塩基の酸塩なので，水（例えば，湿気）が塩基として作用してHClが交換され，遊離体を生成してしまう不安定な結晶であった。そこで，逆に，1塩酸塩③を水中で放置

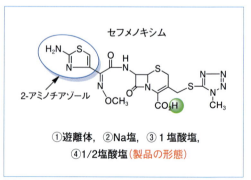

図3-5　セフメノキシムの4つの形態

したら遊離体①の結晶が得られるのではないか？　という淡い期待を抱いて，③を水で処理した。その結果，思惑どおり結晶が析出し，この結晶は長期保存可能な高い安定性を示すことがわかった。しかし，元素分析の結果，この結晶は遊離体①ではなく，たいへん珍しい1/2塩酸塩④であり[22a]，X線結晶構造解析[22b]から，分子形とプロトン化された型の2個のセファロスポリン分子の間に1個の塩素イオンが挟まった形をとるユニークな結晶構造が明らかにされた。セフメノキシムは，最終的には，溶解補助剤としてNa$_2$CO$_3$を共存させた1/2塩酸塩④として製品化された。1/2塩酸塩④は水から得られる結晶なので，プロセス化学面では好都合であったが，固い結晶のため物性としては好ましいものではなく，製品化までは，やはり製剤グループに多大な苦労をおかけすることになった。このような特異な物性をもつ化合物は，製剤グループの多くの知識と経験がなければ製品に至らないことを改めて感じさせられた研究であった[23]。

　ここで述べた「薬物の溶解性や物性」というテーマは，医薬品化学のかなりマニアックな内容かもしれない。筆者の経験もたいへん古いものであるが，事例報告として価値があると感じていただき，分野の異なる研究者との対話の場での話題にしていただけたら幸いである。

4．酵素反応の仕組み（1）：触媒反応の有機化学

はじめに

　生体内分子（酵素や受容体）を構成するタンパク質・ペプチド・アミノ酸の構造と性質，および生理活性物質あるいは医薬品が作用を発現する際に働く生体内分子との相互作用について別項で述べた[24, 25]。最近では分析機器の進歩により，われわれの身体のなかで酵素が引き起こす，多様で特異的な生体内反応について，分子レベルでとらえることが可能になり，通常の有機化学反応として説明できるようになってきた。そこで明らかにされたのが，人工的には成しえない，高度で精緻な化学反応の数々である。ここでは加水分解酵素を題材として，酵素がどのような機序でその生理作用を発現しているか，アミノ酸側鎖の特異構造により引き起こされる巧妙な仕組みを概説する。

1．酵素とは

　酵素は，生体内で営まれているほとんどすべての化学変化に関与し，極めて微量で作用し，著しく特異的な反応性を示す生体触媒である。酵素は反応の活性化エネルギーを下げ，反応の速さを数百万〜数億倍に上昇させる。そのため，反応の温度を上げる必要がなく，

生体内の温和な条件で反応が進行する。酵素は一般に特定の基質に対し，特定の化学反応のみを触媒する。これらの酵素の特性を，各々，基質特異性，反応特異性という。酵素は特定の基質を結合させ，遷移状態を安定化させることにより遷移状態のエネルギーを下げて，反応を促進させる。

　極めて多くの酵素があるので，その分類は単純ではないが，触媒反応の形式により，表4-1に示すように大きく6タイプ（EC1〜EC6）[26]に分類されている。さらに，ここでとりあげるプロテアーゼ（EC3.4群）［加水分解酵素（EC3）のうち，ペプチド結合加水分解酵素］について，基質の分解される位置および触媒機構（活性中心で働く成分）による分類を表4-2に示した。

表4-1　酵素の分類

酵素	触媒反応の形式	例
EC1 酸化還元酵素 （Oxidoreductase）	酸化還元反応	デヒドロゲナーゼ群，オキシダーゼ群，オキシゲナーゼ群，レダクターゼ群
EC2 転移酵素 （Transferase）	官能基の転移反応	アシル転移酵素群，キナーゼ群（リン酸基転移），アミノ基転移酵素群
EC3 加水分解酵素 （Hydrolase）	加水分解反応	タンパク質分解酵素群（プロテアーゼ）（表2），脂質分解酵素群（リパーゼ），糖質分解酵素群（グリコシダーゼ群），エステル分解酵素群（アセチルエステラーゼ群），リン酸分解酵素群（ヌクレアーゼ群，ホスファターゼ群）
EC4 除去付加酵素 （Lyase）	付加・脱離反応	デカルボキシラーゼ群，炭酸デヒドラターゼ，アルギニノコハク酸リアーゼ
EC5 異性化酵素 （Isomerase）	分子内の官能基の転移反応	ラセマーゼ，ホスホグルコムターゼ，トリオースリン酸イソメラーゼ
EC6 合成酵素 （Ligase, Synthetase）	基質の結合反応（ATPのエネルギーを用いる）	チロシルt-RNA合成酵素，アシルCoAシンテターゼ，カルボキシラーゼ

表4-2　プロテアーゼの分類

1．分解の位置による分類	
エキソペプチダーゼ	タンパク質・ペプチド鎖の配列末端から（1〜2アミノ酸残基ずつ）切り取る。
アミノペプチダーゼ	基質のN末端から切断する。
カルボキシペプチダーゼ	基質のC末端側から切断する。
エンドペプチダーゼ	タンパク質・ペプチド鎖の配列中央を切断する。
2．触媒機構（活性中心で働く成分）による分類	
セリンプロテアーゼ	キモトリプシン，トリプシン，スブチリシンなど
アスパラギン酸プロテアーゼ	ペプシン，レニン，カテプシンD，HIVプロテアーゼなど
システインプロテアーゼ	パパイン，カテプシンB，カスパーゼなど
メタロ（金属）プロテアーゼ	カルボキシペプチダーゼA，サーモリシンなど

2．プロテアーゼとペプチド結合

　表4-2に示すように，さまざまなタンパク質（あるいはペプチド）の分解酵素（プロテアーゼ：ペプチダーゼを含む）があるが，特にキモトリプシン，トリプシンについて酵素反応の機構が明らかにされている。これらはともに膵液に含まれる消化酵素であり，エンドペ

プチダーゼ／セリンプロテアーゼとして分類される。キモトリプシンは芳香族アミノ酸残基(Phe, Tyr, Trp)や大きな疎水性アミノ酸残基(Met)のカルボキシ基側のペプチド結合に作用して加水分解する。その例を**図4-1**に示す。一方, トリプシンは塩基性アミノ酸残基(Lys, Arg)のカルボキシ基側のペプチド結合を切断するという基質特異性をもつ。

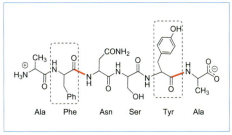

図4-1　キモトリプシンの基質特異性
キモトリプシンは芳香族アミノ酸残基または大きな疎水性アミノ酸残基のカルボキシ末端側(──部位)を切断する。

一般に, ペプチド結合は安定性が高く, その加水分解は通常の有機化学反応では過酷な条件(加熱に加えて塩基性や酸性)が必要になる。これは**図4-2**に示すように, ペプチド結合(アミド結合)が共鳴構造により炭素-窒素結合が二重結合性をもつことに起因し[27], ペプチド結合のカルボニル(C=O)炭素原子は, カルボン酸エステルのカルボニル(C=O)炭素原子に比べて$\delta +$性が低く, 水(求核剤)の攻撃を受けにくくなっているためである。しかし, 生体内では, 酵素の働きによりペプチド結合の加水分解は容易に進行している。この触媒反応や基質特異性がどのような仕組みで行われているかをみてみよう。

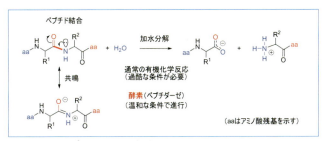

図4-2　ペプチド結合の切断

3．触媒反応の有機化学：触媒三残基(catalytic triad)

セリンプロテアーゼに分類されるキモトリプシンのX線結晶構造解析[28]から, 活性部位は酵素表面の割れ目部分に存在し, 195番目のセリン(Ser)側鎖が57番目のヒスチジン(His)側鎖のイミダゾール環と水素結合し, さらにイミダゾール環の-NH基が102番目のアスパラギン酸(Asp)側鎖のカルボキシラートイオンと水素結合していることが明らかにされた(**図4-3**)。この活性部位におけるSer195, His57, Asp102残基の3個のアミノ酸残基の組み合わせ配列は, 触媒三残基(catalytic triad)と呼ばれる。

この構造をもとにして, 単独ではペプチド結合を切断する求核性をもたないセリンのヒドロキシ基が, 求核性が高められたアルコキシドイオンに変換される機構が提唱された。すなわち, 三残基間で負の電荷が移動する電荷リレー系(charge-relay system)により,

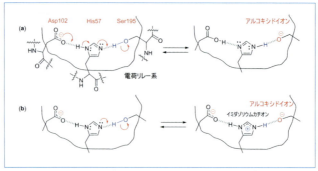

図 4-3 触媒三残基 (Asp102, His57, Ser195) とアルコキシドイオンの形成反応
(a) 電荷リレー系, (b) 修正反応機構

Ser195残基に求核性が高められたアルコキシドイオンが生じ, 加水分解反応が進行するという説である。この電荷リレー系は, 立体構造に合致するたいへんきれいな仮説であり, 長い間, 疑いをもつことなく受け入れられてきた (**図 4-3** (a))(この仮説では, Asp102のカルボキシラートイオン (COO^-) においてHis57を介して水素原子の移動がある)。しかし, その後, 多くの研究が行われ, 激しい議論が交わされた結果, 現在では修正された反応機構 (**図 4-3** (b)) が支持されている。すなわち, 中性付近ではHis57残基がプロトン解離平衡にあり, Asp102残基は分子形 (COOH) にはならず, 常にイオン (COO^-) 化していることが明らかにされ, 現在, 多くの生化学の教科書では, セリンのアルコキシドイオンの生成は電荷リレー説ではなく, この修正機構で説明されている (Asp102とHis57の間の水素結合は変わっていないことに注意されたい)。すなわち, セリン残基は基質に直接作用する部位として働くほか, アスパラギン酸残基はヒスチジン残基と水素結合することにより, 以下の3つの役割を果たしている。①ヒスチジン残基をうまくセリン残基に近づけるように配向させる, ②水素結合の効果 (イミダゾール環Nの塩基性を高める) によってヒスチジン残基をよりよいプロトンの受容体とする, ③プロトン化されたイミダゾリウムカチオンを静電気相互作用により安定化させる。また, ヒスチジン残基は, セリンのヒドロキシ基からプロトンを受け取り, ヒドロキシ基を求核性の高いアルコキシドイオンに変えて, 反応性の低いペプチド結合のC＝O炭素原子への攻撃を可能にさせ, さらに, イミダゾリウムカチオンがプロトンを供与する役割を担う。

以上の知見から, **図 4-4** に示すようなペプチド結合の加水分解の機構が提唱されている。**図 4-4** の (A)(ステップ①～③) は, 基質のC-N結合の切断によるアシル酵素の生成と, アミン成分の脱離の過程を示している。まず, ①酵素に基質が取り込まれ, 両者の相互作用により, 基質を反応に適した位置に配置する。次いで, Ser残基のヒドロキシ基の酸素原子が基質のカルボニル基を求核攻撃する。その結果, ヒドロキシ基の酸素とカルボニル炭素の間に共有結合が形成され, 続いてカルボニルの二重結合を構成するπ結合の電子対がカルボニルの酸素に移動し, 四面体中間体が生成する。この中間体では, 酸素原子はアニオンになるため, 電荷のバランスが崩れ, 不安定化するが, 酵素にこのアニオンの電荷

を安定化させる部位（アニオンホールという）があり，アミノ酸残基（例：Gly[193]など）のアミドNH水素原子が水素結合を形成することによって安定化される。この四面体中間体が形成されるとき，Ser195残基のヒドロキシ基からHis57残基へプロトンが受け渡され，イミダゾール基はイオン化する。このイオン化構造に対して，Asp102残基のカルボキシラートアニオンが水素結合を形成し安定化させる。次に，②イミダゾール環カチオンからNH基へのプロトンの受け渡しが起こり，ペプチド結合が切断される。その結果，③アシル酵素が生成すると同時に，アミン成分が脱離する。次の図4-4の(B)（ステップ④〜⑦）は，アシル酵素のO-C(=O)（エステル）結合の加水分解反応である。まず，④水がアシル酵素に入りエステル結合の切断態勢に入る。次いで，ステップ⑤〜⑦は，(A)のステップ①〜③と同様な機構（セリンのヒドロキシ基の代わりに水が作用する）で四面体中間体を経て，エステル結合のC-O結合が切断され，カルボン酸部分が脱離し，酵素がもとの状態に戻る。

ここでは，セリンプロテアーゼの1つであるキモトリプシンを例にして，酵素の触媒反応の機構を有機化学の観点から紹介した。ここで紹介した触媒三残基による化学反応は，多くのプロテアーゼで共通していることが明らかにされている（酸性アミノ酸として，Aspに代わってGluの酵素もある）ほか，興味深いことに，ほかの加水分解酵素（エステラーゼやリパーゼ）でも共通してみられる。人工的には成しえない，巧妙な有機反応であることに感心する。

次項では，酵素反応の続編として，基質特異性，鍵と鍵穴／適合誘導などを紹介する。

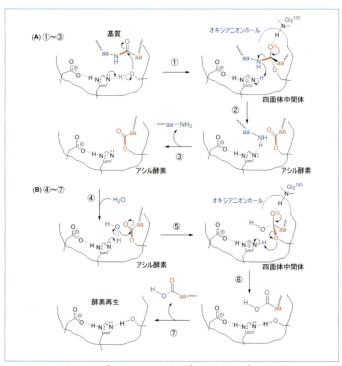

図4-4　キモトリプシンによる基質（タンパク質）の加水分解機構
(A)基質C-N結合の切断段階，(B)アシル酵素の加水分解段階

コラム4-1　イミダゾールはプロトンの運搬役

　酵素タンパク質中のアミノ酸残基のヒスチジン残基は，生体内酵素反応において重要な役割を担っている。ヒスチジンは，イミダゾール環をもち，塩基性アミノ酸に分類される[24]。イミダゾールは，塩基性(共役酸のpK_a 7.0)がピリジン(共役酸のpK_a 5.2)やピロール(共役酸のpK_a -3.8)よりも強い[13]。一方，イミダゾールのpK_aは14.5であり，酸としての性質でもピロール(pK_a 17.5)より1,000倍も強い。イミダゾールのこの興味深い性質は，2個の窒素が対称(1位と3位)に置換していることに起因する。1，3位に窒素があるために，プロトン化したカチオン1も脱プロトン化した2も，ともにそれぞれ2つの完全に対称な共鳴構造をとって安定化しており，電荷は2個の窒素原子間に均等に分布している(図4-C1)。今回紹介したように，酵素反応では，ヒスチジン残基のイミダゾール環は，このような性質により生体内で塩基[プロトン($H^{\oplus}$)を受け取る]として，また同時に酸($H^{\oplus}$を供与する)として作用し，結果として水素原子を運ぶ担体として機能している。

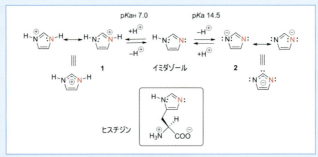

図4-C1　イミダゾールの特異な性質

コラム4-2　有機化学で生化学反応を読み解く

　本項を書くにあたり，右往左往の状態が長く続いた。有機化学者が著した有名な教科書(翻訳本)に書かれている内容と，生化学者の名前を冠する教科書(翻訳本)のそれが異なっているのである(図4-3)。前者は，当初提唱された電荷リレー系で触媒機構を説明しており，後者は，今回概説した修正触媒機構で語られている。多くの教科書や論文などを読み，ようやく，この触媒機構解明の経緯が理解できるようになり，本項にまとめることができた。このような経験から，有機化学者にとって，生化学反応が縁遠いものであり，普段，真面目に考える機会もなく，ほぼ素通りしてしまっていることがよくわかった。もちろん，生化学者の唱える触媒機構がすべて正しいわけでもない。多くの教科書に書かれている酵素反応の触媒機構について，有機化学者の視点から，じっくり検証する必要がある。有機化学は自然のもたらす精緻な反応機構にもっと真摯に取り組むべきではないだろうか。そこから新たな化学反応が生まれてくるかもしれない。

5．酵素反応の仕組み（2）：プロテアーゼ阻害薬の創製へ

はじめに

　前項で，酵素セリンプロテアーゼの触媒三残基（Asp, His, Ser）の連携や「四面体中間体」を経るペプチド結合の切断機構を紹介した。この触媒反応を引き起こす前に，酵素には基質との特異的相互作用の場づくりが必要になる。そこにもまた生体の巧みなからくりがある。引き続き酵素の性質をもう少し追記したい。さらに，触媒反応の機構が薬物設計に活用され，創製された医薬品（プロテアーゼ阻害薬）を紹介する。

1．セリンプロテアーゼ以外のプロテアーゼ

　セリンプロテアーゼの触媒反応については，すべてが活性化されたセリン残基（Ser）による機構によって反応を進めているのではない。前項で述べたように，ペプチダーゼは活性中心で働く成分により，セリンプロテアーゼのほかに，システインプロテアーゼ（カテプシンB，パパイン，カスパーゼなど），アスパラギン酸プロテアーゼ（HIVプロテアーゼ，レニン，カテプシンD，ペプシンなど），メタロ（金属）プロテアーゼ（カルボキシペプチダーゼA，マトリックスメタロプロテアーゼ，アンギオテンシン変換酵素（ACE），サーモリシンなど）に分類される。これらのペプチド結合切断の機序もすでに明らかにされている。**図5-1**にその概略図を記したが，セリンプロテアーゼのSer残基に代わって，システイン残基（Cys），一対のアスパラギン酸残基（Asp），金属（多くは亜鉛）が反応の鍵となる役割を果たしている。

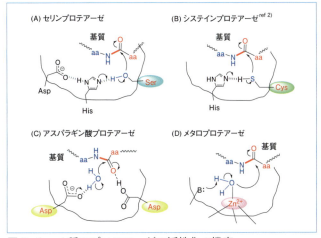

図5-1　4種のプロテアーゼの活性化の機序
　　　（D）のB：は金属に結合した水分子の脱プロトン化を助ける基（グルタミン酸アニオンなど）を表す。

図5-1に示すように，セリンプロテアーゼとシステインプロテアーゼ[28]は，触媒反応の第一段階で，共有結合による酵素-基質複合体を形成するが，アスパラギン酸プロテアーゼとメタロプロテアーゼは共有結合性の複合体を形成せず，Aspや亜鉛が水を活性化するような機序で加水分解反応を進める．

2．酵素の基質特異性の発現

酵素が触媒反応を引き起こすにあたり，酵素中には，基質の反応部位と親和性がよい部位(大きさ，形，電荷など)をもつ結合ポケットが存在して，基質特異性を発現している．例えば，セリンプロテアーゼに属するキモトリプシンは大きな疎水性アミノ酸(Pheなど)のC末端側，トリプシンは塩基性アミノ酸(Lys，Argなど)のC末端側，エラスターゼは小さな疎水性アミノ酸(Ala, Glyなど)のC末端側を切断する．これらの基質結合ポケットは，図5-2に示すような形状をとって基質特異性の発現に寄与している．基質結合ポケットの底の部分には，キモトリプシンおよびエラスターゼではSer残基が存在するが，トリプシンでは酸性アミノ酸のAsp残基が存在し，基質分子の塩基性アミノ酸残基と静電的に強く相互作用する．これによって，トリプシンは塩基性アミノ酸であるArgやLysに対する基質特異性を示す．一方，エラスターゼでは，キモトリプシンとトリプシンの基質ポケットの入り口に存在する2個のグリシン(Gly)残基が，かさ高いバリン(Val)残基に置き換わっているため，ポケットの入り口が狭くなっている．これが，エラスターゼが小さな側鎖をもつアラニン(Ala)やグリシン(Gly)などに対する基質特異性を示す理由である．

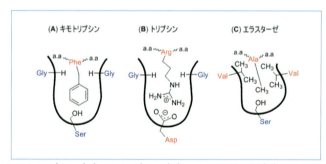

図5-2　キモトリプシン(A)，トリプシン(B)，エラスターゼ(C)の基質結合ポケット

3．酵素の形の変化：誘導適合とアロステリック制御

酵素と基質の相互作用は，互いに非常に接近したときに生じるたいへん弱い結合力によっている[25]ので，基質は酵素の活性部位にぴったりはまる形でなければならない．1890年に発表されたエミール・フィッシャー(Emil Fischer)の鍵と鍵穴のたとえは，酵素と基質の相互作用を説明するためにたいへんわかりやすい理論であった．しかし，現在では，酵素(タンパク質)の形は柔軟であり，活性部位の形は基質が結合することによって著しく変化

し得ることが明らかになっている。このような構造の適応は，誘導適合（induced fit）と呼ばれる（1958年，Daniel E. Koshlandの提唱理論）。この動きは活性部位の近傍に局所的な影響を及ぼすか，あるいは活性部位を含む領域全体の配置も変化させる。誘導適合によって，酵素の特定の官能基が反応を触媒するために最適な位置へと移動する。このコンホメーション変化の後，酵素の形は遷移状態の基質に対して相補的になり，触媒反応が促進される。

さらに，酵素タンパク質の立体構造が柔軟であることを示す例として，アロステリック制御について追記する。これは，活性部位以外の部位（アロステリック部位）にモジュレータ（調節因子）と呼ばれるリガンドが作用することにより，活性部位の構造が変化して基質との結合能を変え，触媒活性が調節されるシステムである。このアロステリック部位の調節も創薬ターゲットとして注目されている。

4．四面体中間体からの創薬：プロテアーゼ阻害薬

酵素化学研究により得られたさまざまな知見は創薬研究に活かされており，タンパク質分解酵素の阻害作用に基づく医薬品は多数開発されている。そのうち，高血圧症治療薬のカプトプリル（**図5-3**）は，メタロプロテアーゼの1つであるACEの阻害薬である。この創製にあたっては，ACEの化学構造を考慮し，薬物との間で3カ所の相互作用（2個のイオン結合，1個の水素結合）が想定された[25, 29]。これは合理的薬物設計の代表例の1つとされている。

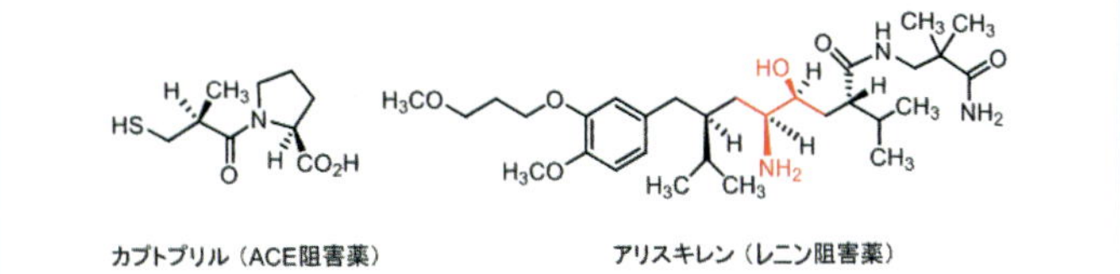

図5-3　プロテアーゼ阻害薬（1）：ACE阻害薬とレニン阻害薬
アリスキレンの赤字部分が酵素反応の遷移状態の模倣部分

また，触媒反応における「四面体中間体」を模倣したドラッグデザインは，アスパラギン酸プロテアーゼであるHIV（ヒト免疫不全ウイルス）プロテアーゼやレニン阻害薬の開発研究に用いられ，それぞれHIV感染症およびAIDS（後天性免疫不全症候群）治療薬（インジナビルなど）（**図5-4**），および高血圧症治療薬（アリスキレン）[30]（**図5-3**）の誕生に至った。以下に，合成による試行錯誤と，X線構造解析やコンピュータによる構造解析支援とが連携して成功に至った経緯を簡単に記す。

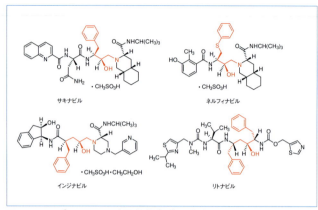

図5-4　プロテアーゼ阻害薬（2）：代表的なHIV阻害薬
化合物の赤字部分は遷移状態の模倣部分（図5-6を参照）

(1) HIVプロテアーゼ阻害薬

　ウイルスが細胞に感染すると，ウイルス遺伝子にコードされたプロ（前駆体）タンパク質が生成し，次いでそのプロタンパク質がウイルス由来のプロテアーゼにより分断される。こうして生成したウイルス由来の数個のタンパク質が集合し，ウイルス粒子ができる。したがって，このプロテアーゼの作用を抑えることにより，ウイルスの増殖を抑えることが可能となる。HIVプロテアーゼはアスパラギン酸プロテアーゼである。X線結晶構造解析の結果，この酵素は99個のアミノ酸からなる同じタンパク鎖が2つ対称的に会合した（ホモダイマー）構造をしており，中央に深いくぼみがあることが明らかにされた。このくぼみにターゲットのタンパク質がはまり込むと両方からタンパク鎖の腕がフタをするように閉じて，基質タンパク質のフェニルアラニン（Phe）残基とプロリン（Pro）残基の間を，**図5-5**に示すような経路で切断する。すなわち，活性部位にある2個のAsp残基（別々のサブユニットにある）が，切断されるペプチド結合への水の直接攻撃を促進させるように働く。ペプチド結合のカルボニル基を水が攻撃して最初にできる生成物が，四面体中間体である。これは前回のキモトリプシンの反応の場合に見られたものと同じである。四面体中間体自体は，炭素原子にヘテロ原子3個をもつ不安定な遷移状態として考えられる化合物であり，結果としてアミド結合が切断される。

　図5-4に示したHIVプロテアーゼ阻害薬は，この不安定な四面体中間体（遷移状態）をまねてデザインされた（**図5-6**）。**図5-6**の遷移状態アナログでは，中央部のヒドロキシ基は四面体中間体の負に荷電した酸素を模倣し，sp^3炭素原子をもつアルコールとして安定化させている。**図5-6**の赤字で示したコア部分は，アルコールを中心にして，Phe残基のベンジル基とPro残基の窒素原子が配置されている。さらに，分子のほかの部位についても，酵素の構造を解析して，酵素と薬物が全体としての結合を強めるようにデザインされた。このようにして，現在，数種類のHIV阻害薬が創製され，HIV感染症およびAIDS治療薬として使用されている。

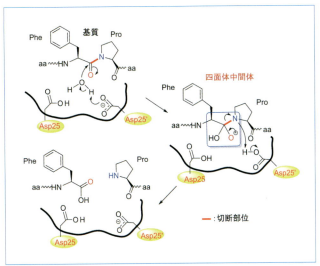

図5-5　HIVプロテアーゼの作用機序

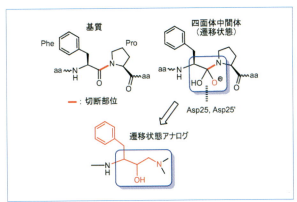

図5-6　HIVプロテアーゼ阻害薬のドラッグデザイン

(2) レニン阻害薬

　実は，前述の遷移状態アナログによるドラッグデザインは，HIV阻害薬が最初ではなく，すでにレニン阻害薬の研究に広く用いられていた。このレニン阻害薬の研究の歴史は古く，ACE阻害薬の研究と並行して世界中で展開された。遷移状態アナログの有用性も示されたが，開発研究はことごとく失敗に終わった。そのなかで，唯一アリスキレン（ノバルティス）（図5-3）が難関を乗り越えて，最近になってようやく高血圧症治療薬として上市された[30]（2007年米国，EU発売，2009年日本発売）。

おわりに

　酵素反応の触媒機構を詳しく解説した。生体内のくすりが作用する部位で起こっている化学反応を理解していただけたら幸いである。自然のなす精緻な化学反応は現在の有機化

学のレベルをはるかに超えたものであり，われわれ有機化学者にとっても自然から学ぶべきことがたくさん残っていると感じさせられる。

6．補酵素：機能と化学

はじめに

前項4および5では，酵素を題材として，生体内で起こる酵素反応とその機序[31]および酵素阻害薬の創製を述べた。実は，第103回の薬剤師国家試験[32]で，化学の問題として，「酵素」に関して本書で述べた触媒三残基（セリン–ヒスチジン–アスパラギン酸）や酵素キモトリプシンの基質特異性が出題された。改めて前項を見返すと，「酵素は生体内で営まれているほとんどすべての化学変化に関与し，極めて微量で作用し著しく特異的な反応性を示す生体触媒である」としているが，酵素を補う役割を果たすといわれる"補酵素"が登場していなかった。さらに，本書では，生体内で起きている酸化・還元反応[33]やイミンが関与する生体内反応[34]でも酵素の機能を述べているが，そこでも補酵素について触れていない。ここでは，酵素反応における"補酵素"とそれに関連する化学を紹介したい。

1．補酵素とは

生体内で酵素が触媒としての機能を発現し，基質を生成物に変換するために，酵素は自身のタンパク質部分以外の補因子（cofactor）と呼ばれる成分を必要とする。補因子としては，有機化合物（補酵素：coenzyme），金属イオンや金属を含む有機化合物などがある。補酵素は文字どおり，酵素を補う役割をもつ非タンパク性の有機化合物であり，それなくして酵素活性は発現されない［ただし，基質の分解（加水分解）反応は補酵素を必要としない：後記］このように，補酵素（補因子）がなく，それ自身では触媒活性をもたない酵素のことをアポ酵素（apoenzyme：apoは"分離した"の意味）と呼ぶ。一方，アポ酵素が補酵素（補因子）と結合して触媒活性をもつ状態となった酵素をホロ酵素（holoenzyme：holoは"全体の"の意味）と呼ぶ（図6-1）。後記するように，すべてではないが，補酵素の多くは水溶性ビタミン（B群）由来である。ビタミンはヒトが体内で合成できないか，あるいは合成できたとしても不十分量しか合成できず，体外から摂取すべき微量必須栄養素と定義され，補酵素の前駆体としての役割をもつ。

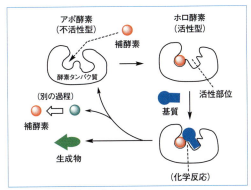

図6-1　アポ酵素／ホロ酵素と酵素反応
図は基質型補酵素の場合を示す。補欠分子族型酵素では、化学変化を終えた補酵素はその部位から遊離しないまま別の過程が進み、元の補酵素が再生される。

2．補酵素の機能

　補酵素は触媒ではなく、酵素反応中に基質が生成物に変化するとともに、自身も化学変化を受ける"反応剤"と考えられる（図6-1）。補酵素を必要とする反応には、酸化還元、官能基の転移（転位）[35]、異性体化、共有結合の形成、エネルギー供給などがある（表6-1）。具体的には、補酵素が基質に反応剤として働き、還元性基（水素）、アシル基（R-C=O）、アミノ基、リン酸基、硫酸基、C_1単位、エネルギーなどが運搬される。なお、基質の加水分解反応では、普遍的に存在する水が反応剤となって補因子としての役割を果たすので補酵素を必要としない。化学変化を受けた補酵素がもとに戻るには別の過程（酵素–補酵素系の反応）が必要である（図6-1）。

　補酵素は2つの型に分けて考えられる。1つ目の型は、酵素上で基質を変化させるとともに自身も化学変化を受け、次にそこから遊離して、別の酵素上（別の過程）で元の補酵素

表6-1　補酵素の代表例

構造式No[a]	補酵素	型[b]	前駆体（ビタミンB）	対応する酵素の例	主な酵素–補酵素系の働き
1, 1'	NAD^+, NADH	A	ナイアシン（ニコチン酸とニコチン酸アミド）	脱水素酵素	代謝全般
2	FAD	B	ビタミンB_2	脱水素酵素, グルタチオン過酸化酵素	代謝全般, 活性酸素の消去
3, 3'	ATP, ADP	A	—	リン酸転移酵素（キナーゼ）	エネルギー代謝, リン酸化
4	CoA（補酵素A）	A	パントテン酸（ビタミンB_5）	アシル基転移酵素	主に脂質代謝
5	PLP	B	ビタミンB_6	アミノ基転移酵素	アミノ酸の代謝
6	TDP	B	ビタミンB_1	脱水素酵素	主に糖質の代謝
7	THF	A	葉酸（ビタミンB_9）	ホルミル基転移酵素	細胞の分裂や増殖（C_1基の転位）
8	ビオチン	B	ビオチン（ビタミンB_7）	カルボキシ基転移酵素	糖新生や脂肪酸合成
—	アデノシルコバラミン, メチルコバラミン	B	シアノコバラミン（ビタミンB_{12}）	分子内異性化酵素, 脱離酵素, 還元酵素, メチル基転移酵素	アミノ酸や脂質の代謝, 水素運搬体

[a]Noは図6-2の化学構造式Noに対応する。[b]A：基質型補酵素、B：補欠分子族型補酵素

の形に再生されるものである。この型の補酵素は酵素の基質のように働いて役割を果たすので，"基質型の補酵素"として分類される。もう1つの型は，補酵素が酵素タンパク質に（共有結合などにより）強固に結合しており，自身が変化した後，酵素から遊離せず同じ酵素上で再生が行われるものである。この型の補酵素は"補欠分子族型の補酵素"と呼ばれる。例えば，**表6-1**のビオチン(8)は補欠分子族型であり，末端の-COOH基は，酵素のリシン残基の側鎖NH$_2$基とアミド結合（共有結合）を介して強固に結合している。

3．補酵素の種類と構造

代表的な補酵素について，**表6-1**に対応する酵素の例と酵素-補酵素系の役割を，**図6-2**に化学構造式を示した。**表6-1**に示すように，補酵素の多くは水溶性ビタミン（B群）由来である。酵素タンパク質が熱によって変性し失活するのに対して，補酵素は耐熱性を示し，かつ透析によって酵素タンパク質から分離することが可能なので，補因子として早い時期からその存在が知られていた。補酵素の構造上の特徴としては，分子中には置換基(R)として，**図6-2**の括弧内に示したように核酸のアデノシン二リン酸部分を含むものが多い。この部分は「ヌクレオチドハンドル」と呼ばれ，一般に補酵素の機能には関与しない。ヌクレオチドハンドルは酵素分子に補酵素を認識させる役割をもつ。

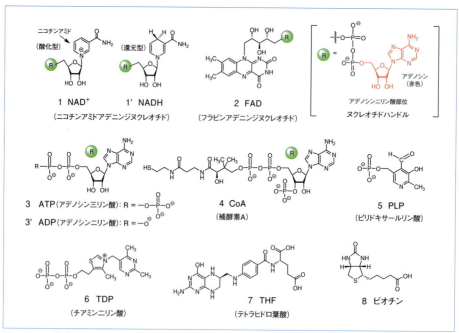

図6-2　代表的な補酵素(1～8)の化学構造

4．補酵素の化学反応

表6-1には代表的な9個の補酵素を示したが，これらのうち代表例として酸化還元反応に関わるNAD$^+$/NADH(1/1')，およびエネルギー供給やリン酸基の転移に関わるATP/ADP(3/3')の2つの化学反応を紹介したい。

(1) NAD$^+$/NADH(1/1')

ニコチンアミドアデニンジヌクレオチド，NAD$^+$/NADH(1/1')は，ニコチンアミドと五炭糖のリボースおよびアデノシン二リン酸からなる物質である。アルコール，アルデヒド(ケトン)などの酸化還元反応において水素の授受に関与するデヒドロゲナーゼ(脱水素酵素)の代表的な補酵素として機能し，酸化型の1(NAD$^+$)および還元型(水素が付加された型)の1'(NADH)の2つの状態を取り得る。図6-3には，基質のピルビン酸が，乳酸デヒドロゲナーゼおよび補酵素であるNADH(1')と反応して乳酸に還元される反応を示している。この反応で，補酵素の還元型NADHは酸化されて，酸化型NAD$^+$になる。このように，補酵素を必要とする酵素反応では，基質に起こる変化の裏返しの変化が補酵素に起こる。また，酵素反応は立体特異的に進行することも特徴である。例えば，図6-3で示すように，ピルビン酸のC=O基に対して，NADHの2個の水素(H^a，H^b)のうち，一方の水素原子(H^a)が立体選択的に付加して，乳酸は一方の光学活性体(L型)のみが生成する。

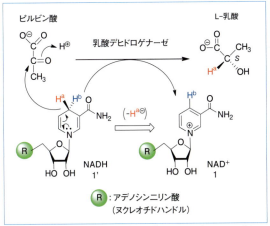

図6-3　NAD$^+$/NADH(1/1')と乳酸デヒドロゲナーゼの化学反応

(2) ATP/ADP(3/3')

ATP(3：アデノシン三リン酸)／ADP(3'：アデノシン二リン酸)は，核酸の一成分であるアデニン塩基と五炭糖のリボースが結合したアデノシンに，それぞれ3個／2個のリン酸が結合した化合物である。これらは，生体内での①エネルギーのキャリア[36]および②グルコースや酵素タンパク質のリン酸化酵素(キナーゼ)の基質型の補酵素として機能する。

①エネルギーのキャリア

ATP(**3**)のもつ3個のリン酸部位のうち、末端側の2個のリン酸の結合が通常の共有結合より高い結合エネルギーをもつので、ATPは高エネルギーリン酸化合物といわれる。ATPはATP分解酵素（ATPase）によって加水分解され、ADP(**3'**：アデノシン二リン酸)とリン酸になる[36]。このとき、ATP1モルあたり7.3 kcalのエネルギーが放出される（式1）。これは、加水分解で生成するリン酸がATP中では不可能であった共鳴構造をとるようになるため安定化し、さらに、ATP中に存在する近接した負電荷同士の距離が加水分解により離れるため、負電荷同士の反発が一部解消され安定化するためである。これが生体内のエネルギー源として、生物のいろいろな活動に利用されている。

(式1)　　ATP(**3**) + H_2O $\xrightarrow{ATPase}$ ADP(**3'**) + H_3PO_4(リン酸) + 7.3 kcal/mol

②リン酸化酵素（キナーゼ）の基質型の補酵素

多くの酵素と受容体（タンパク質）はリン酸化と脱リン酸化によりスイッチを入れたり切ったりしている。このリン酸化はキナーゼ酵素と補酵素ATP/ADP(**3/3'**)によって起こり、通常、キナーゼ酵素のセリン、トレオニン、そしてチロシンの残基に起こる（図6-4）。逆反応の脱リン酸化はホスファターゼによって起こる。タンパク質をリン酸化すると、リン酸基に由来する2個の負電荷が生じるため、正電荷をもつ側鎖を引きつけて大きな立体構造の変化を起こす。可逆的なリン酸化は、酵素と受容体に構造変化をもたらし、その機能を調節したり、細胞内シグナル伝達経路で機能している。

また、グルコースが細胞に取り込まれるとヘキソキナーゼにより、ATPを用いてリン酸

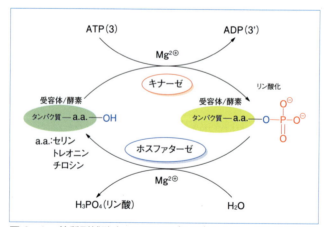

図6-4　基質型補酵素ATP/ADP(3/3')とキナーゼと化学反応
キナーゼおよびホスファターゼは、補因子としてMg^{2+}あるいはMn^{2+}など2価の金属イオンを必要とする。それにより、末端リン酸基の転移が容易となる。

創薬を目指す医薬品化学　第Ⅱ部

化が起こりグルコース-6-リン酸が生成される。このリン酸化によって，電荷が導入されるので，グルコースは容易に細胞膜を通過できずにとどまり，細胞外への拡散が防がれる。

　以上，酵素を補う機能といわれる補酵素について概説した。補酵素は，酵素タンパク質と共同して多種多様な触媒反応に関与しており，酵素反応において脇役ではなく主役を果たしていることがわかる。化学的な観点からそれらの構造と機能の関係をみると，どの補酵素も実に巧妙に設計されており，自然の凄さを実感させられる。

■参考文献

1) 水素結合，電気陰性度とはなんだろう？，本書第Ⅰ部第1章-10.，P.54参照.

2) 日比野俐，夏苅英昭，廣田耕作編著，NEW医薬品化学，廣川書店，2008, P.15を参考にした。

3) PPIについては，本書第Ⅱ部第2章-4.，P.168参照.

4) β-ラクタム系抗菌薬についてはβ-ラクタム系抗菌薬の化学，本書第Ⅱ部第2章-9.，P.192参照

5) ドラッグデザインの基礎知識，本書第Ⅱ部第1章-2.，P.123参照.

6) 誘起双極子同士の相互作用は狭義のファンデルワールス力であり，ロンドン分散力と呼ばれる。

7) 日本薬学会編，メディシナルケミストリー用語解説310，じほう，2014を改編した。

8) 仲建彦執筆，創薬化学，（長野哲雄，夏苅英昭，原博編著）東京化学同人，2004，P.261.

9) なぜ，フッ素は医薬品に活用されるのか？，本書第Ⅱ部第2章-1.，P.151参照.

10) 酵素反応の仕組み(2)：プロテアーゼ阻害薬の創製へ，本書第Ⅱ部第1章-5.，P.139参照.

11) 宮田桂司執筆，創薬化学，（長野哲雄，夏苅英昭，原博編著），東京化学同人，2004，P.278.

12) Graham L. Patrick, *An Introduction to Medicinal Chemistry* (*third edition*), Oxford University Press, 2005, P.662.

13) アミドの窒素はなぜ塩基性を示さないのか？，本書第Ⅰ部第1章-2.，P.9参照.

14) フッ素の化学については，なぜ，フッ素は医薬品に活用されるのか？，本書第Ⅱ部第2章-1.,P.151参照.

15) BMS-694153に関して：A.P. Degnan, *et al.* (Bristol-Myers Squibb), *J. Med. Chem.*, 2008, *51*, 4858.

16) Lipinski's Rule of Fiveに関して：C.A. Lipinski, F. Lombardo, B.W. Dominy, P.J. Feeney, *Adv. Drug Del. Rev.*, 1997, *23*, 3.

17) C.G. Wermuth 編著，長瀬　博 監訳，最新創薬化学（上），テクノミック社，2003，P.534.

18) 分子構造の非平面化・非対称化による溶解度向上策に関して：(a) M. Ishikawa, Y. Hashimoto, *J. Med. Chem.*, 2011, *54*, 1539. (b) 石川　稔，橋本祐一，有機合成化学協会誌，2013, *71*, 625.

19) (a) キラルスイッチ医薬品を考える，本書第Ⅱ部第2章-5.，P.171参照；(b) 早川勇夫執筆，創薬化学，（長野哲雄，夏苅英昭，原 博 編著），東京化学同人，2004，P.314.

20) NK₁受容体拮抗薬，TAK-637/TAK-622に関して：(a) H. Natsugari, Y. Ikeura, I. Kamo, T. Ishimaru, Y. Ishichi, A. Fujishima, T. Tanaka, F. Kasahara, M. Kawada, T. Doi, *J. Med. Chem.*, 1999, *42*, 3982. ；(b) H. Natsugari, Y. Ikeura, Y. Kiyota, Y. Ishichi, T. Ishimaru, O. Saga, H. Shirafuji, T. Tanaka, I. Kamo, T. Doi, M. Otsuka, *J. Med. Chem.*, 1995, *38*, 3106. ；(c) Y. Ikeura, Y. Ishichi, T. Tanaka, A. Fujishima, M. Murabayashi, M. Kawada, T. Ishimaru, I. Kamo, T. Doi, H. Natsugari, *J. Med. Chem.*, 1998, *41*, 4232.

21) くすりの効くかたち：軸不斉と医薬品，本書第Ⅱ部第2章-6.，P.176参照.

22) セフメノキシム 1/2塩酸塩に関して：(a) M. Ochiai, A. Morimoto, T. Miyawaki, Y. Matsushita, T. Okada, H. Natsugari, M. Kida, *J. Antibiotics*, 1981, *34*, 171.；(b) 夏苅英昭，三上岩男，落合道彦，特公昭63-006552(特開昭55-079393)，；(c) K. Kamiya, M. Takamoto, Y. Wada, M. Nishikawa, *Chem. Pharm. Bull.*, 1981, *29*, 609.

23) 夏苅英昭，有機合成化学協会誌，2019, *77*, 375.

24) タンパク質・ペプチド・アミノ酸の化学，本書第Ⅰ部第1章-8.，P.40参照.

25) 医薬品と生体内標的分子の間に働く力，本書第Ⅱ部第1章-1, P.117参照.

149

26）EC（enzyme code）番号：国際生化学・分子生物学連合（IUBMB）の酵素委員会によって決定された酵素命名法による分類法。ECに続いて4つの数字を用いて触媒反応の型が細分化されて表記される。最近では，各酵素の遺伝子が同定されてアミノ酸配列が明らかになっており，触媒に関連するアミノ酸配列の類似性，相同性などで分類されることが多い。

27）D.M. Blow et al., *Nature*, **1967**, *214*, 652.

28）システイン加水分解酵素の触媒機能は，おおむねセリン加水分解酵素のそれと同じであると考えられている。ただし，システイン加水分解酵素では，ヒドロキシ基（−OH）に代わってスルファニル基（−SH）がその中心を果たす。このスルファニル基はヒドロキシ基と比較すると求核能力が相当に高いので，この種の酵素では図⑤-1の（B）のようなヒスチジン残基などの官能基の助けを借りなくても，基質への攻撃を仕掛けることもできる。

29）ドラッグデザインの基礎知識—ファーマコフォア，バイオアイソスター，本書第II部第1章-2.，P.123参照.

30）レニン阻害薬（アリスキレン）の開発は，レニン-アンギオテンシン系に作用する薬剤としては，ACE阻害薬，アンギオテンシンII受容体拮抗薬（ARB）に次いで最後発のものとなった。アリスキレンの開発経緯については，以下の解説記事中にたいへん興味深い記載があるので参照されたい。
残華淳彦，海外メガ企業に学ぶ研究開発戦略（第3回），*Pharm Tech Japan*, **2015**, *31*, 33.

31）酵素反応の仕組み（1），本書第II部第1章-4.，P.133参照.

32）第103回薬剤師国家試験（2018.2.24/25実施），理論問題① 化学 問105：http://www.yakuzemi.ac.jp/information/103_exercise/

33）生体内で起きている酸化・還元の化学，本書第I部第1章-11.，P.59参照.

34）カルボニル基の化学（1）：イミンの生成反応とイミンが関与する生体内反応，本書第I部第1章-5，P.23参照.

35）'転位' と '転移'：官能基が位置を移す意味の用語（rearrangement／transfer）の日本語は，有機化学系では '転位'（反応）を用いるが，生化学系では '転移'（酵素）が用いられることが多いようである。

36）ATP（**3**）からADP（**3'**）への変換によるエネルギー産生においては，ATPはATPaseの補酵素ではなく基質と考えるのが一般的と思われるが，基質型の補酵素に入れて記載した。

第2章　医薬品はサイエンスの結晶

1．なぜ，フッ素は医薬品に活用されるのか？

はじめに

　自然界では，塩素や臭素を含む有機化合物はたいへん多いが，同じハロゲン元素に分類されながらフッ素を含むものは極めて少なく10個程度しか認められていない。一方，現在，臨床で使用されている合成医薬品のうち，フッ素を含むものは非常に多く，全体の約20％を占める。また，農薬分野ではフッ素の利用はさらに多く，最近（2001年以降）発売された農薬のうち含フッ素化合物は50％を超える。これらはフッ素導入により生物活性が改善されることを示しているといえよう。ここではフッ素の特徴や代表的な含フッ素医薬品を紹介し，なぜフッ素がこのように頻用されているかを考えてみたい[1]。

1．フッ素の特徴と分子に及ぼす影響

　フッ素はご存じのように，元素周期表の第17族のハロゲン元素の1つである。**図1-1**にフッ素原子とその同族である塩素原子の電子配置を示す。フッ素と塩素はそれぞれ2番目，3番目の殻が一番外側の殻（最外殻）になり，ここに7個の電子が入っている点が同じ

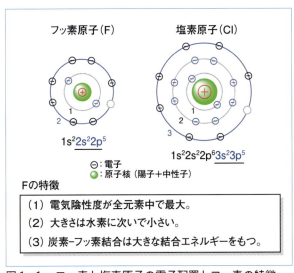

図1-1　フッ素と塩素原子の電子配置とフッ素の特徴

である。原子の化学的挙動は最外殻電子の配置によって決められるので、同族に属する原子は類似した化学的挙動を示す。例えば、原子は最外殻に8個(オクテット)の電子が入ったときに安定になるので、最外殻に7個の電子をもつフッ素と塩素は、ともに電子を受け取り、自身はマイナスイオンになろうとする性質が強い。しかし、**図1-1**下に示すように、フッ素は塩素とは異なる3つの特徴をもっている。

第一に、フッ素の電気陰性度は、全元素のなかで最大(4.0)である。すでに本書第Ⅰ部第1章-10[2]で詳しく紹介したが、電気陰性度は原子が電子を引きつける力の強さを相対的に示したもので、数値が大きいほど電子は原子核に引き寄せられる。フッ素に比べて塩素の電気陰性度は3.0と小さい。これは、塩素では**図1-1**に示すように、反応性に関わる最外殻の電子と原子核との平均距離が遠くなり、原子核が電子を引き寄せる力が弱まることに加えて、内殻(1s軌道, 2s軌道, 2p軌道)に存在する10個の電子が原子核の正の電荷($\oplus$)を遮蔽してしまうためである。このようなフッ素の大きな電気陰性度により、分子にフッ素を導入すると、その結合電子対がフッ素のほうへ引き寄せられる。その結果、分極による電子的な影響を及ぼし、さらに酸性度[3]にも大きな影響を与える。**表1-1**に示すように、分子の酸性度(pKa値:数値が小さいほど酸性度が高い)はフッ素置換により高まる。これらの電子的な効果は生体標的分子(受容体や酵素)との相互作用[4]に大きな影響を与える。

表1-1 フッ素置換と酸性度(pKa値)の変化

H体	pKa値	F置換体	pKa値
CH_3CO_2H	4.76	CH_2FCO_2H	2.59
		CHF_2CO_2H	1.34
		CF_3CO_2H	0.52
CH_3CH_2OH	15.9	CF_3CH_2OH	12.4
$(CH_3)_3COH$	19.2	$(CF_3)_3COH$	5.1
C_6H_5OH	10.0	C_6F_5OH	5.5
$CH_3CH_2NH_3^+$	10.7	$CF_3CH_2NH_3^+$	5.4

第二の特徴は、その大きさが比較的小さいことである。このため、水素の代わりにフッ素を導入することによる分子全体への立体的影響は少なく、生体はもとの分子とフッ素化された分子を区別せずに認識することが予想される。これはフッ素のミミック効果といわれ、後述する5-フルオロウラシルやフルドロコルチゾン(**図1-2**)およびプロスタグランジン系医薬品(**図1-3(a)**, **(b)**)はその効果を活かした典型的な例である。

第三の特徴は、炭素-フッ素結合が安定なことである。例えば、CH_3-F結合の結合エネルギー(485 kJ/mol)は、CH_3-Cl結合(339 kJ/mol)やCH_3-H結合(413 kJ/mol)よりも大きい。さらにCH_3-Fの結合距離は短い(1.35Å)ため、一般に炭素-フッ素結合は安定で反応性が乏しいとされている。この特徴は、分子の生体内での代謝に対する安定性(Hに比べてFは代謝を受けにくい)を期待して、薬物の分子設計に活かされる。ただし、分子の環境(化学構造)によっては、C-F結合のフッ素がフッ化物イオン(F^-)として脱離する場合も多数ある(例:後述する**図1-2**の化合物[6])[1d]ので、一概にC-F結合が切断されにくいともいえない。

これらの3つの特徴に加えて，フッ素のもたらす効果に疎水性の変化がある[1b, d]。実際に，疎水性の変化を期待してフッ素原子あるいはフルオロアルキル基（CF_3，CF_2Hなど）を分子に導入して，生体内での膜透過性，血中濃度，および代謝を制御する薬物設計が行われている。フッ素は水素に次いで小さい原子ではあるが，それでも原子量は酸素より大きいので疎水性を高めそうに思われる。しかし，表1-2に示すように，意外なことに（あるいは，誤解されていることも多いが）脂肪族の場合は，フッ素単独の効果としてはもとの化合物と比較すると$\log P$値（オクタノール／水分配係数）は小さく，疎水性は低下する（親水性が増す）。一方，芳香族の場合は，芳香族のπ電子系とフッ素の電子系が重なることによりC-F結合の分極が抑えられ疎水性が高まる[1b, d]。

表1-2　フッ素置換による親油性への影響
[$\log P$値（オクタノール／水分配係数）]

H体	$\log P$	F置換体	$\log P$
CH_3CH_3	1.81	CH_3CHF_2	0.75
$CH_3(CH_2)_3CH_3$	3.11	$CH_3(CH_2)_3CH_2F$	2.33

医薬品分子にフッ素（F，CF_3，CHF_2など）が導入されると，これらの特徴が総合され，生体内標的分子との親和性，体内動態，物性・安定性，あるいは毒性に影響を与える。以下に，フッ素が導入された代表的な医薬品を紹介する。

2．代表的な含フッ素医薬品

(1) ステロイド系医薬品［2, 3］および核酸系医薬品［5, 6］（図1-2）

含フッ素医薬品の初期（1950年代）に開発されたのがフルドロコルチゾン［**2**］および5-

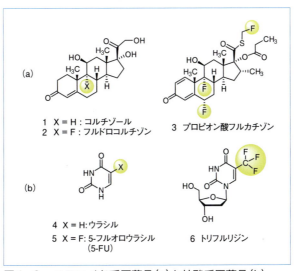

1　X = H：コルチゾール
2　X = F：フルドロコルチゾン
3　プロピオン酸フルカチゾン

4　X = H：ウラシル
5　X = F：5-フルオロウラシル（5-FU）
6　トリフルリジン

図1-2　ステロイド系医薬品(a)と核酸系医薬品(b)

フルオロウラシル(FU)［5］である．ともに，前述したフッ素のミミック効果が考慮されており，分子はもとの化合物と同様に生体に認識される．しかし，その後の作用機序において，C-F結合の切断されにくさや逆に脱離しやすさにより，もとの化合物とは異なる化学反応が進行して活性が発現される．5-FU［5］の作用機序は，本書第Ⅱ部第1章-1．(P.117)[4d]で詳しく示した．2および5のさらなる改善が検討され，それぞれプロピオン酸フルカチゾン［3］およびトリフルリジン［6］が開発された．6はCF₃基を有しているが，作用機序面では，このCF₃基のC-F結合からF⁻の脱離を伴う機構が示唆されているのが興味深い[1d]．

(2) プロスタグランジン系医薬品［8，11］および活性型ビタミンD₃製剤［13］（図1-3）

天然物プロスタグランジンPGI₂［7］は，加水分解されやすい不安定なエノールエーテル構造をもち，半減期が短いが，2個のフッ素を導入したAFP-07［8］ではその強い電子求引性のために加水分解に対して劇的な安定性がもたらされることがわかった．プロスタグランジンPGE₂［9］についても2個のフッ素を導入した化合物［10］で安定化が認められた．この知見をもとにして，タフルプロスト［11］が見出され，緑内障治療薬として開発された．新規活性型ビタミンD₃製剤，ファレカルシトリオール［13］は25位に

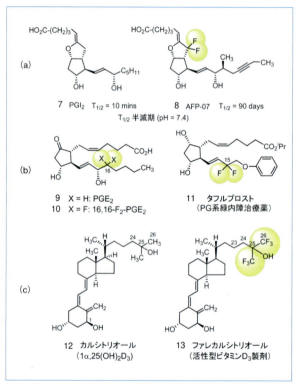

図1-3　プロスタグランジン系医薬品(a)，(b)と活性型ビタミンD₃医薬品(c)

2個のCF$_3$基を導入することにより，1α, 25(OH)$_2$ビタミンD$_3$［12］の活性低下の原因となる24位および26位の代謝（水酸化）を抑えて活性型を維持し，さらに13の主要代謝物である23位水酸化体も活性を保持するという知見も併せて得られ，開発に至った．

(3) ニューキノロン系抗菌薬（図1-4）

キノロン骨格の4位のカルボニル基と3位のカルボキシ基の組み合わせ構造は，酵素DNAジャイレースと相互作用するために必須の構造（Mg^{2+}イオンとキレート形成能をもつ）である．膨大な構造活性相関研究の結果，6位にフッ素および7位にピペラジノ基を有する組み合わせ構造が望ましいことが明らかにされ，ノルフロキサシン［14］をはじめとするニューキノロン系と呼ばれる一群の優れた抗菌薬［15, 16など］が市場に出た．これらの良好な活性発現には，6位のフッ素の適度な嵩高さと，7位のピペラジノ基の塩基性および水との適度な親和性が寄与していると考えられている．図1-4中の表に，ノルフロキサシン系の6位（X）のF，H，Clの化合物について，酵素（DNAジャイレース）阻害活性（IC$_{50}$）および抗菌活性（MIC）のデータを示す．ともにX＝Fが最良であることがわかるが，元の置換されていない化合物と比較すると，フッ素化体では，IC$_{50}$値は7.2倍，MICは16倍小さい値となり，酵素阻害活性以上に抗菌力が強まっている．このことから，フッ素の導入は酵素阻害活性以外の因子（膜透過性に好ましい適度な疎水性，代謝安定性など）にも影響を与え，抗菌力を強めている可能性が考えられる．さらなる研究の結果，最近になって，6位にフッ素をもたないキノロン［17, 18］でも医薬品としての良好なプロファイルを示すことが見出され，初めて市場に登場した．

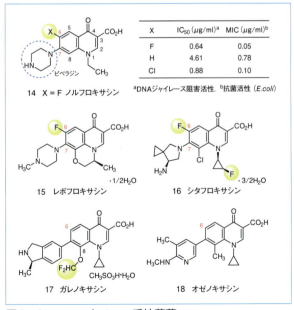

図1-4　ニューキノロン系抗菌薬

(4) そのほかの含フッ素医薬品(図1-5)

そのほか，特徴ある含フッ素医薬品を**図1-5**に示す．化合物[19](アトルバスタチン)はHMG-CoA還元酵素阻害薬(コレステロール低下薬)である．すでに発酵法によって得られていたプラバスタチン系化合物の活性発現に必須と考えられる鎖状のジヒドロキシヘプタン酸部位(図の**A**部分)を残して，化学合成による医薬品の探索が行われた．その結果，[19]に示すように，(**A**)を挟むようにしてイソプロピル(あるいはシクロプロピル)基(破線○部分)と4-フルオロフェニル基(黄色マーカー部分)が存在することが活性発現に重要であることがわかり，この部分構造をもついくつかの医薬品が化学合成によって創製された．この4-フルオロフェニル基の4位のフッ素は，酵素阻害作用に極めて重要な役割を果たしていることがわかっており，例えばフッ素を塩素に変えると活性は大きく低下する．また，化合物[20](アプレピタント)はNK$_1$(ニューロキニン1)受容体拮抗作用に基づく嘔吐治療薬である．この化合物は3,5-ビストリフルオロフェニル基(黄色マーカー部分)を含むが，この2個のCF$_3$基(置換位置を含めて)はNK$_1$受容体拮抗作用にたいへん重要な役割をしていることが，多くの構造活性相関研究から明らかにされている．これらの[19]および[20]の流れをくむ化合物におけるフッ素は，活性の増強に必須の役割を果たしていることは確かであるが，その理由は明らかにされていない．

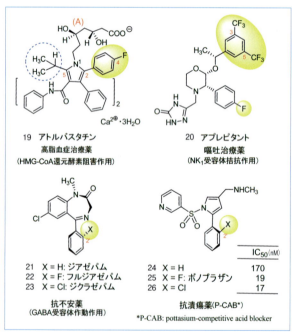

図1-5　そのほかの含フッ素医薬品

一方，1,4-ベンゾジアゼピン系の中枢神経系薬剤[21～23]では，5位のフェニル基のオルト位(X)にフッ素や塩素を導入[22, 23]すると，元のジアゼパム[21]に比べて，活性が大きく増強されることが知られている．この場合，ハロゲンの種類は関係なく，フッ

素に特有ということではない。また，最近開発された抗潰瘍薬（P-CAB：Potassium-competitive acid blocker阻害作用に基づく）のボノプラザン［**25**］にも，オルト位にフッ素をもつフェニル基が存在している。*In vitro*の構造活性相関（**図1-5**中の表）では，フッ素化体［**25**］と塩素化体［**26**］の活性はほぼ同等で，置換されていない化合物［**24**］に比べて，10倍程度の活性の増強が認められた。これらフルジアゼパムやボノプラザンでのフッ素置換基の役割は，ミミック効果ではなく，むしろ水素よりも大きなフッ素の立体障害により，下に置換するベンゼン環のねじれ構造を規制して分子の立体構造を受容体や酵素に適合するようにしているためと推察される。医薬品としてのフッ素化体の選択は，そのほかの薬物動態・毒性・物性などの優劣の比較にかかっている。

　以上，フッ素の特徴や代表的な含フッ素医薬品を紹介した。現状では，フッ素原子の導入効果については，明確な説明は難しく，もちろん理論化もされていない。多くは，生物活性（有効性），安全性（毒性），薬物動態（吸収・分布・代謝・排泄），物性・安定性などを１つひとつ着実にクリアして，フッ素含有医薬品に至ったものである。探索研究では，フッ素に対する関心は高く，フッ素スキャンといわれる方法（リード化合物上のC-H結合を網羅的にC-F結合に変換してスクリーニングする方法：Fluorine Walkともいわれる）も用いられるようになった[1a]。また，フッ素分子（F_2）は毒性が強く，反応性も極めて高く取り扱いにくい化合物なので，かつては利用が限られていたが，最近では，フッ素化反応にも著しい進歩があり，さまざまな含フッ素化合物が得られるようになってきた[1a]。今後も，含フッ素医薬品の開発はますます増加すると思われる。

2．薬物代謝を有機化学で考える

はじめに

　近年，薬物動態や生物学的利用能が問題になって医薬品の開発が中止されることがほとんどなくなったそうである[5]。その理由は，薬物動態研究が著しく進んだためと考えられている。特に薬物代謝に関する研究は，開発初期のリード化合物の選択や毒性発現の解明，安全性の確保など，創薬のさまざまなステップに大きく貢献している。薬物代謝を体内で起こっている有機化学反応としてとらえると，有機化学が寄与するところは大きい。薬物代謝については別項でもとりあげているが[6]，ここでは有機化学者の視点から語る。

1．薬物代謝とは

　医薬品は生体にとっては異物であり，できるかぎり早く体内から消失させようとする生体防御機構が働く。これが薬物代謝である。このシステムにおいて，薬物代謝酵素は薬物

の構造を化学的に変換し，水溶性を高めて体内から排出しやすくしている。これらの酵素は生合成経路に働く代謝酵素とは異なった特徴をもつ。薬物代謝酵素には多くの種類があり，アイソザイムも多い。また，基質特異性が低く，1つの薬物から1つの代謝物ができるわけではなく，構造の異なるさまざまな代謝物に変換される。このことは，1つの化合物に対して異なる反応が同時進行することを意味しており，有機化学反応として理解するにはかなり難しい面もある。

　薬物代謝に関わる酵素は主に肝臓に存在するが，肺，腎臓，消化管，皮膚などでも働いている。消化管から吸収された薬物は，まず，肝臓に送られて薬物代謝酵素による化学反応にさらされる。この化学反応は第I相反応と第II相反応に分けられる。第I相反応では，酸化反応や加水分解反応などによって水酸基（−OH）やアミノ基（−NH₂），および，カルボキシ基（−COOH）を薬物の構造中に生じさせる。このような極性の高い官能基によって薬物の水溶性は高められるが，続く第II相反応では，糖や硫酸，アミノ酸などをこれらの官能基に対して結合させる抱合反応が起こり，より水溶性が高められる。薬物によっては第II相反応が直接起こる場合もあるが，これらの化学反応によって分子量が増加し，水溶性が高まった医薬品代謝物は生体膜透過性が低下し，尿中や胆汁中への排泄が促進され，体外へ排出されやすくなる。

▌2．シトクロムP450

　第I相反応を行う薬物代謝酵素のなかでは基質特異性が広く，代謝能も高いシトクロムP450が最も重要である。シトクロムP450は，ポルフィリン環の中心に鉄イオンがあり，ヘム構造を形成している分子量約5万のタンパク質である。一酸化炭素と二価の鉄が錯体構造を形成すると黄色になり，450nmで極大吸収を示すことから，色素を表すpigmentのpをとってシトクロムP450と呼ばれている。シトクロムP450の名前の由来にもなった特徴的な吸収スペクトルは，ポルフィリンと鉄の配位錯体であるヘム鉄のつくる平面に対して垂直な方向からシステイン残基に由来するチオレートアニオンが鉄イオンに配位しているためである。なお，同様なヘムタンパク質であるヘモグロビンは，体内に酸素を運搬する役割を担っているが，チオレートアニオンの代わりにヒスチジンのイミダゾールが鉄イオンに配位しており，420nmに極大吸収を示す。両者の吸収波長の違いは，シトクロムP450のチオレートアニオンのほうがイミダゾールの窒素よりも鉄イオンに対してより強く電子を供与するためと考えられている（図2−1）。

　シトクロムP450には480種以上の分子種があり，CYPの略称でその種類が表される。医薬品の代謝に関わる主なものはCYP1A2，CYP2C9，CYP2C19，CYP2D6，CYP3A4である。これらはモノオキシゲナーゼ（一原子酸素添加酵素）であり，電子供与体であるNADPHの存在下，酸素分子（O₂）から1つの酸素原子が基質（RH）に結合して酸化反応が進行し，残りの酸素原子は水分子に還元される（式1）。

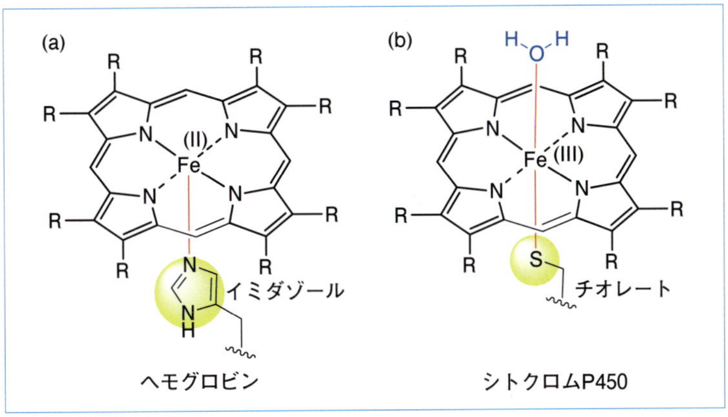

創薬を目指す医薬品化学　**第Ⅱ部**

図2-1　(a)ヘモグロビンと(b)シトクロムP450
水が配位している状態を示す。

$$RH + NADPH + H^+ + O_2 \rightarrow ROH + NADP^+ + H_2O \quad （\text{式1}）$$

　シトクロムP450の活性中心では，ヘム鉄に配位しているチオレートの反対方向（**図2-1 (b)**の水分子が配位している方向）から酸素分子が鉄イオンに結合して酸化反応が進行する。したがって，酸素分子の鉄への結合を妨げるような官能基をもつ医薬品はシトクロムP450による代謝を阻害することになる。例えば，イミダゾール環をもつものとして，H_2受容体拮抗薬であるシメチジンや抗真菌薬であるケトコナゾール，また，トリアゾール環をもつイトラコナゾールが有名である。一方で，シメチジンと同様のH_2受容体拮抗薬であるファモチジンやラニチジンではイミダゾール環がチアゾール環やフラン環に置き換えられているため，ほとんどシトクロムP450を阻害しない（**図2-2**）。

　シトクロムP450の活性中心に作用してその酵素活性を阻害する化合物としては，14員環マクロライドであるエリスロマイシンが知られている。医薬品として用いられるエリス

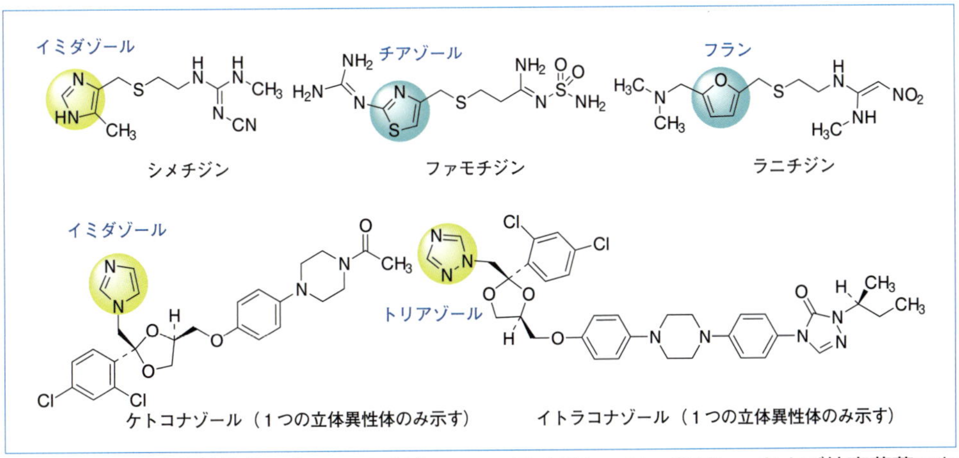

図2-2　H_2受容体拮抗薬であるシメチジン，ファモチジン，ラニチジン，および抗真菌薬であるケトコナゾール，イトラコナゾールの化学構造

ロマイシンエチルコハク酸エステルはシトクロムP450によって代謝されるが，その過程で第三級アミンがN-脱メチル化[7]，N-水酸化を経てニトロソアルカン代謝物となり，これがヘム鉄に作用するため，シトクロムP450の活性を阻害する。**図2-3**にエリスロマイシンのもつ第三級アミンによるシトクロムP450の阻害機構[8]を示す。14員環のマクロライド構造ではなく，グリコシド結合しているアミノ糖のジメチルアミン（第三級アミン）部位がシトクロムP450阻害の原因である。同様なアミノ糖を有するジョサマイシンやクラリスロマイシンも程度の差はあれ，シトクロムP450を阻害することが知られている。

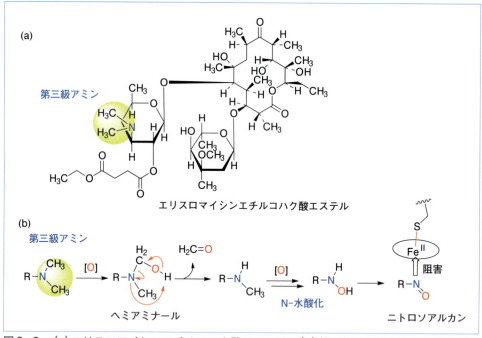

図2-3　(a) エリスロマイシンエチルコハク酸エステル，(b) 第三級アミンによるシトクロムP450の阻害機構

3．NIHシフト

　シトクロムP450による一原子酸素添加反応はどのようなメカニズムで進行するのか，ラジカルが関与している可能性も指摘されており，いまだに十分には解明されていない。しかし，この反応を研究することで新たな有機化学反応が見出されることもある。例えば，NIHシフト[9]が有名である。シトクロムP450によってベンゼンはそのC-H結合に酸素を挿入したフェノールに変換される（**図2-4 (a)**）。この反応を研究していた米国国立衛生研究所（NIH：National Institute of Health）の研究者は，基質によっては酸化反応だけでなく転位反応が起こるNIHシフトを見出した。ベンゼン環が酸化されて生成するエポキシド体において，酸素が結合した炭素に塩素が置換していた場合，これが隣の炭素に転位（1,2-シフト）するのである（**図2-4 (b)**）。このNIHシフトはハロゲンだけでなく，重水素

やメチル基でも起こることが明らかになり，ベンゼン環に起こる純粋な有機化学反応であることがわかった。

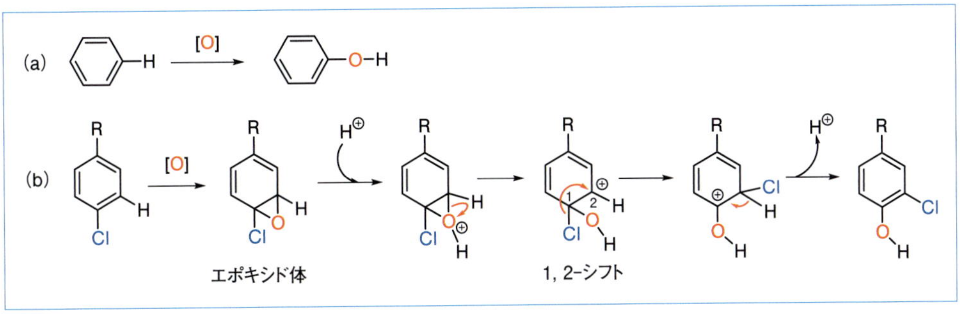

図2-4　(a)ベンゼンの酸化，(b)NIHシフト

4．イプソ置換代謝反応

　医薬品開発の過程において，薬物が生体内で代謝され，より反応性の高い化合物（反応性代謝物）になるリスクを回避することは重要である。このような薬物の代謝による活性化機構を明らかにする研究でも有機化学が活用される。最近，日本で行われたベンズブロマロンについての研究[10]を紹介する。ベンズブロマロンの肝毒性は古くから知られており，シトクロムP450による酸化反応によって生じる代謝物が原因と考えられている。ベンズブロマロンの化学構造はフェノール性の水酸基をもっていることが特徴的であり，フェノールのオルト位やパラ位が水酸化されてカテコールやヒドロキノン，さらに酸化が進んだキノンが生じ，これが生体内分子に作用することが肝毒性の原因ではないかと予想される（**図2-5**）。

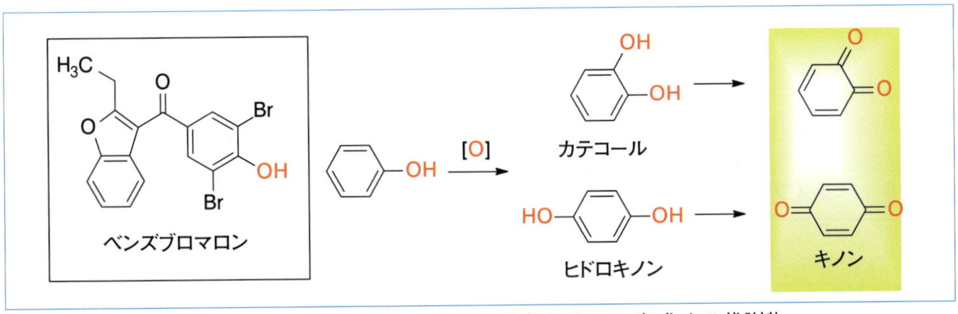

図2-5　ベンズブロマロンの構造とフェノールの酸化によって生成する代謝物

　しかし，ベンズブロマロンの化学構造をよく見ると，水酸基のオルト位にはブロモ基，パラ位にはカルボニル炭素が結合しているため，この位置に水酸化が容易に起こるとは考えにくい。そこで，このような構造に起こる代謝反応としてイプソ置換反応が提案された。これは，フェノール性水酸基のパラ位の置換基それ自身が置換されるものであり，イプソ

という言葉は「それ自身」という意味で用いられている。

図2-6に示すように，ベンズブロマロンの代謝過程では，シトクロムP450によってフェノール性水酸基から一電子が引き抜かれたフェノキシラジカルが生じる。このラジカルが共鳴によってパラ位にも分布し，そこに，シトクロムP450に存在しているOHラジカルが攻撃することで，パラ位に水酸基が導入されたアルコール中間体になる。この中間体には直ちにイプソ位で脱離反応が起こり，ヒドロキノンを生じる。ヒドロキノンはベンゾキノンへ変換しやすく，生体内に存在するさまざまな分子が有する求核性置換基（Nu）とマイケル付加型[11]の反応を起こし，結合を形成する。このような過程を経て毒性発現に至ると考えられている。

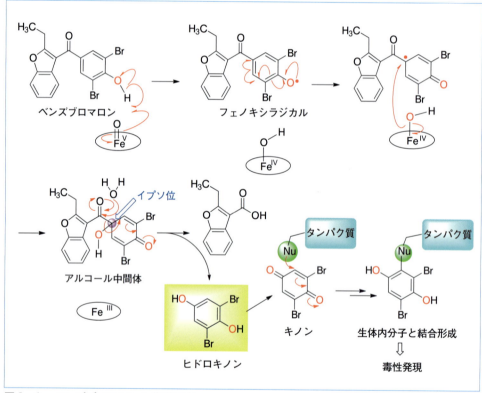

図2-6　ベンズブロマロンの代謝反応

おわりに

「代謝化学」という言葉を聞くと，筆者らには廣部雅昭先生の温和な笑顔が重なる。廣部先生は昭和51年に東京大学薬学部の新たな研究室として薬品代謝化学教室を立ち上げた。その際，製剤学教室の花野学先生の薬物動態学とお互いのすみ分けをしたそうである。学部の講義は薬物動態学のなかの代謝化学を中心とし，研究については有機化学を基盤とした薬物代謝および関連する生体内反応の分子機構解明とその応用展開を方針としたとのこ

と[12]。創薬の成否を決める代謝化学研究の重要性を40年以上も前に見抜いた廣部先生の見識を改めて評価すべきと思う。さまざまな薬物動態系の著書や教科書，論文があるが，薬物代謝には有機化学反応として理論的に解明されていない部分が多い。この分野についても，有機化学者が積極的に関わり，謎を解明していくべきである。廣部先生が拓いてくださった道を広げていく若い研究者が育っていってくれることを願う。

3．グレープフルーツジュースの謎

はじめに

「このお薬を飲むときは，グレープフルーツジュースを控えてください」と薬剤師から言われた経験がある方は意外と多いのではないだろうか。「たかだかジュースだろうに，何を大袈裟に騒ぐのか」と，ちょっとうっとうしく思ったり，「大好きなグレープフルーツジュースをもう飲めないのか」と寂しく思ったり，患者さんにとってはさまざまな受け止め方をされると思う。ことさらに医薬品との相互作用が取りざたされ，薬剤師国家試験問題においても頻繁に登場するグレープフルーツジュースについて，その科学的な検証がどの程度なされているのか，有機化学の観点から考える。

1．消化管での代謝

そもそも，グレープフルーツジュースがこのように大きく注目されるようになったのは，高血圧の薬であるフェロジピン（**図3-1**）に対するお酒（エタノール）の相互作用を調べる臨床試験[13]がきっかけだった。このとき，アルコールの存在が患者にわからないように，また，口当たりをよくするために，グレープフルーツジュースを加えてお酒の味を消す工夫をした。不思議なことに，お酒の有無にかかわらず，グレープフルーツジュースを飲んだ被験者ではフェロジピンの効果が非常に高く出て，血圧が下がりすぎる副作用が認められた。これにより，お酒ではなくグレープフルーツジュースそのものがフェロジピンの血中濃度を高めて作用を増強させていることが示唆された。こうして，医薬品とグレープフルーツジュースとの相互作用が注目されるようになり，関連する薬物動態研究が盛んに行われるようになった[14]。

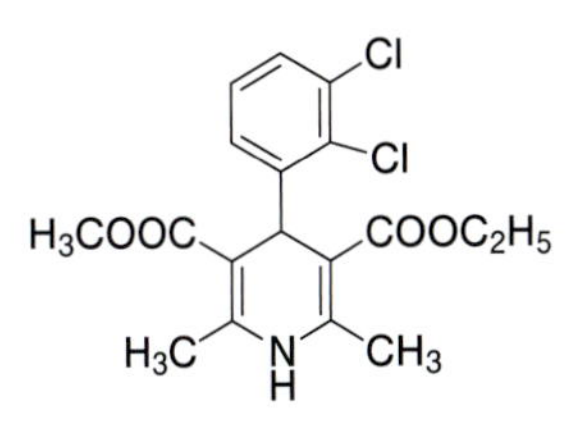

図3-1　フェロジピン

フェロジピンがカルシウム拮抗薬であることから，そのほかのカルシウム拮抗薬について検討され，その多くにグレープフルーツジュースとの相互作用が認められた。さらに，

そのほかの医薬品についても調べられた結果，主にシトクロムP450[15]のうちのCYP3A4によって代謝される薬物が問題であることがわかった。CYP3A4は肝臓および小腸上皮細胞に存在するが，薬物を静脈内投与したときにはグレープフルーツジュースの飲用による薬物動態の変化がほとんど認められなかったため，肝臓よりも小腸上皮細胞におけるCYP3A4の代謝活性がグレープフルーツジュースによって阻害されることが原因であるとわかった。つまり，経口投与後，消化管から吸収される際に小腸上皮細胞に存在するCYP3A4の代謝効果を大きく受ける薬剤について，グレープフルーツジュースの影響を注意すべきということになる。一般に薬物の代謝は肝臓で行われると考えられがちだが，小腸上皮細胞にも代謝酵素は多く存在し，薬物を体内に吸収する入り口のところで代謝反応を行っている。このような消化管での代謝は体内を循環する血液中に入る前の段階ではあるが，経口医薬品の体内動態に大きな影響を及ぼす。例えば，アンピシリンのプロドラッグであるレナンピシリンで顕著である（**図3-2**）[16]。

　レナンピシリンはアンピシリンをエステル化しているため，脂溶性が向上し，膜透過性が170倍も高まったが，吸収率は期待されたほどではなく，2.5倍程度の向上にとどまった。その理由は小腸上皮細胞でのエステラーゼによる代謝効果が極めて大きく，血中に入る前の段階でエステルが加水分解されて膜透過性が低下するからと考えられている。なお，小腸上皮細胞におけるCYP3A4の量には個人差があり，量が多い人ほどグレープフルーツジュースの飲用によって医薬品との相互作用を受けやすくなる。おそらく，グレープフルーツジュースの飲用によって大きな影響を受ける人とそうでない人が存在することが予想される。

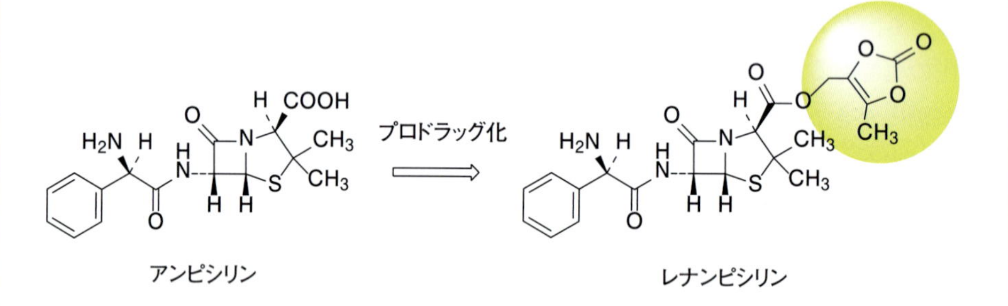

図3-2　アンピシリンのプロドラッグ化

2．グレープフルーツジュースのなかのCYP3A4阻害物質

　では，グレープフルーツジュースのなかのどのような化合物がCYP3A4を阻害するのであろう。オレンジジュースなどのかんきつ類ではこのような事象が認められないことから[17]，特にグレープフルーツジュースに豊富に存在する成分として，**図3-3**に示すフラボノイド誘導体（例：ナリンジン）とフラノクマリン誘導体（例：ベルガモチン）が原因物質

として予想された．前者のほうが多く存在するため，当初はフラボノイド誘導体が主因と考えられたが，フラボノイド誘導体はナリンジンのような配糖体として存在しており，脂溶性が低く小腸の上皮細胞への取り込みは観察されない．したがって，そこに存在するCYP3A4への阻害作用も期待できそうにない．実際，ナリンジンには*in vivo*でのCYP3A4阻害活性が認められず，フラノクマリン誘導体（ベルガモチン）のほうにCYP3A4阻害活性が認められた．**図3-3**のベルガモチンの構造からわかるように，フラノクマリン誘導体は脂溶性が高く酢酸エチルによって抽出することができる．つまり，小腸の上皮細胞に取り込まれやすく，CYP3A4阻害活性を示すと考えられる．

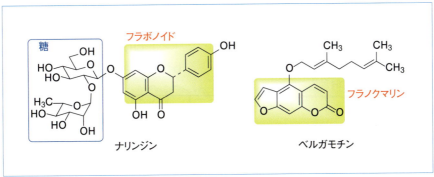

図3-3　フラボノイド誘導体とフラノクマリン誘導体

　一番多くフラノクマリン誘導体を含むのはグレープフルーツの果皮であり，続いて果肉である．果物の産地や季節，製造法などによって異なるが，グレープフルーツジュースには1リットル当たり10～40mg程度のフラノクマリン誘導体が含まれている．なんだ，それほど多くないな，と思われるかもしれないが，グレープフルーツジュースに含まれる多種類のフラノクマリン誘導体のどれかがCYP3A4に対する非常に高い阻害活性を有していれば，それがごく微量であっても医薬品との相互作用を引き起こす原因になりえる．このような観点からグレープフルーツジュースに含まれるフラノクマリン誘導体を精査した結果，特に高い阻害作用を示す化合物として，ベルガモチンおよび6',7'-ジヒドロキシベルガモチンの二量体であるGF-I-1およびその脱水体であるGF-I-4（**図3-4**）が見つかった[18]．福田らの分析では，これらは果肉中に最も多く存在しているがごく微量であり，GF-I-1は599ng/g，GF-I-4は489ng/gと報告されている[19]．

　太田らの報告[20]によれば，GF-I-1およびGF-I-4のCYP3A4に対する阻害活性は両者ともにIC$_{50}$が0.07μMである．この値は，CYP3A4を阻害することで有名なケトコナゾール（IC$_{50}$は0.11μMである）と比較しても遜色ない．GF-I-1およびGF-I-4を構成する単量体であるベルガモチンや6',7'-ジヒドロキシベルガモチンのIC$_{50}$がそれぞれ0.20μM，2μM[21]であるので，二量体化の効果が大きいのではないかと予想される．これらの化合物は化学的な安定性にやや欠けるようで，太田らは化合物を乾燥させると高分子化しやすいことも報告している[20]．これらの実験はCYP3A4酵素を使った*in vitro*のものなので，果たして飲用さ

れたグレープフルーツジュース中のGF-I-1およびGF-I-4がどのようなかたちで小腸の上皮細胞へ取り込まれてCYP3A4阻害活性を示すのか，まだ若干の疑問は残るように感じる。

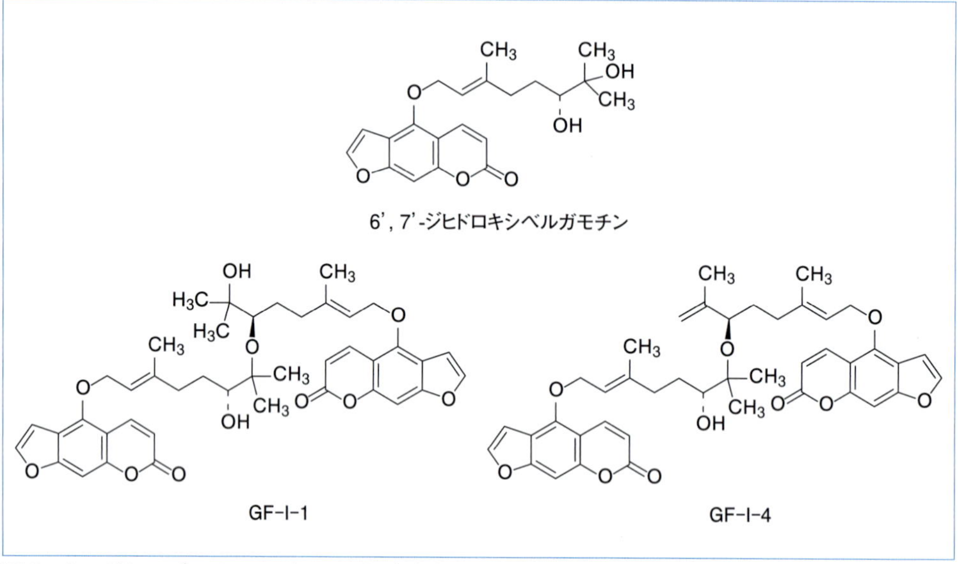

6′, 7′-ジヒドロキシベルガモチン

GF-I-1

GF-I-4

図3-4　グレープフルーツジュースに含まれるフラノクマリン誘導体

3．フラノクマリン誘導体によるCYP3A4阻害のメカニズム

　最後に，原因物質として特定されたフラノクマリン誘導体がCYP3A4を阻害するメカニズムについて考察する。すでに[15]とりあげたように，シトクロムP450であるCYP3A4の活性中心では，ヘム鉄に酸素分子が結合して酸化反応が進行する。この酸素分子の鉄への結合を妨げるような官能基としてイミダゾールやトリアゾールが知られており，これらを含む医薬品であるシメチジンやケトコナゾールはシトクロムP450を阻害することで有名である[15]。では，フラノクマリンを構造中にもつ化合物はどうであろうか。**図3-3**に示すフラノクマリンの構造はイミダゾールやトリアゾールと異なり，CYP3A4の活性中心のヘム鉄に結合して酵素を阻害するとは考えにくい。現在では，フラノクマリン誘導体はMechanism based inactivatorであるとされている。つまり，フラノクマリン誘導体がCYP3A4によって代謝されて生成する活性代謝物が酵素を不活性化していると考えられているのである。この活性代謝物は構造も明らかにされておらず，CYP3A4にどのように作用するのか，詳細は示されていないが，ヘム鉄以外のアポタンパク質において酵素の活性に関わるサイトを修飾し，不活性化を引き起こしている可能性が示唆されている[22]。

　フラノクマリン誘導体のCYP3A4阻害作用については，「不可逆的な阻害である」と薬剤師や医師のブログ，成書，原著論文などに記されている。しかし，今回，筆者らが文献などを調べた限りでは，有機化学の観点から納得できる不可逆的阻害のメカニズムが明確に提示されたものはなかった。おそらく，フラノクマリン誘導体の1つであるキサントト

キシン（Xanthotoxin, 別名 8-methoxypsoralen）（**図3-5**）によるCYP3A4に対する作用を検討した論文[23]において不可逆的阻害であることが強調されたのが原因かと思われる。

　キサントトキシンは光線治療に用いられる化合物であり，関連してUV光照射下でのタンパク質との結合形成が調べられている。1990年に報告されたこの論文中ではCYP3A4とキサントトキシンの相互作用について，CYP3A4のアポ

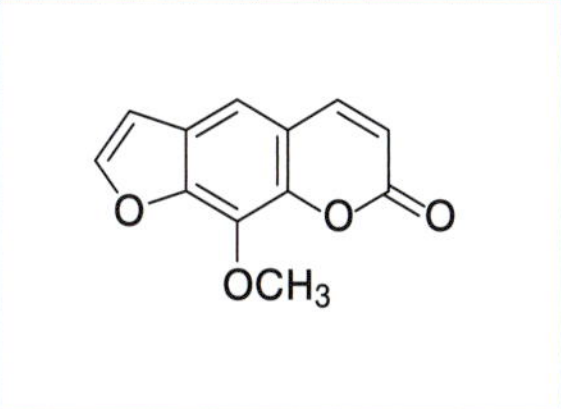

図3-5　キサントトキシン

タンパク質におけるシステイン残基の関与などが推定されているが，確証は得られていない。Mechanism based inactivatorだから，と言われても，代謝活性物の化学構造が明らかにされないとなんとも落ち着かないものである。また，活性代謝物がどのような有機化学反応によって標的分子と共有結合を形成し，不可逆的阻害をするのか，その反応機構を知りたいと思う。「それこそ，お前がやれよ」と読者の皆様の声が聞こえてきそうであるが，今のところはグレープフルーツジュースの謎としておくしかない。

おわりに

　「グレープフルーツジュースを控えてください」と薬剤師が患者さんに言うその一言が気になって背景を調べてみた。ステレオタイプなセリフを軽く言われても，患者としては困ってしまうのである。薬剤師の一言が患者さんにどのような思いを呼び起こすのか，そのあたりを十分にくみ取っていただきたいと思う。グレープフルーツジュースによるCYP3A4阻害は飲用後4時間で生じ，その効果が3～4日持続するという報告もある[14]。たいへん多くの医薬品がCYP3A4によって代謝されること，治療域の狭い医薬品や，高血圧治療薬のように毎日服用し続けねばならない医薬品も多いことなどを踏まえたうえで，どのような服薬指導をしたらよいのだろう。一方で，小腸の上皮細胞におけるCYP3A4の代謝活性には個人差があること，さらには，酵素阻害のメカニズムも完全には明らかにされていないことなど，グレープフルーツジュースをめぐる多くの研究課題が残っている。食品と医薬品の相互作用については澤田康文先生らが精力的に研究しているが[14]，ここでも有機化学が貢献できることはまだまだたくさんある。まずは，フラノクマリン誘導体の活性代謝物の化学構造を明らかにするところから手を付けられないかと考えている。

4．プロトンポンプ インヒビターはプロドラッグではないのか?

1．プロドラッグとは

　最近，薬剤系研究者から，「抗潰瘍薬であるプロトンポンプインヒビター（以下，PPIと

略す）はプロドラッグとはいわない」と言われ，たいへんなショックを受けた。ここ十数年にわたって，医薬品化学の授業では，「PPIは一種のプロドラッグである」のは当然のこととして講義していたからである。調べてみると，確かに，薬剤系関係の教科書では，1958年にAlbertによって提唱された概念に基づいて，プロドラッグとは，「作用が既知である親化合物の誘導体であり，それ自身の薬効はないか，あるいは親化合物に比べて，体内で酵素的あるいは化学的に活性のある親化合物に変換されるもの」として定義されている。この定義によれば，PPIはプロドラッグには該当せず，薬剤系の教科書にはプロドラッグの具体例としても取り上げられていない。しかし，やはり有機化学の立場からは，プロドラッグと呼ばせてもらいたい。以下，PPIについて有機化学の立場から概観し，皆様のご一考を願うものである。

2．プロトンポンプインヒビター

抗潰瘍薬は，はじめにヒスタミンH₂受容体拮抗薬が誕生し（1972年発明，1976年発売），その後，プロトンポンプ阻害という新たな作用機序による胃酸分泌抑制剤（PPI）が開発された。その第一号がオメプラゾールである（1979年発明，1988年発売）。これを端緒にして，**図4-1**に示すように，オメプラゾールと類似する化学構造をもつランソプラゾール，ラベプラゾール，パントプラゾールが開発された。これらは共通構造として，S-オキシド構造をもつ。S-オキシドのイオウ原子は不斉中心となる（S-オキシドの不斉については第Ⅰ部第1章のコラム7（P.37）で解説した）ので，これら化合物には鏡像異性体（光学異性体，エナンチオマー）が存在するが，いずれもラセミ体（R体とS体の1：1混合物）として開発された。最近になり，オメプラゾールおよびランソプラゾールについては，各々，光学活

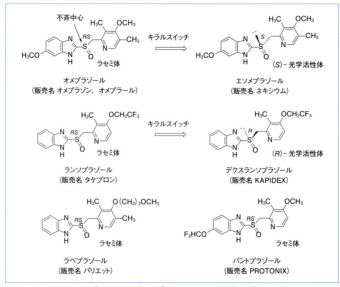

図4-1　市販のプロトンポンプインヒビター（PPI）

性体であるエソメプラゾール，デクスランソプラゾールが上市された(**図4-1**)。

　PPIは，胃酸分泌の最終ステップで機能している酵素，H^+, K^+-ATPase(プロトンポンプと呼ばれる)を作用標的とし，**図4-2**に示すような作用機序で酵素の働きを抑え，胃酸分泌を抑制する[24]。すなわち，PPIは小腸から吸収された後，血中から胃壁細胞に取り込まれ，分泌細管内に移行する。その酸性環境下においてプロトン化されたPPIは特異な分子内転位反応を起こし，スルフェンアミド体(以下，SAと略す)になる。このSAが活性本体であり，H^+, K^+-ATPaseのSH基とジスルフィド結合を形成することにより不可逆的に酵素の働きを阻害し，胃酸の分泌を抑える(**図4-2**)。

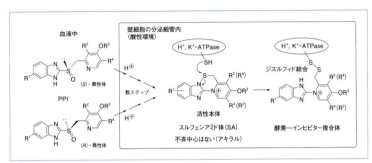

図4-2　PPIの作用機序

　実際に，PPIは酸に対して非常に不安定であり，SAを経て分解する。オメプラゾールの場合，半減期はpH7.4では20時間程度であるが，pH1では約2分間である。SAも不安定な化合物であるが，PPIから化学的に変換・単離され，構造決定もなされている[25, 26]。単離されたSAのH^+, K^+-ATPaseに対する阻害活性は，pHによらず一定の値を示すが，PPIそのものの活性はpH依存性があり，酸性度が高い条件下ほど活性が高まりSAの活性に近づく[24, 29]。一方，PPIの代謝物としては，**図4-3**のように，硫黄の酸化／還元化体，デメチル化体，水酸化体および酸化体などが体内(血中)から検出されているが，SAは検出されていない。これは，SAが，PPIから肝臓や血中で酵素の作用によりつくられるのではなく，酸性が強い分泌細管内でPPIから変換されて生じ，イオン化している構造のため膜透過性がほとんどないからである。

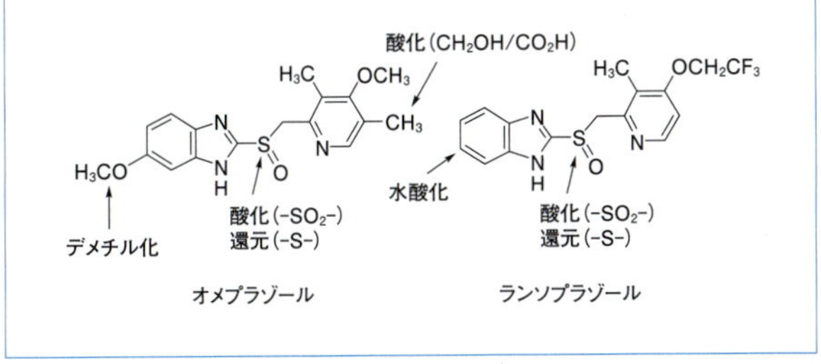

図4-3　オメプラゾールとランソプラゾールの主要代謝部位(→)

3. キラルスイッチ

　さて，活性本体であるSAは，不斉中心をもたないアキラルな化合物であり，**図4-2**に示すようにPPIのイオウ原子に関する(S)-および(R)-光学異性体の各々から同様に生成する。この結果，PPIの生物活性は，(S)-および(R)-光学異性体間で差がない。このようなことから，当初はラセミ体を光学異性体に分けて開発することは意味がないと考えられ，オメプラゾールをはじめとするPPIはラセミ体として開発されていた。しかし，最近になって，(S)-および(R)-光学異性体は，生物活性には差がないが，代謝の受け方が異なること，すなわち，薬物動態で用いる用語では，エナンチオ選択的な代謝を受けることが明らかになり，代謝を受けにくいエナンチオマーでの開発が検討されることになった。その結果，オメプラゾールおよびランソプラゾールについて，各々，光学活性体であるエソメプラゾール（2000年発売），デクスランソプラゾール（2009年発売）が世の中に出ることになった[24, 28]。たいへん興味深いことに，これら光学活性なPPIはそれぞれ逆の立体配置であり，エソメプラゾールのイオウ原子の不斉はS配置，デクスランソプラゾールのそれはR配置である（**図4-1**）。これは，薬物代謝研究により，オメプラゾールではS体がR体より代謝されにくく，一方，ランソプラゾールはその逆であることが明らかにされて選択された結果である。特に，ランソプラゾールではたいへん顕著なエナンチオ選択的代謝が認められており，ヒトでのランソプラゾール（ラセミ体＝R体＋S体）投与後の血中濃度（AUC）については，R体はS体より6〜12倍高い[28]。オメプラゾールとランソプラゾールの化学構造の違いがキラリティーも含んだ体内動態の差に影響していることは，医薬品の開発にあたっては薬物動態を忘れてはならない，と思わせる事例である。

　以上のように，PPIは典型的なAlbertの定義に当てはまるプロドラッグとは異なる。一方，PPIからSAへの変換は，酵素によるのではなく，化学反応によって起こるので，SAを活性代謝物というのも妥当でない。PPIは，それ自身は活性体ではなく，胃壁細胞に取り込まれて分泌細管内に移行し，その酸性環境下において化学変換されて生成するSAが活性本体であり，H^+, K^+-ATPaseの働きを阻害し，胃酸の分泌を抑える。これは，標的組織活性化型の究極のプロドラッグと呼ぶのがふさわしいと思うのだが，いかがであろうか？

コラム4　PPIの不斉合成

　PPIは抗潰瘍薬として画期的な発明であるだけでなく，S-オキシドという特異な構造をもつ化合物の創製としても有機化学の進歩に大きな寄与をなしている。イオウ原子の不斉は，有機化学の専門家にとっても比較的馴染みが薄い化学であり，例えばイオウ原子の不斉の立体化学・安定性やS-オキシドの立体選択的な合成反応などはあまり知られていない。PPIの開発は，1）S-オキシド体が酸性条件下，予期できない興味深い転位反応によって活性本体に変換されること，2）S-オキシドの非共有電子対を含む不斉が，異性化されにくく安定であることを示したこと，3）光学活性なS-オキシドの合成には，K. B. Sharpless（ノーベル化学賞受賞）らによって報告されてい

るチタニウム触媒と光学活性な酒石酸ジエチルエステルを用いる触媒的不斉酸化が適用され，実用化に成功していること（**図4-C1**）[a,b] など，有機化学の分野においてもたいへん価値ある成果を含んでいる。

[a] H. Cotton, T. Elebring, M. Larsson, L. Li, H. Sörensen, S. v. Unge, *Tetrahedron:Asymmetry*, 2000, 11, 3819-3825. なお，エソメプラゾール（販売名 ネキシウム）は1/2Mg^{2+}塩・3水和物として製品化されている。その比旋光度[α]$_D$は−140.9（1% MeOH）を示す。

[b] A. Fujishima, I. Aoki, K. Kamiyama, US 6462058 B1, 2002.

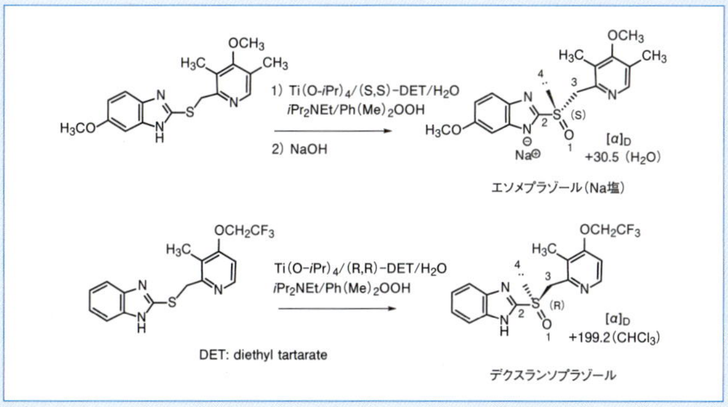

図4-C1　キラルPPIとその実用的な不斉酸化反応[a,b]

5．キラルスイッチ医薬品を考える

はじめに

　すでに紹介した（本書第Ⅰ部第1章-7., P.35）ように，現在の医薬品開発にはキラリティーが重要な課題となっている。一組の鏡像異性体（エナンチオマー）は生体分子（酵素や受容体）によりそれぞれ異なる化合物として認識されており，多くの場合，生物活性などが異なる。したがって，科学的な面からは，望ましい性質（強い生物活性，低毒性，ADMEなど）を有する一方のエナンチオマーを医薬品として開発することが望まれる。しかし，キラル化合物の選択的な合成法や工業的製造法のバリアは依然高いので，ラセミ体の形で開発されるケース，あるいは不斉のないアキラルな化合物の開発が行われているのも現実である。キラル医薬品の開発の1つとして，従来ラセミ体で使用されてきた医薬品の一方のエナンチオマーを開発する方法［キラルスイッチ（あるいはラセミックスイッチ）と呼ばれる］が用いられてきた。キラルスイッチについては，前項でPPI（オメプラゾール，ランソプラゾール）について述べたが，ここではその一般的な現状を記す。

1. キラルスイッチの先駆け：オフロキサシンからレボフロキサシン

オフロキサシン(OFLX)からレボフロキサシン(LVFX)の開発はキラルスイッチの先駆けとして高い評価を得ている(**図5-1**)。OFLXは第三世代のキノロンカルボン酸系の合成抗菌薬であり，1985年に開発され［開発：第一製薬(現・第一三共)，販売名：タリビッド］，医療現場で広く使用された。抗菌薬の開発では，耐性菌の出現により製品のライフサイクルが短いことや，獲得した市場を維持する必要性から，後継品の開発は急務である。しかし，新たな抗菌薬の開発は難航した。一方，当時はサリドマイド薬害を契機として，キラリティーをもつ化合物を医薬品として開発する際，ラセミ体として開発することの問題点に注意が喚起されるようになった時代でもあった。OFLXには不斉炭素が1個存在し，ラセミ体として開発されていたが，このエナンチオマーの抗菌作用に関心がもたれた。1980年代は，光学活性体を分離・分析する方法も未成熟な状況であったが，使用され始めたばかりのキラルカラムを用いたHPLCによりOFLXの光

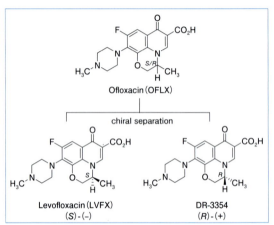

図5-1　オフロキサシン，レボフロキサシン，DR-3354

学分割に成功し，一方の光学活性体［(S)-(-)体］に優れた資質が見出された。これが1993年に発売されたレボフロキサシン(LVFX)(販売名，クラビット)である。**表5-1**にラセミ体(OFLX)，(S)-(-)体(LVFX)，およびその(R)-(+)異性体(DR-3354)の抗菌活性，毒性，および物理化学的性質を示す[29]。表から，OFLXおよびDR-3354に比べて，LVFXに明らかな優位性を見ることができる。例えば，抗菌活性は，LVFXに強い活性が認められ，その鏡像異性体であるDR-3354は弱い活性しか示さない。酵素が分子のキラリティーを認識していることを示す見事なデータである。物性面でも，光学活性体は，ラセミ体(OFLX)と同等の脂溶性(分配係数)を示すが，水に対する溶解性は約10倍も向上するという望ましい性質を示した。さらに，OFLXには克服すべき問題として不眠という副作用があったが，動物実験により，LVFXはOFLXやDR-3354に比べて不眠の作用は最も弱いというデータも得られた。LVFXのこれらの優れた資質は，臨床試験においても反映され，LVFXはOFLXに比べて半量で同程度の治療効果を示し，不眠の副作用の発現率は1/3に減少した。
LVFXの工業的な合成では，非天然系の(R)-乳酸メチルエステルを原料として用いるルートが開発された。この(R)-乳酸メチルエステルは，野依良治先生のノーベル化学賞の受賞対象となった，BINAP-Ru錯体を触媒とする不斉還元技術が用いられている。このように，キラルスイッチによるLVFXの創製は，科学面からも非常に価値の高い成果であり，

世界に誇る日本発の医薬品の1つとなった。

2．そのほかのキラルスイッチ医薬品

表5-2，および図5-2に，2001年以降米国FDAで認可された代表的なキラルスイッチの例を化学構造式とともに示した[30]。医薬品分子の形に興味をもっていただければ幸い

表5-1　オフロキサシン，レボフロキサシン，DR-3354の抗菌活性と物理化学的性質

	オフロキサシン ラセミ体	レボフロキサシン (S)-$(-)$体	DR-3354 (R)-$(+)$体
抗菌活性(MIC)(μg/mL)			
S. aureus 209P	0.20	0.10	25
S. faecalis ATCC 19433	3.13	1.56	>100
E. coli NIHJ	0.025	0.013	0.39
P. aeruginosa 08601	0.78	0.39	12.5
マウス急性毒性			
LD$_{50}$：mg/kg, i.v.	208	248	163
物理化学的性質			
比旋光度$[\alpha]_{10}^{23}$(0.05N NaOH)	−	−76.8	+76.7
融点(°C)	260〜270	225〜229	226〜230
分配係数	4.9〜5.1	5.1	5.1
水溶解度(mg/mL)	2.4	24.5	25.8

表5-2　キラルスイッチ医薬品(2001〜2018年，FDA認可)

No. (図2)	エナンチオマー医薬品 一般名(USAN)	販売名	製造・販売 企業名	承認年 (FDA)	適応症	ラセミ体医薬品 販売名	製造・販売 企業名
①	Dexmethylphenidate	Focalin	Novartis	2001	ADHD[1]	Ritalin	Novartis
②	Esomeprazole	Nexium	AstraZeneca	2001	gastroesphageal reflux desease and erosive esophagitis	Prilosec	AstraZeneca
③	Escitalopram	Lexapro	Forest	2002	major depression and depression maintenance in adult	Celexa	Forest
④	Eszopiclone	Lunesta	Sunovion[2]	2004	insomnia	Imovane	Rhône-Poulenc
⑤	Levalbuterol	Xopenex	Sunovion[2]	2005	asthma and COPD[3]	Ventolin	GSK
⑥	Arformoterol	Brovana	Sunovion[2]	2006	COPD[3]	Foradil	Novartis
⑦	Armodafinil	Nuvigil	Cephalon	2007	narcolepsy and shift work sleep disorder	Provigil	Cephalon
⑧	Levocetirizine	Xyzal	UCB, GSK Sanofi-Aventis	2007	seasonal allergic rhinitis, perennial allergic rhinitis, chronic idiopathic urticaria	Zyrtec	UCB, GSK
⑨	Levoleucovorin	Fusilev	Spectrum	2008	rescue after high-dose methotrexate therapy in osteosarcoma	Leucovorin	Pfizer
⑩	Dexlansoprazole	Dexilant	Takeda	2009	gastroesophageal reflux disease and erosive esophagitis	Prevacid	Takeda
⑪	Levomilnacipran	Fetzima	Forest	2013	major depression	Toledomin	PierreFabre, Janssen

[1] ADHD：Attention Deficit/Hyperactivity Disorder. [2] Former company name：Sepracor. [3] COPD：Chronic Obstructive Pulmonary Disease.

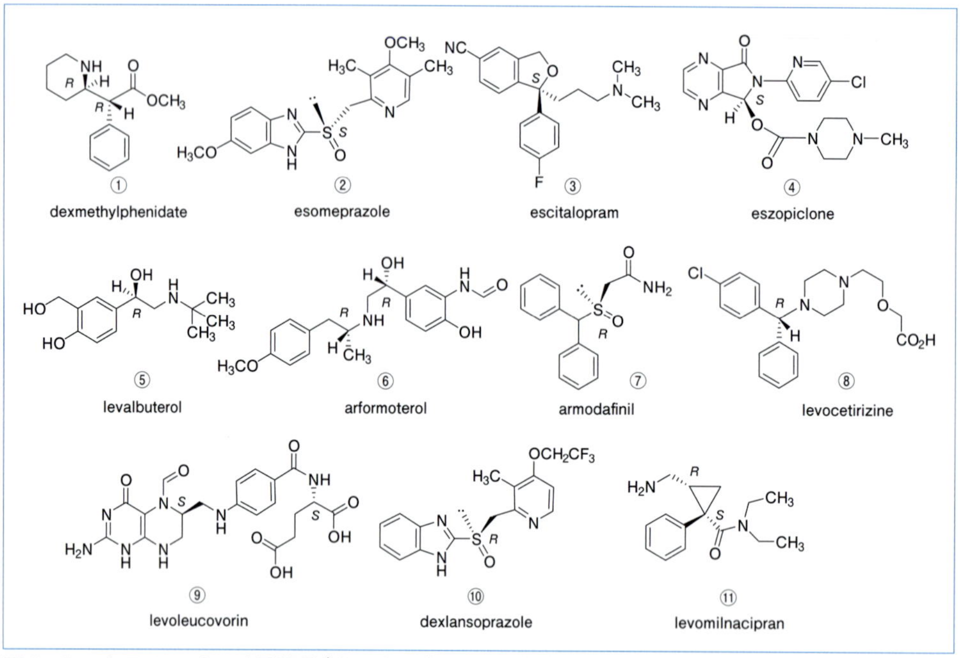

図5-2　キラルスイッチ医薬品（①～⑪：表5-2の化合物No.に対応する）

である。これら以外にも，米国では認可（販売）されていない医薬品（例，降圧薬amlodipine の(S)-(-)体，levamlodipine：インド，ロシアで販売）も多数ある。一時はラセミ体医薬品を開発した企業だけではなく，キラルスイッチを得意とする企業［例，Sepracor 社（Sunovion Pharmaceuticals）（2009年大日本住友製薬が買収）］も現れ，多くのキラルスイッチ医薬品が創出されたが，現在では主要なラセミ体医薬品はすでにキラルスイッチされており，新たな医薬品は少なくなっている。

3．キラルスイッチ医薬品に対する賛否の議論

(1)キラルスイッチの長所

　これまでに述べてきたように，医薬品が作用標的とする生体分子（酵素や受容体）はキラルであり，医薬品のキラリティーもそれらによって区別して認識されている。有効性，安全性（毒性），薬物動態（ADME）などの面から，エナンチオマーの一方を開発することは，理想の医薬品開発である。ラセミ体は，本来望ましくないエナンチオマーを含むので，キラルスイッチは科学的な根拠があるといえる。先述のようにレボフロキサシンでは，ラセミ体（オフロキサシン）に比べて，同等な臨床効果を示す用量は半量となり，さらに副作用（不眠）の軽減も見出された。キラルスイッチの好例である。副作用に関しては，過去のキラルスイッチのうち，パーキンソン病の治療薬levodopaは，それまでに用いられていたラセミ体のdopaに比べて副作用発現が少なく，高用量での使用が可能になった例もある。

創薬を目指す医薬品化学　**第Ⅱ部**

(2)キラルスイッチの問題点と現実

このような科学的な根拠があるにもかかわらず，キラルスイッチ医薬品に対する批判は多い。第一は，キラルスイッチが，企業の特許切れ対策あるいは製品の寿命延長策（life cycle management：LCM）として用いられているという指摘である。ただし，ラセミ体の特許がある場合，通常はその明細書中にキラル化合物に関する記載もなされ，単純に活性が２倍強いというような予測できるデータだけでは，エナンチオマーの特許性は主張できないとされており，新たな権利化は容易ではない。これら特許対策あるいはLCMとしてのキラルスイッチは，企業活動としてやむを得ない面もあるが，それ以上に問題点としてあげられるのが，キラルスイッチによって開発された医薬品の多くは，それまでに使用されてきたラセミ体に比べて臨床的に優位性がないという厳しい批判である。実際に，キラルスイッチを目指す際の臨床試験では，ラセミ体と比べてエナンチオマーの優位性が統計的に明らかにされていない場合が多い，と指摘されている[31]。ラセミ医薬品と比べて，薬価も高く，用量も，本来はラセミ体の半量でよいはずのものが，同等かそれ以上としていることが多いようである。総合的に，患者へのメリット（費用対効果）あるいは医療経済面で，キラルスイッチ医薬品はラセミ医薬品と比べて優位性がない，という論調の記事が多い[31]。

近年では，キラルテクノロジーの進歩もあり，有用性の高い，一方のエナンチオマーの開発（工業的な合成）が可能になってきている。多くの製薬企業ではキラリティーをもつ医薬品の開発を避けるのが現実的な対応となりつつあるが，キラリティーから逃げない新薬開発への挑戦を期待したい。

コラム5　キラルスイッチ医薬品の名称

キラルスイッチ医薬品（一方のエナンチオマー）について，米国一般名の命名には，USAN（The United States Adopted Name）Councilによる基本ルール*があり，下記のような構造的特性［絶対配置（*R/S*）と旋光性（+/−）の組み合わせ］をもとにして，es-, ar-, lev-/levo-, dex-/dextro-をラセミ体の一般名の接頭辞として付す，とされている。

　　　es-：(*S*)-isomer, dextrorotatory(+)= (*S*)-(+)　　　　　（例，escitalopram）

　　　ar-：(*R*)-isomer, levorotatory(−)= (*R*)-(−)　　　　　（例，armodanifil）

　　　lev-/levo-：(*S*)-isomer, levorotatory(−) = (*S*)-(−)　　（例，levofloxacin）

　　　dex-/dextro-：(*R*)-isomer, dextrorotatory(+)=(*R*)-(+)　（例，dexlansoprazole）

*一部このルールに合致しない接頭辞を用いた医薬品もある［例，levalbuterol（**図5-2**のNo.5）は(*R*)-(−), levocetirizine（**図5-2**のNo.8）は(*R*)-(−)］。これらは下記のINNsのガイダンスに従って命名されていると推測される。

一方，WHOのINNs（International Nonproprietary Names）（国際一般名）では，接頭辞は，旋光性（+/−）をもとにしてlevo（−）体にはlev-/levo-を，dextro（+）体にはdex-とするというガイダンスとなっている。

175

6. くすりの効くかたち：軸不斉と医薬品

はじめに

　薬の効くかたちを理解するための化学として，前項および本書第Ⅰ部第1章-7.(P.35)でキラリティー(不斉)を中心に解説し，近年の医薬品開発では，化合物に不斉がある場合には一方のエナンチオマーを開発することが一般的となっていることを述べた。また，ラセミ体を光学活性体として新たに開発するキラルスイッチが行われていることは，前項で述べたとおりである。一方，化合物のもつ化学的な特殊な性質により，ラセミ体として開発されている例もある。そのような医薬品に，ドネペジル(販売名：アリセプト)(**図6-1**)[32a]やピオグリタゾン(販売名：アクトス)(**図6-2**)[32b]がある。これらは，各々のエナンチオマーが，図に示すように互いに異性化(ラセミ化)しやすい性質をもつので，体内でも異性化が進み，生物作用や体内動態が同等であるという性質を確認してラセミ体として開発されている[32]。

　さて，本書第Ⅰ部第1章-7.(P.35)および第Ⅱ部第2章-5.(P.171)で述べたように，医薬品の作用は，医薬品と生体内のターゲット分子(受容体・酵素など)との相互作用により発現される。アミノ酸や糖，脂質などから構成される生体内のターゲット分子はキラルなので，医薬品のキラリティーは生体によって厳密に認識されている。これら医薬品中に存

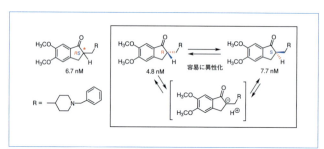

図6-1　ドネペジル(アリセプト®)：ラセミ体として開発
　　　数値はanti-AChE activity：IC$_{50}$

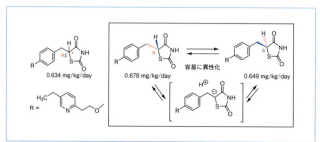

図6-2　ピオグリタゾン(アクトス®)：ラセミ体として開発
　　　数値は血中グルコース低下作用（WF rat）：ED$_{25}$

在するキラリティーのほとんどは不斉炭素や不斉イオウ原子（例，抗潰瘍薬PPI：プロトンポンプインヒビター）など，結合する置換基がすべて異なる原子（不斉原子）の存在によるものである。これらは本書第Ⅰ部第1章-7.(P.35)で解説した中心不斉である（**図6-3**）。

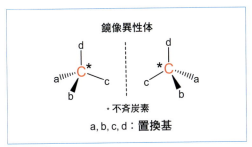

図6-3　中心不斉
炭素原子以外に，イオウ，リン原子なども不斉原子として存在し得る。

実は，分子がキラリティーを生じる要因は，中心不斉に由来するものだけではない。分子は一般的には柔軟性をもち，平面式では単一な形で表される分子も，結合軸の回転によりさまざまな立体的な形（コンホメーション：立体配座という）をとり得る。例えば，シクロヘキサンのいす形と舟形はこのような立体配座異性体の典型的な例である（**図6-4**）。

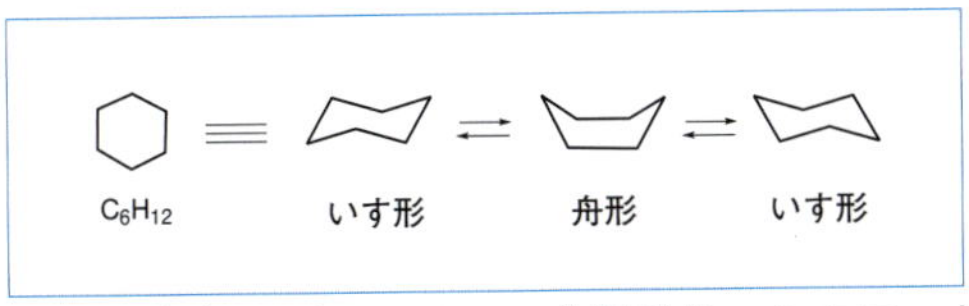

図6-4　立体配座（コンホメーション）異性体：シクロヘキサンの例
いす形は舟形より 21 kJ/mol(5 kcal/mol)安定。

キラリティーは，分子が平面性を崩した（対称性を欠いた）ときに生じ得るので，立体配座異性体も，光学異性体（鏡像異性体）の関係にある化合物として存在する場合がある。このような異性体に，「軸不斉」異性体がある。軸不斉は，医薬品化学（創薬化学）研究者にとっても見過ごしがちなキラリティーであるが，くすりの効くかたちを理解するという観点からもたいへん重要である。今回は，「軸不斉」という概念を解説する。軸不斉は，最近の新薬創製でも重要な課題となっている[33〜35]ので，理解していただければ幸いである。

1．軸不斉とは

軸不斉とは，立体配座（コンホメーション）の変化の際，原子の結合軸周りの回転が立体障害を受けて制限されて生じるキラリティーである。英語では，axial chirality（axial は軸を意味する）といわれる。その異性体は軸不斉異性体［英語では，axial isomer または atropisomer（tropは回転を意味し，aはその否定を意味する接頭辞：すなわち，回転しな

い異性体）〕と呼ばれる。図6-5にその概念を理解しやすくするため，2個の平面が結合した化合物として模式的に示し，代表化合物例であるビフェニル誘導体を示した。この赤線で示した結合軸の自由回転が妨げられることによって軸不斉異性体が生じる（軸不斉異性体の表示には，R/S表示に軸（axis）を示すaを付けて，aR/aSを用いる）。

軸不斉は，立体配座の変化に基づく不斉であるので，中心不斉とは異なる動的なキラリティーである。したがって，両異性体（鏡像異性体）は，回転が容易であ

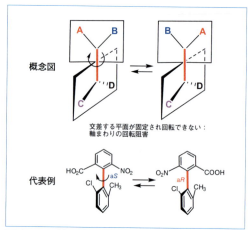

図6-5　軸不斉の概念図と代表例（ビフェニル化合物）

れば分離することはできないが，図6-5の置換基（A～D）が立体的に大きく，結合軸の回転が障害されるような場合は分離・単離される。軸の回転（＝コンホメーション変化）は，両異性体の活性化自由エネルギー障壁（$\Delta G^{\ddagger}$）に依存するので，温度によっても影響を受け，室温で異性体（エナンチオマー）を分離・単離できるエネルギーバリアーは約100 kJ/mol（24 kcal/mol）である。すなわち，$\Delta G^{\ddagger}$が100 kJ/mol以上の場合は，室温で化合物はラセミ体として存在することになるが，室温以上に温度を上げればそれらの両異性体は異性化しうる。逆に，温度を下げれば，両異性体はより安定に存在することになる。

2．BINAP：野依触媒と軸不斉

軸不斉異性体として，最もよく知られている化合物がBINAP〔バイナップ，化学名：2,2'-ビス（ジフェニルホスフィノ）-1,1'-ビナフチル；(2,2'-bis (diphenylphosphino)-1,1'-binaphthyl)〕である（図6-6上）。BINAPは，図に示したように，2個のナフチル基が単結合でつながれた1,1'-ビナフチル誘導体である。2個のナフチル基の平面は，大きな置換基であるジフェニルホスフィノ基とペリ位の水素の立体障害により，ナフチル基間の結合軸の回転が制限され2個のナフチル基の平面が成す角度は約90°に固定され，2種のエナンチオマー，（aRおよびaS）-異性体，が存在する。このBINAPのエナンチオマーの一方と，ルテニウムやロジウム，またパラジウムのような遷移金属を中心とする錯体は，不斉合成における触媒として広く用いられ，多くのエナンチオ選択的な反応が開発されている。例えば，BINAP-RhやBINAP-Ru不斉水素化（野依不斉水素化反応）は野依良治先生らによって開発され，野依先生はこの功績により2001年のノーベル化学賞を受賞されている。

前項に述べたレボフロキサシンの工業的な合成では，BINAP-Ruを触媒として用いた不斉還元反応により，非天然系の(R)-乳酸メチルエステルが合成され，これを原料として用いるルートが開発された（図6-6下）。また，広く使われている香料・医薬品である(−)

-メントールも，BINAP-Rhを用いた不斉合成により工業化されている。

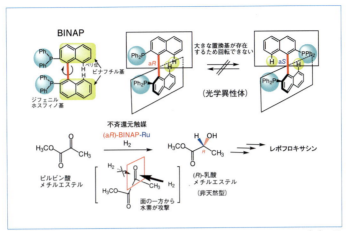

図6-6　BINAPと野依触媒［(aR)-BINAP-Ru］を用いた(R)-乳酸メチルエステルの合成

3．自然がつくり出す軸不斉

　このようなコンホメーションの変化により生じる軸不斉異性体は，いろいろな形で身近な分子に潜在しているが，見過ごされている場合も多い。天然物はその生合成過程でキラル化合物として生成されるのが一般的である。多くの場合は，中心不斉に基づくものであるが，軸不斉も隠れた形で存在している場合が多い。そのような天然生物活性化合物の例を，**図6-7**に示した。いずれも，赤線で示した結合軸に関する異性体が存在する。痛風治療薬として用いられている天然植物成分であるコルヒチン(**1**)は，7位の不斉炭素は(S)，軸周りのコンホメーションは(aS)をとる。この軸周りの不斉は中心不斉に規定される（連動して動く）ので，見過ごされがちである。また，ラジナールやラジニラム(**2**)もユニークな軸不斉構造をもつ天然アルカロイドである。この化合物も，不斉炭素(8R配置)をもつので，軸不斉は連動しており一方に偏っているが，軸不斉構造(aR)は理論上存在する。マリノピロール(**3**)は抗菌作用をもつ海洋生産物である。この化合物は，不斉中心を持たないが，2個のピロール間の軸不斉に基づく一方の異性体として生合成されている。この

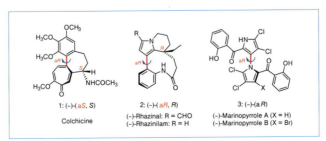

図6-7　自然がつくり出す軸不斉化合物例

ように天然物中には，軸不斉構造は多数存在しており，生物活性をもつ天然物の多くは，その鏡像異性体の一方に活性が存在する。

4．医薬品創製と軸不斉

　一方，軸不斉は，最近の医薬品創製において，中心不斉によるキラリティーと同様に注意を払われなければならない課題[33]にもなってきている。第1項で述べたように，軸不斉異性体は，両異性体の活性化自由エネルギー障壁（$\Delta G^{\ddagger}$）に依存し，$\Delta G^{\ddagger}$が約100 kJ/mol（24 kcal/mol）以上の場合は，室温でも化合物はラセミ体として存在し，両エナンチオマーが分離・単離される。最近の文献[33]によれば，軸不斉の存在が考えられる化合物について，$\Delta G^{\ddagger}$値を<20 kcal/mol（Class I），20〜30 kcal/mol（Class II），および>30 kcal/mol（Class III）のクラスに分けて開発の進め方の目安としている。すなわち，Class Iは異性化が速いためそのままの化合物で，Class IIIはエネルギーバリアーが極めて高く，異性化が起こらないので通常の中心不斉と同様に取り扱う（両エナンチオマーについて，薬効・動態・毒性などを調べて開発方針を決める）。Class IIは生体内における化合物の異性化・動態などを調べて開発の形態を判断する。

　筆者らは，過去にこのような軸不斉化合物の医薬品開発に関わった[34]。当時は，軸不斉と生物活性の相関研究例も少ない時期であり，以後，軸不斉に注意が払われるようになった最初の化合物でもある。以下に，研究開発の具体例として簡単に記す（**図6-8**）。図に示すように，NK$_1$受容体拮抗薬の探索研究の過程で，強力な受容体拮抗作用を有するアミド系化合物（TAK-622）を見出した。当初，TAK-622は不斉とは縁のない化合物と考えられていた。しかし，まったく想定外のことであったが，X線結晶構造解析やエネルギー計算などから，この化合物には安定な軸不斉異性体が存在すること，すなわちラセミ体であることが示唆された。実際に，TAK-622の軸不斉異性体間のエネルギー障壁は高く（$\Delta G^{\ddagger}$値は26 kcal/mol），エナンチオマーを分離・単離することができ，両異性体は生物活性も異なることが判明した。しかし，活性の強い一方の（a*R*）-異性体の選択的な合成が困難であったため，本化合物の臨床試験入りを断念した。幸いにして，TAK-622を環状化合物とし，環状部分（9位）にメチル基を導入し，中心不斉を組み込むことにより，活性型（a*R*）である一方の安定な軸不斉構造を誘起することに成功し，臨床試験入り化合物（TAK-637）の創製に至った（**図6-8**）。

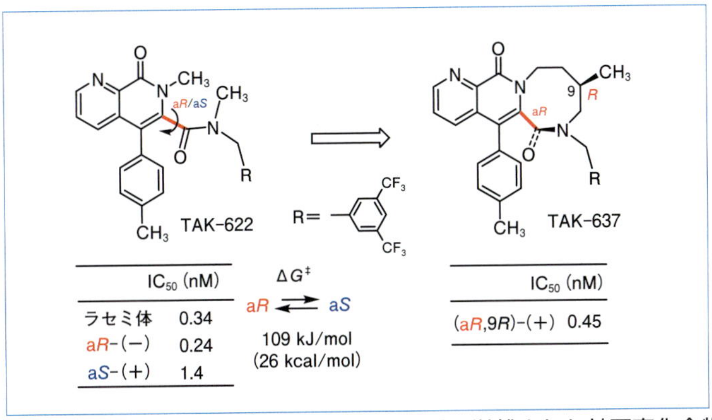

図6-8　NK$_1$受容体拮抗薬として安定な形で単離された軸不斉化合物

　このように，軸不斉の化学研究は，医薬品創製における課題となっているが[33), 35)]，一方，生物活性化合物の立体構造を明らかにし，生体との相互作用を解明して次の薬物のドラッグデザインに役立たせるという重要な基礎研究でもある。有機化合物がこのように動的なキラリティーをもつということは，平面構造式からは思い至らない，興味深い観点である。

7．添加剤を構造式で考える

はじめに

　先に[36)]，セルロースについてとりあげたが，その際に製剤学の教科書を眺めてみて，固形製剤に用いられる添加剤の化学構造式がまったく記されていないことに気づいた。例えば，ヒプロメロースやカルメロースはカタカナで教科書に書かれているが，その化学構造についてはまったく記されていない。つまり，薬学部の学生は呪文を唱えるようにこれらの添加剤を丸覚えしている可能性がある。

　このことを問題視してのことだろうか，第102回の薬剤師国家試験において**図7-1**のような出題がなされた。読者の皆様にはどのような感想をもたれるだろうか。

　この問題の答えについては後で述べるとして，かくいう筆者らも医薬品の製剤化に用いられる添加剤の化学構造について不勉強であるのは否めない。自戒の念も込めて改めて添加剤を化学構造式で考える。

　改めて製剤学の教科書を開くと，固形製剤に用いられる添加剤のなかにはセルロース由来のものがとても多いことがわかる。これは，われわれの身体が$_D$-グルコースのβ-1,4-結合によってできた高分子であるセルロースを代謝することができず，当然ながら吸収することもできないためと思われる。セルロース誘導体であれば，生体に作用することなく安全に体外へ排出されるので，毒性を心配する必要がないのである。エチルセルロース，

[問] 腸溶性コーティングを目的とした高分子の模式図として最も適切なのはどれか。1つ選べ。なお、模式図中の官能基については腸溶化の目的にかなう主要なもののみを示している。また、〜〜は高分子鎖を示している。

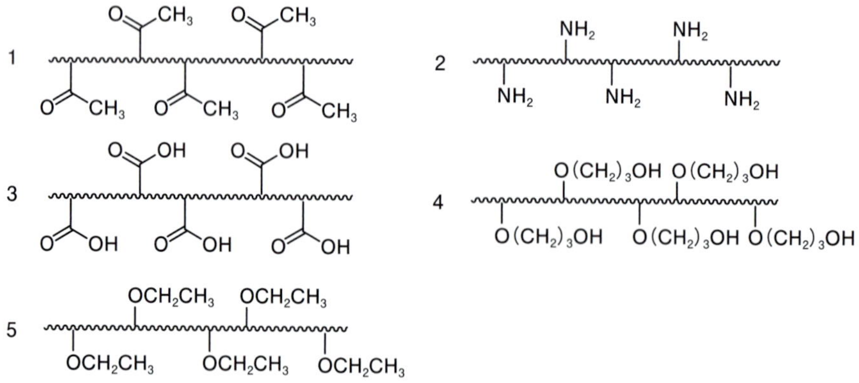

図7-1　腸溶性コーティング剤の構造を問う問題
(第102回薬剤師国家試験問題より)

ヒドロキシプロピルセルロース(HPC)，ヒプロメロース(HPMC)，カルメロースナトリウム(CMC-Na)，クロスカルメロースナトリウム，セラセフェート(CAP)，ヒプロメロースフタル酸エステル(HPMCP)，カルボキシメチルエチルセルロース(CMEC)など，すべてセルロース誘導体である。これらは，D-グルコースがβ-1,4-結合した高分子なので，単量体であるD-グルコースの2位，3位，6位の3カ所の水酸基が多種多様に官能基化されていることになる。すべての水酸基が完全に官能基化された場合，3カ所が置換されたという意味で置換度は3となるが，高分子であるこれらのセルロース誘導体には置換度の異なるものも多く存在するため，構造式で表すのが難しい。また，ヒプロメロースやカルメロース，セラセフェートなど，一般的な命名法からは逸脱した名前をつけられているものが多く，いったいどんな構造なのかわかりにくいのも問題である。これらのセルロース誘導体の特性を大きく2つに分けると，体内のpHにかかわらず物性を保つものと，pHに依存して物性を変えるものに分けられる。化学構造式に基づいてこれらの物性の違いを理解することは重要である。

1. pHにかかわらず物性を保つセルロース誘導体（HPC，HPMCなど）[37, 38]

エチルセルロースは，2位，3位，6位の水酸基に対して，後述するコラムに示すWilliamsonのエーテル化反応を行ってエチルエーテルを形成したものである（図7-2）。すなわち，水酸基を強塩基である水酸化ナトリウムと反応させてあらかじめナトリウムアルコキシド[39]に変換した後，ハロゲン化アルキルとの求核置換反応を行ってエーテルを得ている。エチルセルロースは，2位，3位，6位の水酸基がエチル化されたエーテル構造であるため，水には溶けずに有機溶媒に溶解する。

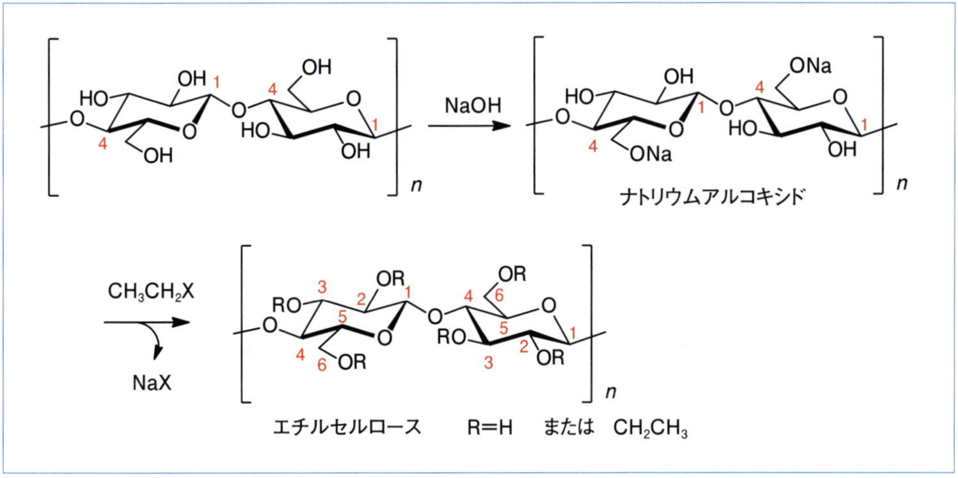

図7-2　エチルセルロースの合成と化学構造

　ここで気をつけなくてはいけないのは，D-グルコースの2位，3位，6位の水酸基の反応性はそれぞれ異なるので，誘導体化される位置は反応性にある程度従って分布する可能性があるということである。一般に6位には1級水酸基があるため，立体的には反応しやすいだろう。さらに，電子的な要因[40]によって2位の水酸基，3位の水酸基の順に反応性に差があるので，恐らく置換される位置の分布もこの順番であろう。

　ヒドロキシプロピルセルロース（HPC）は，エチルセルロースと同様にして調製されたナトリウムアルコキシドをプロピレンオキシドと反応させる（図7-3）。プロピレンオキシドは3員環のひずんだ構造を有するため，アルコキシドの求核攻撃を受けて容易に開環し，2級のアルコールを生成する[41]。このとき，プロピレンオキシド自身が重合する可能性もある。いずれにせよ，枝分かれしたプロパノール（2-ヒドロキシプロピル基）がD-グ

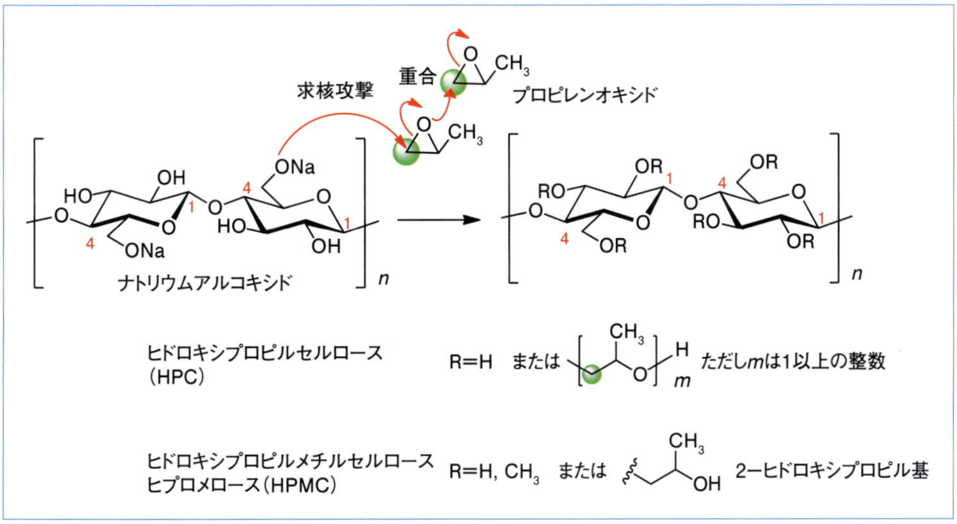

図7-3　HPC，HPMCの合成と化学構造

ルコースの2位，3位，6位に置換しているので，ヒドロキシプロピルセルロース（HPC）は水やアルコールに溶解する。一方，ヒプロメロース（HPMC），すなわち，ヒドロキシプロピルメチルセルロースの合成では，セルロースのナトリウムアルコキシドとメチルクロリドを反応させる際にプロピレンオキシドを加え，メチル基および2-ヒドロキシプロピル基が置換したセルロース誘導体を得ている。ヒプロメロース（HPMC）も水やアルコールに溶解する。これらのセルロース誘導体は，基本的には水酸基をアルキル化してエーテルを形成しているものである。アルキル基にさらに水酸基が置換しているヒドロキシプロピルセルロース（HPC）は，アルコール性の水酸基を有するが，アルコールのpKaは約16であるので，生体内ではpHにかかわらず，一定の物性（溶解性）を保つと思われる。

2．pHに依存して物性を変えるセルロース誘導体（CMC，CMEC，HPMCP，CAPなど）

カルメロース（CMC）は，カルボキシメチルセルロースのことである（**図7-4**）。セルロースのナトリウムアルコキシドをモノクロロ酢酸ナトリウムと反応させて求核置換反応を行い，D-グルコースの2位，3位，6位の水酸基をカルボキシメチル基に変換している。置換度が1より低いものが多いので，1級水酸基である6位が変換された誘導体が主だと考えられる。

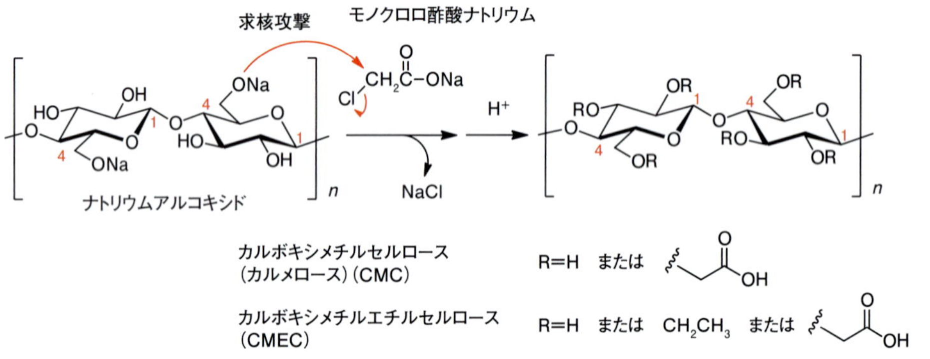

図7-4　CMCおよびCMECの合成と化学構造

カルボキシメチル基はカルボン酸としての性質をもつことが特徴である。一般にカルボン酸のpKaは4〜5であるので，pH2くらいの酸性の水溶液中では分子形（-COOH）で存在し，中性付近ではイオン形（-COO$^-$）で存在する。つまり，pHによって水溶性が異なる可能性がある。カルメロースのナトリウム塩であるカルメロースナトリウム（CMC-Na）も存在する。さらに，カルメロースナトリウムを架橋させたものがクロスカルメロースナトリウム（**図7-5**）である。クロスカルメロースナトリウムは架橋構造のため，水には溶けにくくなるが，大量の水を吸収し，膨潤するという特性をもつので，錠剤を崩壊させる用途（崩壊剤）で用いられる。

同様にカルボン酸を置換基にもつセルロース誘導体は多い。例えば、カルボキシメチルエチルセルロース（CMEC）は、カルボキシメチル基とエチル基によって置換され、カルメロース（**図7-4**）とたいへん近い化学構造をもつ。

このほか、フタル酸がモノエステル化したものもある。ヒプロメロースフタル酸エステル（HPMCP）は、前述のヒドロキシプロピルメチルセルロースにフタル酸エステルによる置換が加わった構造である。また、セラセフェート（CAP）はアセチルエステルとフタル酸エステルをもつセルロース誘導体である（**図7-6**）。

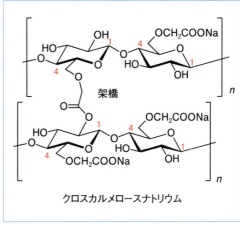

図7-5　クロスカルメロースナトリウムの化学構造

これらのセルロース誘導体はおしなべてカルボン酸をもち、pHによってイオン形（-COO⁻）と分子形（-COOH）に形を変える。胃内ではpH2程度の酸性下、分子形として存在し難溶性になるが、ほぼ中性の小腸ではイオン型になり水溶性を示す。このような物性を利用して腸溶錠のコーティング剤として用いられる。腸溶錠はその名のとおり、胃を通過して腸で溶ける必要性があり、pHの変化によって溶解性を変える特性を付与するためにカルボン酸の化学構造が利用されている（したがって、**図7-1**の国家試験問題はカルボン酸を有する**3**が正解である）。

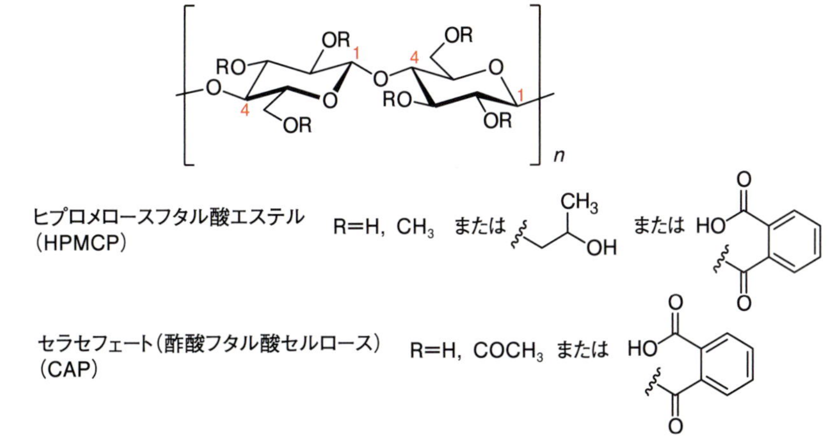

図7-6　HPMCPとCAPの化学構造

3．そのほかの添加剤（PVP，PEG）

　このほかにも添加剤は多く存在するが，名前から化学構造を類推しづらいものについてあげておく。ポビドン[42]（PVP）はポリビニルピロリドン，すなわち，1-ビニル-2-ピロリドンの重合体であり，水やアルコールに溶ける。一方，水溶性のポリマーであるマクロゴールはポリエチレングリコール（PEG）といったほうがわかりやすいだろう。マクロゴール400は平均分子量が400で液状である。一方，マクロゴール20000は平均分子量が20,000で固体である（図7-7）。

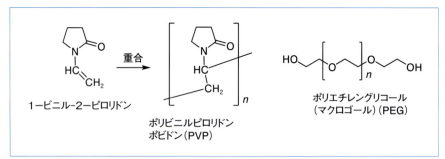

図7-7　PVPとPEGの化学構造

おわりに

　固形製剤に用いられる代表的な添加剤について，化学構造式を明らかにしてその物性を考えた。カタカナで書かれると化学構造がわからないため，その添加剤を使わねばならない理由がよくわからない。しかし，こうやって構造式を並べてみると溶解性や特性の違いを理解することができ，それらの製剤化における役割もみえてくる。先[36]にお名前をあげさせていただいた田村修先生はこの点に気づかれて，研究室の学生である永田拓海さんに卒業論文として取り組むよう指導されたそうである。有機系の教員の考え方も変わりつつある。どの分野でもよいので，薬学部の教科書においてこれらの添加剤の化学構造式を併記し，学生がより理解しやすい工夫をすることが必要だろうと思う。

コラム7　Williamsonのエーテル化反応

　あらかじめ，アルコールを強塩基と反応させてアルコキシドイオンを形成した後，ハロゲン化アルキルを加えてエーテルを合成する反応である。ハロゲン化アルキルの代わりにひずみをもつ3員環であるエポキシドとアルコキシドイオンを反応させると同様な反応機構でエーテル形成と同時にアルコールも形成される。このとき，エポキシドの立体障害の少ない側の炭素がアルコキシドの攻撃を受けて開環する[41]（図7-C1）。

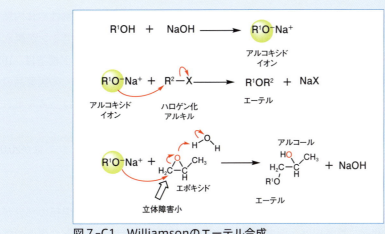

図7-C1　Williamsonのエーテル合成

8．スルホンアミド構造と医薬品

はじめに

　カルボン酸（RCO₂H）とアミンが脱水縮合して生成するアミド（**図8-1（a-1）**）は，多くの医薬品分子の構造中に含まれる基本的な官能基であり，ペプチドやタンパク質など生体成分を構成する部分構造として広く存在する[43]。アミドは，特異な立体構造や性質[44]をもち，

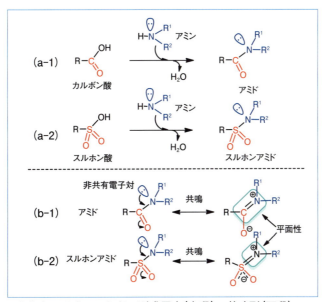

図8-1　アミドとスルホンアミド：形成反応（上段），共鳴形（下段）
　　　　形成反応では，実際にはカルボン酸，スルホン酸を活性化させてアミンと反応させる[46]。

医薬品の効くかたち（受容体や酵素と相互作用する）を制御し，ひいては溶解性や体内動態にも関わるたいへん重要な官能基である。一方，スルホン酸（RSO_3H）とアミンが脱水縮合した化合物がスルホンアミドである（**図8-1 (a-2)**）。このスルホンアミド構造は，1930年代に合成抗菌薬（サルファ剤）として医薬品に用いられて以来，非常に多くの医薬品の基本骨格あるいは置換基として利用されている重要な部分構造である。今回は，スルホンアミドの化学的な特徴と医薬品への適用を紹介したい。

1．アミドとスルホンアミド構造の比較

アミドの化学に比べると，その類縁体であるスルホンアミドの化学は未開拓の部分が多い領域である。最近，筆者らは，両者の立体化学を比較検討した[45]。アミドの構造や性質については，すでに[44]述べたが，**図8-1**の下段（**b-1**）に示すように，アミドの窒素の塩基性の要因になっている窒素原子の非共有電子対が共鳴により非局在化しているため，アミドの窒素原子は塩基性を示さない。このことは，アミドのC−N結合が二重結合性をもち，>N−C=O部分全体が平面性構造をもつことにもつながる。一方，類縁体のスルホンアミドでは，**図8-1（b-2）**に示すように，アミドと同様に，窒素の非共有電子対は共鳴により非局在化しており，窒素原子は塩基性を示さない。しかし，スルホンアミドでは，>N−S部分は二重結合性をもち平面性をもつことが示されたものの，スルホニル（$-SO_2-$）基の2個の酸素原子は，多くの場合，>N−S平面を挟む（またぐ）ように配置されていることがわかった。また，アミドとスルホンアミドのC=O基とSO_2基では，その大きさがかなり違う（例えば，原子量換算：C=O *vs* SO_2が28 *vs* 64からもイメージできるであろう）ので分子の立体構造に及ぼす影響について両者の差は顕著である。さらに，C=O基とSO_2基の電子求引性は後者のほうが大きいので分子の電子的な分布にも違いを生じる。特に，スルホンアミドの$-NR^1R^2$基のR^1，R^2がHである場合は，H^+を放出しやすくなり弱酸性を示すため，スルホンアミド（$-SO_2NH_2$）はカルボン酸（$-CO_2H$）のバイオアイソスター（生物学的等価体）[46]として機能する。また，スルホンアミドのSO_2基は強力な水素結合受容体[4,47]として機能する構造であり，生体（受容体・酵素）との相互作用はアミドとは異なる。スルホンアミドのこのような性質が，受容体や酵素との相互作用[4]に重要な役割を果たしている。

2．スルホンアミド系合成抗菌薬（サルファ剤）とその展開（利尿薬，糖尿病治療薬へ）

スルホンアミド構造をもつ代表的な医薬品には，合成抗菌薬，利尿薬，糖尿病治療薬がある。まず，それらを概説する。

(1)合成抗菌薬（サルファ剤）

1930年代，ドイツ人医師ゲルハルト・ドマークは，赤色のアゾ染料であるプロントジルに顕著な抗菌活性を見出した。作用機序の研究からプロントジル自体に活性はなく，アゾ

基 (-N=N-) が還元されて生ずるスルファミン (=p-アミノベンゼンスルホンアミド) が抗菌活性の本体であることがわかった (図8-2 (a))。以後, 4-アミノベンゼンスルホンアミド構造を母核とする合成抗菌薬が多数開発された (例, 図8-2 (b))。これらはサルファ剤と総称される。第二次世界大戦中, イギリスの首相チャーチルの肺炎がサルファ剤投与により治癒したことは有名である。

　スルファミンのスルホンアミド構造は, 前述したように弱い酸性をもちカルボン酸のバイオアイソスター[46]と考えることができる。スルファミンは細菌がテトラヒドロ葉酸を生合成する際に利用するp-アミノ安息香酸と類似した構造をもつ。そのため, 生合成に関わる酵素(ジヒドロプテロイン酸合成酵素)はスルファミンによって競合的に阻害され, 核酸塩基などの合成に必要な物質であるテトラヒドロ葉酸の生合成が滞るため, 細菌は増殖できなくなる (図8-2 (c))。近年では, 病原菌の多くがサルファ剤に対する耐性を獲得してしまったことや, ペニシリンなどさらに優れた抗生物質が多数現れたことから, サルファ剤の使用頻度は減少している。しかし, 一般用医薬品(外皮用剤や眼科用剤)ではまだ汎用されている。サルファ剤は, 感染症治療を切り拓いた先駆者ということができ, また, 以下に述べる利尿薬や糖尿病治療薬の創製につながった点においても極めて重要な医薬品である。

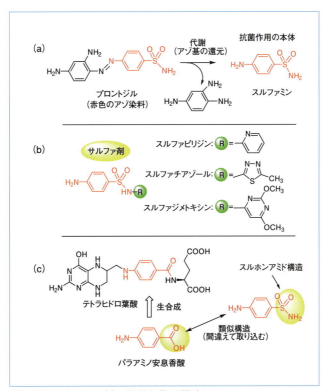

図8-2　サルファ剤の発見と作用機序
(a)抗菌薬プロントジルの発見, (b)サルファ剤, (c)作用機序

(2)利尿薬

　抗菌薬のサルファ剤の副作用の解析から，スルホンアミド構造をもつ化合物が炭酸脱水酵素を抑制することが明らかにされた。近位尿細管においてこの酵素が阻害されると，尿細管上皮細胞内で産生されるH^+が減少するため，Na^+とH^+の交換によるNa^+の再吸収が妨げられ，Na^+の排泄が進むとともに尿量が増加して利尿作用が生ずる。化合物の合成研究の結果，1950年代に炭酸脱水酵素抑制薬アセタゾラミド(図8-3(a))が利尿薬として誕生した。

　アセタゾラミドに次いで改良研究の結果創製されたのが，ヒドロクロロチアジドのような環状部分と側鎖部分にスルホンアミド構造をもつチアジド系利尿薬(図8-3(b))である。これらの化合物は，当初予想されたように近位尿細管において炭酸脱水酵素を阻害するというよりも，主に遠位尿細管においてNa^+-Cl^-共輸送体を阻害することによりNa^+やCl^-の再吸収を妨げて尿量を増加させる。また，アントラニル酸誘導体フロセミドなど(図8-3(c))にもチアジド系利尿薬に優る利尿効果がある。フロセミドは，Na^+-K^+-$2Cl^-$共輸送体を阻害して利尿作用を発揮し，尿細管の作用部位にちなんでループ利尿薬と呼ばれる。

　チアジド系利尿薬やループ利尿薬は，水の排泄を増加させて循環血液量を減少させるため降圧薬としても用いられる。

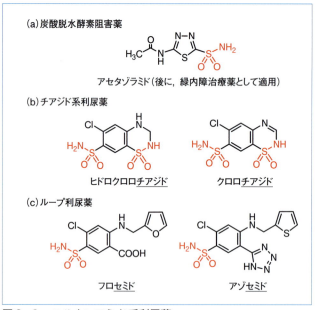

図8-3　スルホンアミド系利尿薬

(3)糖尿病治療薬(SU剤)

　第二次世界大戦中，腸チフスの患者に投与された新しいサルファ剤が重篤な低血糖を引き起こした。この思いがけない出来事が「経口糖尿病治療薬」の発端になったといわれる。

抗菌作用のないサルファ剤の探索が進められた結果，スルホニルウレア（スルホニル尿素）(SU)構造をもつカルブタミド，トルブタミドが見出された（**図8-4 (a)**）。さらに活性が改善されたグリベンクラミド，グリメピリドなど，現在でもSU剤として使用されている糖尿病治療薬[48]が創製された（**図8-4 (b)**）。これらは膵臓のランゲルハンス島β細胞の膜上にあるスルホニル尿素受容体1(SUR1)に結合してインスリンの分泌を促進させ，その結果，血糖降下作用を示す。

以上のサルファ剤を起点とする利尿薬・糖尿病治療薬は古典的な医薬品であるが，副作用を主作用に転換する進め方は，現在でも通用する創薬手法である。

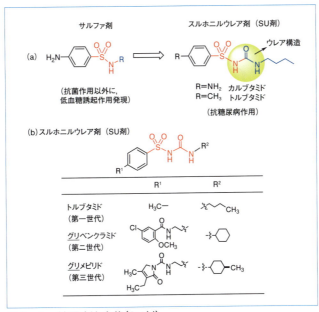

図8-4　糖尿病治療薬（SU剤）

3．そのほかのスルホンアミド構造をもつ医薬品

スルホンアミド構造は，さまざまな生物活性化合物の部分構造として利用されている重要な官能基であり，前述のサルファ剤を起点として誕生した医薬品のほかにも，非常に多くの医薬品に含まれている。代表的な医薬品を思い浮かぶままに選び，**図8-5**に示した。赤色部分がスルホンアミド構造である。セレコキシブ(**1**)，ファモチジン(**5**)，タムスロシン(**8**)，シルデナフィル(**9**)，ロスバスタチン(**10**)など，なじみ深い医薬品が多いはずである。話題の新薬でも，ダブラフェニブ（キナーゼ阻害薬）(**6**)，ダサブビル（C型肝炎ウイルス治療薬）(**7**)，ボノプラザン（抗潰瘍薬）(**11**)などで用いられている。**図8-5**の個々の化合物は，何千個の化合物が裏にあり，そこから選ばれて製品化されたはずである。スルホンアミド構造がなぜ用いられたか，なぜ置換基として最適であったかは興味深いところである。最近の創薬では，化合物ライブラリー中にスルホンアミド化合物があり，ハイ

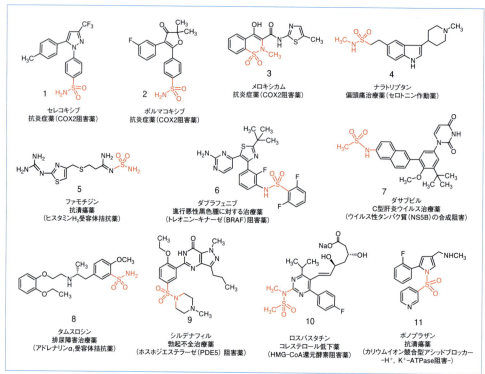

図8-5　スルホンアミド構造をもつ医薬品の代表例

スループットスクリーニングのヒット化合物から展開された場合も多いであろう。あるいは，活性，薬物動態・毒性（ADMETox）や物性の改善を目指して，カルボン酸のバイオアイソスターやカルボン酸アミドの類縁体としてスルホンアミドを合成したケースもあるかもしれない。

　以上，スルホンアミドの物理化学的性質とスルホンアミド系の古典的医薬品から最近の医薬品について概説した。スルホンアミド構造を理解し，関心をもっていただければ幸いである。

9. β-ラクタム系抗菌薬の化学

はじめに

　第Ⅱ部第1章-4.（P.133）では，酵素反応の触媒機構をとりあげた。筆者ら合成屋にとって，酵素反応のうち，ペニシリンで代表されるβ-ラクタム系抗菌薬とその標的酵素との作用機序は，たいへん身近に感じる。それは，β-ラクタム環のひずみのかかった特異な構造と，その化学反応性が有機化学の観点からたいへん興味深く，かつ合理的に理解でき

るからである。感染症治療薬はこれまでに膨大な研究が行われ，β-ラクタム系やキノロン系をはじめ，さまざまなタイプの優れた抗菌薬が開発されてきた。そういうなかで，β-ラクタム系抗菌薬の研究開発は歴史的なものになりつつあるが，ここで改めて，その作用機序や化学をふりかえる。

1．ペニシリンの発見・発明とその展開

はじめに，ペニシリンの発見・発明の経緯を簡単に記す[49]。1928年，A. フレミングは，青カビが強力な抗菌作用を示す物質を産生することを偶然に（セレンディピティ的に）見出した。この物質の正体は不明であったが，フレミングはこの物質にペニシリンという名前をつけた。約10年後，この研究に着目したH. フローリーとE.B. チェインは，実際にカビの培養液からペニシリンを粉末として取り出すことに成功した。ペニシリンは感染症に対して著しい効果を示し，ここに最初の抗生物質が誕生した（1940年）。その後，発酵法による大量製造法も見出され，1940年代後半から感染症治療に広く用いられるようになった。

ペニシリンに端を発して，β-ラクタム環を基本構造とする多くの抗菌薬が開発され，感染症治療の大きな武器として人類に貢献している。代表的な化合物を**図9-1**に示した。天然から得られたペニシリン（**図9-1**，ペニシリンG：R=$C_6H_5CH_2$-）をもとにして，異なる置換基Rをもつペニシリン誘導体が開発された。その後，セファロスポリン類が続き，置換基RおよびR¹を化学変換することにより，活性の強さや抗菌スペクトルの異なる優れ

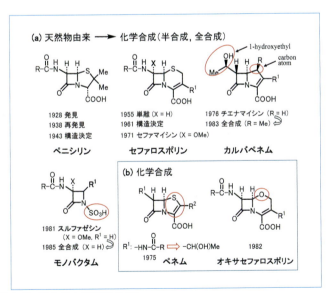

図9-1　代表的なβ-ラクタム系抗生物質
(a)は天然物由来で，次いで半合成／全合成により開発。(b)は純化学合成により開発。
ペネムは天才化学者といわれたR.B.ウッドワード博士らにより，ペニシリンとセファロスポリンが合体した構造としてデザイン・合成された。その後，天然からカルバペネム（チエナマイシン）が見出され，ペネムについても4員環側鎖をアミド基から1-ヒドロキシエチル基に変えた化合物が合成され実用に供されている。

た性質をもつ誘導体が多数誕生した。次いで，側鎖にアミド基ではなく，1-ヒドロキシエチル基をもつカルバペネム類，縮合環をもたないモノバクタム類などが新たに天然から見出された。これらの骨格をもとにして化学修飾あるいは全合成によって得られた誘導体が数多く市場に出ている（**図9-1 (a)**）。一方，有機化学の進歩に伴い，純粋に有機化学の力で天然にないβ-ラクタム分子をデザイン（考案）し，創製することも可能になり，**図9-1 (b)**に示したペネム類やオキサセフェム類が誕生した。

　これらのβ-ラクタム類は原因菌の種類，疾病状況などにより適宜使い分けられ，さまざまな感染症の治療薬として用いられている。ペニシリン類は，古くともいまだに価値のある薬剤であり，特に後述するβ-ラクタマーゼ阻害薬との合剤としても広く臨床現場で用いられている。

コラム9-1　難航したペニシリンの構造決定[49]

　カビの生産物として見出されたペニシリンは特異な構造をもち，不安定な化合物であったために，化学構造の解明は難航した。初期には，硫黄を含まない組成式が提出された（おそらく，硫黄（原子量32）の代わりに酸素（原子量16）2個に置き換えられたものであろう）。ペニシリン分子に硫黄が確認されなかったことは，今では化学史上における古典的な失敗例の1つとされている。この小さな分子に対して非常に多くの構造式が提案され，その数は90個以上に及んだという。それらのうち，ようやく**図9-C1**のβ-ラクタム-チアゾリジン（A）とオキサゾロン-チアゾリジン（B）の2個の構造に絞られたが，議論は二分されたまま決着に至らなかった。1943年，英国のD.C.ホジキン博士（1966年ノーベル化学賞受賞）によるX線構造解析により構造Aが提示された。しかし，これで最終決着したのではなかった。構造Bを支持するグループは，解析中に構造が変化したのでは？　と，疑念を呈した。幸いにして，解析に用いたサンプルは元の化合物と同等の抗菌活性を示し，ようやく高度にひずみのあるβ-ラクタム構造Aが決定された。また，ペニシリンの化学的な全合成はさらに難航し，最初の全合成が達成されたのは1957年である（米国MIT，J.C.シーハン博士ら）。

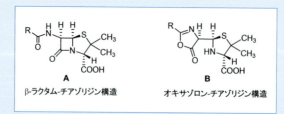

図9-C1　ペニシリンに対して提案された2個の構造式

2．ペニシリンの作用機序：細胞壁（ペプチドグリカン）合成阻害

細菌類は自身を防御するため，ペプチドグリカンからなる強固な細胞壁をもつ。ペニシ

リン（β-ラクタム類）はこの細菌の細胞壁の合成を阻害し，細菌の増殖を抑える。ヒト（哺乳類）細胞には細胞壁は存在しないため，細菌に対する選択毒性が高い薬剤である。

細胞壁は，糖鎖とペプチド鎖が多数連なったペプチドグリカンといわれる高分子ポリマーが架橋した網目構造を形成している。ペプチドグリカンが網目をつくるためには，ペプチド間での架橋が必要である。架橋形成に際して働く酵素が，ペプチド転移酵素（トランスペプチダーゼ）である。この酵素は，通常は図9-2 (a)に示すように，片方のペプチドグリカンのC末端にあるD-Ala-D-Ala（D-alanine-D-alanine）構造を認識し，酵素中のセリン残基のヒドロキシ基がD-Ala部分を切り離すとともに，アシル酵素中間体を経て，他方のペプチドグリカンのGly（glycine）との間で架橋となる結合を形成する。ペニシリン（β-ラクタム類）は図9-2 (b)に示すように，ペプチド転移酵素に働き，酵素中の活性部位であるセリン残基のヒドロキシ基をアシル化し，共有結合を形成する。この反応は不可逆的であり，酵素活性は失われ，細胞壁の生合成が阻害される。その結果，細菌は内部からの浸透圧に耐えられなくなり死滅する。

この作用の発現には，ペニシリンのβ-ラクタム環構造が大きな役割を果たしている。図9-3 (a)に示すように，一般的には，sp^3炭素は正四面体構造をとり，隣り合う置換基同士の角度は109.5°で安定に存在する。一方，β-ラクタム構造（4員環を形成した環状アミド）では4員環構造の結合角はほぼ90°になり，たいへん大きなひずみをもつ。実際に，分子模型を使ってβ-ラクタム環を組んでみるとよい。ひずみがかかった構造はなかなか組めず，環構造の不安定性が実感される。また，図9-3 (b-1)に示すように，一般的にはアミドは構造AとBの間に共鳴があり，平面性をとって安定な構造になる[44]が，β-ラクタム環は4員環構造の大きなひずみのために，この共鳴構造をとりえず（図9-3 (b-2)），化学的に不安定な構造となっている。このような不安定性ゆえに，β-ラクタム環では酵素のセリン残基のヒドロキシ基との反応が促進される。これらβ-ラクタム環に特有の性質に加えて，ペニシリン分子の構造が，酵素の基質であるペプチドグリカンの部分構造

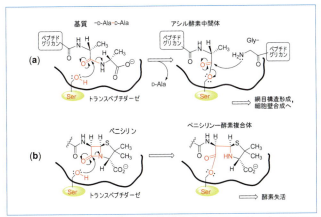

図9-2　酵素のトランスペプチダーゼと基質およびペニシリンとの反応の作用機序
(a)では，基質との反応により細胞壁が合成される。(b)のペニシリンとの反応では，酵素活性が失われる。

(D-Ala-D-Ala)と立体構造が類似している（図9-4）ことも酵素反応を進める大きな要因となっている。この立体構造により，ペニシリンは本来の基質と同じように，酵素の活性部位（セリン残基）に結合しうる。

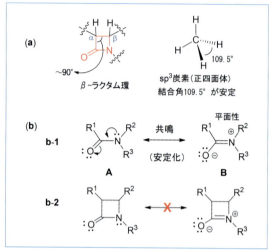

図9-3　β-ラクタム環は不安定
(a)結合角ひずみが大きく，(b)共鳴安定化されない。

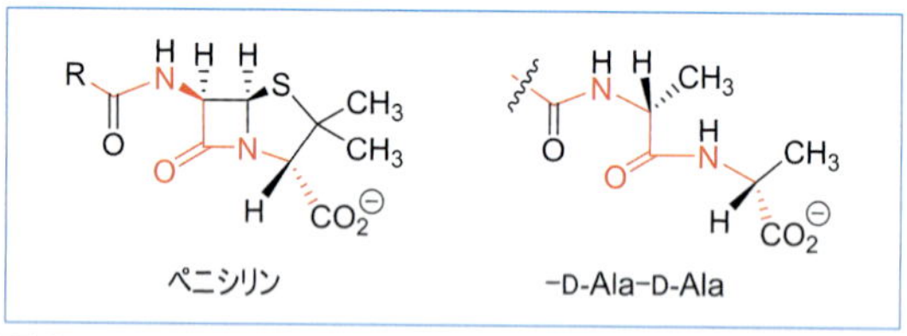

図9-4　ペニシリンと-D-Ala-D-Alaとの構造類似性
類似構造を赤で示している。

3．β-ラクタマーゼ阻害薬

　ペニシリンが1940年代に実用化されてから間もなく，1960年代にはペニシリンGが効かない耐性菌が出現した。現在に至るまで，新しい抗菌薬が出ても常に耐性菌との戦いが続いている。図9-1に示したさまざまなタイプのβ-ラクタム類の開発は，抗菌活性と併せてβ-ラクタマーゼにも抵抗性をもつ（耐性菌に対して抗菌活性をもつ）化合物の探索に力が注がれた結果でもある。

　初期のペニシリン系抗菌薬への耐性は，細菌が突然変異によりβ-ラクタム環を分解する酵素「β-ラクタマーゼ」（ペニシリナーゼ）を産生するようになることで獲得された。すなわち，細菌は細胞壁の合成に関わるトランスペプチダーゼの構造を少し変化させることにより，ペニシリンに結合しやすい酵素β-ラクタマーゼを産生し，ペニシリンに抵抗したのである。この酵素反応は図9-2 (b)において，酵素がトランスペプチダーゼから

β-ラクタマーゼに代わり，ペニシリンが基質となる。この結果，**図9-2（b）**と同様の経路をとって複合体が形成されるが，これに水が作用してエステル部分が加水分解され，酵素は触媒機能を終えて元に戻り，ペニシリンのβ-ラクタム環は開裂させられる。

そのもの自身の抗菌活性は弱いが，β-ラクタマーゼに対して強い阻害作用を示すβ-ラクタム構造をもつ天然物，クラブラン酸が見出され，ペニシリン類との合剤として開発された。その後，新たなβ-ラクタマーゼ阻害薬の合成研究の結果，スルバクタム[50]，タゾバクタムなどの興味深い化合物が創製され，抗菌活性をもつβ-ラクタム類との合剤として実用に供されている（**図9-5**）。

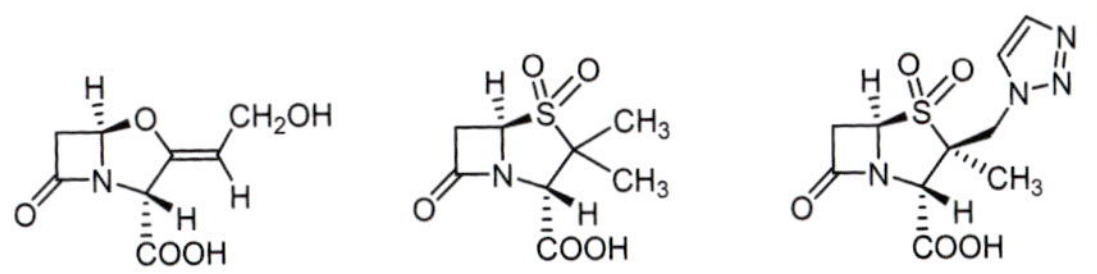

図9-5　β-ラクタマーゼ阻害薬
括弧内は合剤として使用されているβ-ラクタム類

以上，β-ラクタム系抗菌薬の化学・生体との相互作用の機序を概説した。不安定なβ-ラクタム環をもつペニシリンという天然が産み出したリードがなかったなら，現在のβ-ラクタム系抗菌薬は存在しえない。また，有機合成化学がいかに進歩したとしても，人間の頭脳と手でこのリードを創製できるとは思えない。これを産み出すカビがおり，そして細菌は，人間がつくった抗菌薬に抵抗し，自身を防御するシステムをつくり出す。私達はこのような自然に対して畏敬の念を持って接すべきと思う。

コラム9-2　抗菌薬の開発

抗菌薬の開発は，"耐性菌とのイタチごっこ"とよくいわれる。新薬を開発してもまた新たな耐性菌が誕生する。「多剤耐性菌」によって引き起こされる「院内感染」や「日和見感染」も問題となっている。最近（2016年5月）アメリカで，既存の抗生物質すべてに耐性を示す細菌「スーパー耐性菌」の出現が確認され，深刻な危険をもたらしかねないと重大な懸念が示された。また，2016年WHOは「（耐性菌の出現のため）このままでは近代医療が成り立たなくなる」と警告を出した。耐性菌対策として，抗生物質の乱用は避け，慎重な使用が望まれている。

日本国内での抗菌薬の売上高を**表9-C1**に示した。製薬企業の多くが投資効率の観点から，感染症研究から撤退（縮小）しているという話をよく耳にする。ブロックバスター医薬品にはならないかもしれないが，耐性菌の出現は今後も避けられない問題であり，この領域の研究は細々とでも継続すべきではなかろうか。

表9-C1 抗菌薬の国内売上高

製品名	一般名	種類	売上高[1]	
			2014年度[2]	2018年度[3]
クラビット	レボフロキサシン	キノロン系	278(49)	–
ゾシン	タゾバクタム・ピペラシリン	β-ラクタマーゼ阻害薬／ペニシリン配合剤	269(51)	61(171)
メイアクト	セフジトレンピボキシル	セフェム系	137(109)	–
クラリス	クラリスロマイシン	マクロライド系	135(110)	53(187)
フロモックス	セフカペンピボキシル塩酸塩	セフェム系	126(117)	–
ジェニナック	メシル酸ガレノキサシン	キノロン系	104(147)	84(140)

[1]売上高の単位は億円，[2]Monthlyミクス2015年増刊号（医薬ランキング）をもとにして編集・引用。カッコ内は売上高100億円以上の154製品中の順位。[3]AnswersNews社2019/6/26公表データをもとにして編集・引用。カッコ内は売上高50億円以上の194製品中の順位。売上高は，先発医薬品とオーソライズド・ジェネリックを対象とし，後発医薬品は除外。

10. セレンディピティとベンゾジアゼピン系薬剤

はじめに

「セレンディピティ」は，3人のセイロンの王子が旅に出てすばらしい体験をするという童話から生まれた用語であり，「偶然に思いがけない幸運を発見する能力」という意味で用いられる。医薬品創製の歴史のなかにも，セレンディピティをしばしば見出すことができる[51]。A.フレミングによる抗生物質ペニシリンの発見は，すでに前項のβ-ラクタム系抗菌薬で紹介したように，人類への貢献とその後のさまざまな抗菌薬開発への影響を考えると，史上最大のセレンディピティといえるだろう。そのほか，ベンゾジアゼピン系中枢神経系（central nervous system：CNS）抑制薬，シスプラチン（白金錯体）系抗がん薬，バイアグラ系のED（勃起不全）治療薬などは代表的なセレンディピティ的な創薬といわれる。ただし，実際の創薬では，長い創薬過程のどこかで何らかの幸運に恵まれないと成功はないといっても過言ではない。フランスの生化学・細菌学者・化学者であるL.パスツールは「観察の場では，"幸運は待ち構える心"にだけ味方する」という名言を残しているが，創薬にはこの幸運をつかみ取る洞察力が必要である。

ここではセレンディピティ的発見・発明といわれるベンゾジアゼピン系CNS抑制薬を紹介し，有機化学の反応としてもセレンディピティともいえるたいへん興味深い発明があったことを述べたい。有機化学反応の基本の上に成り立つ化学の面白さも感じとっていただければ幸いである。

1. ベンゾジアゼピンとセレンディピティ

ベンゾジアゼピン骨格は，ベンゼン環に窒素原子2個をもつ7員環（ジアゼピン環）が縮

合した骨格である。最も多く用いられている骨格は1,4-ベンゾジアゼピン骨格（**図10-1**）であるが，それ以外の骨格異性体（例：1,5-ベンゾジアゼピン骨格）もいくつかみられる。これまで非常に多くのベンゾジアゼピン骨格をもつ化合物がCNS抑制薬（抗不安薬，催眠薬など）として開発されてきた。その端緒となった医薬品がクロルジアゼポキシド（**図10-1**）であり，ロシュ社（米国）の合成化学者L.H.スターンバッハを中心とするグループの研究からセレンディピティ的な発見・発明により誕生した。スターンバッハらは，1954年，CNS作用薬を目指したプロジェクトを開始した。合成のターゲットとしては，当時用いられていたクロルプロマジンやレセルピンなどとは異なる新しい構造をもつ化合物（ベンゾオキサジアゼピン系化合物：**図10-1**）を計画した。しかし，1年以上の合成・薬理研究の結果，成果が出なかったため研究は中断され，抗生物質研究のプロジェクトへ変更することになった。その際，合成化学者のE.リーダーが実験台を整理しているときに，合成化合物の1つがきれいな結晶として残っていることに気づいた。1957年，期待しないまま，プロジェクトの最後の薬理試験に提出されたこの化合物は，従来にない驚異的なCNS抑制作用を示すことが明らかになった。これがクロルジアゼポキシドであり，抗不安薬として1960年に米国で発売された。まさに，セレンディピティ的な創薬であり，ベンゾジアゼピン系薬剤研究のスタートでもあった。

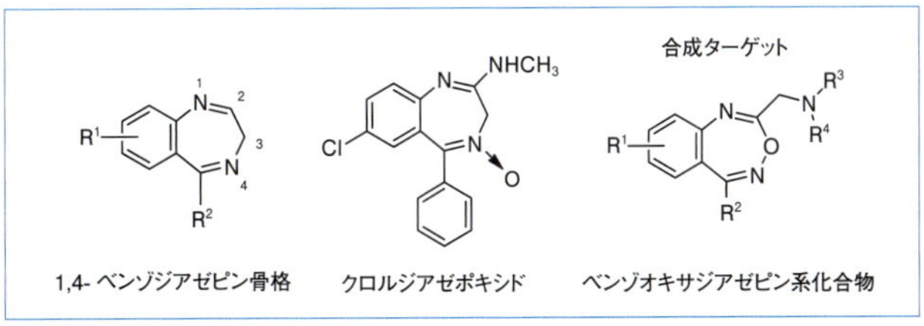

図10-1　1,4-ベンゾジアゼピンとクロルジアゼポキシド

　次いで，ロシュ社では，より単純な構造（アミド構造）をもち，薬理作用も改善されたジアゼパムの開発に成功した（**図10-2**）。その後，世界中の製薬企業で熾烈な開発競争が行われ，この骨格をもつ優れたCNS抑制薬が多数誕生した。現在では，それぞれの化合物の特徴を活かして，催眠・鎮静薬，抗不安薬，抗てんかん薬などの中心的な医薬品として用いられている。特に，化学構造面では，単純な置換基の変換（例：ニトラゼパム，オキサゼパム）（**図10-2**）だけではなく，現在でいうバイオアイソスター[46)]的な変換により優れた医薬品が誕生している。例えば，ジアゼパムのアミド構造を芳香環構造（例：トリアゾール環，イミダゾール環）とした三環性化合物（エスタゾラム，トリアゾラム，ミダゾラムなど），ベンゼン環をチオフェン環に換えたエチゾラムなどである（**図10-2**）。このうちトリアゾラムは，トリアゾール環の1位にメチル基，ジアゼピン環の6位に2'-クロロ置換フェニル基を有し，極めて強力な作用を示す。この作用の増強は，これらの置換基が化合物の立体構造を受容体との親和性に好ましい形をとらせる役割をしているためと推定される。クロルジアゼポキシドの発見・発明がなかったら，CNS抑制薬としてのベンゾジアゼピン

骨格はいまだ見出されないままだったかもしれない。

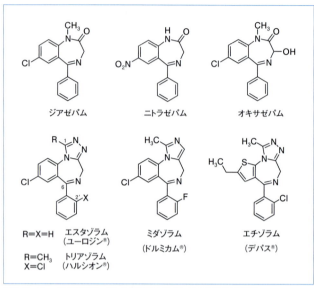

図10-2　代表的なベンゾジアゼピン系CNS抑制薬

2．セレンディピティ的な有機化学反応

　クロルジアゼポキシド（**5**）の合成について，**図10-3**でもう少し詳しく見てみよう。クロルジアゼポキシド（**5**）は，反応式に示したように，2-クロルメチルキナゾリン-3-オキシド（**1**）[52]とメチルアミン（**2**）との反応によって生成する。この化学反応は，おそらく現在の有機合成化学者も予期できない極めて珍しい例である。これもまたセレンディピティといってよいであろう。すなわち，通常予想される反応は，アミノ基（非共有電子対）がクロロメチル基の炭素（$\delta+$性）を攻撃し，曲がった矢印[41]で示すようにクロロ基がアミノ基に置き換わり，アミノ体（**3**）が生成する置換反応である（①の反応）。しかし，実際には，アミノ基の非共有電子対は，6員環の炭素を攻撃してカッコ内の付加体（**4**）が中間に生成する。次いで，**4**から矢印で示すような電子の動きを経て，非常に興味深い転位反応により，6員環から7員環への環拡大反応（②の反応）が起こって予想外のクロルジアゼポキシド（**5**）が生成する。なお，現在，有機化合物の構造決定に必須の機器となっているNMR（核磁気共鳴スペクトル）の歴史を紐解いてみると，研究の場で実用化されるようになったのは1960年ごろからである。したがって，これらの予想外の化合物がNMRを用いることなく，主に元素分析，IR（赤外線吸収スペクトル），UV（紫外線吸収スペクトル）による分析，あるいは化学変換により構造決定されたことは驚異である。

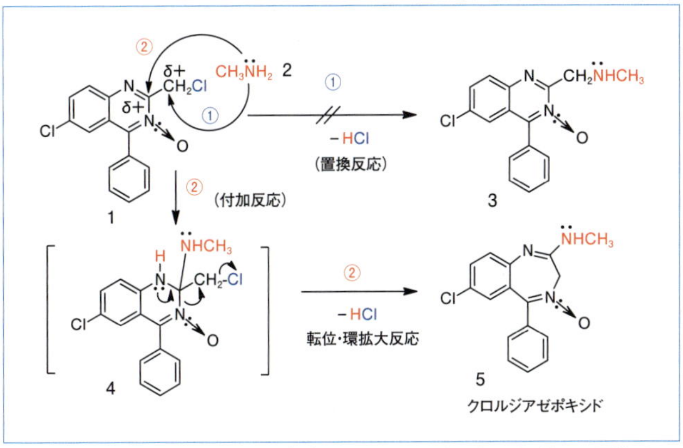

図10-3　クロルジアゼポキシド（5）の生成：予想外の転位・環拡大反応
N→O（N-オキシド）はNの非共有電子対（∶）がOへ供与された構造となっている。

3．GABA受容体の発見と非ベンゾジアゼピン系催眠薬

　ベンゾジアゼピン系医薬品の作用機序は，抑制性の神経伝達物質であるγ-aminobutyric acid（GABA）の受容体にベンゾジアゼピンの結合部位があり，GABA受容体（ベンゾジアゼピン受容体）作動薬として機能して中枢神経系の抑制作用を発現する。なお，GABA受容体は，1977年になって初めて発見されたので，それ以前のベンゾジアゼピン系医薬品はマウス，ラットなどの動物を用いた*in vivo*評価により開発されてきた。GABA受容体の発見以後，新たに受容体との結合を指標にした探索研究が行われ，ベンゾジアゼピン構造をもたない非ベンゾジアゼピン系のGABA受容体作動薬として，ゾルピデムやゾピクロンが見出され，催眠薬として開発された（**図10-4**）。このうち，不斉中心をもつゾピクロンは初めはラセミ体として開発されたが，キラルスイッチ[53]が検討され，現在，*S*-異性体であるエスゾピクロンが開発されている（**図10-4**）。

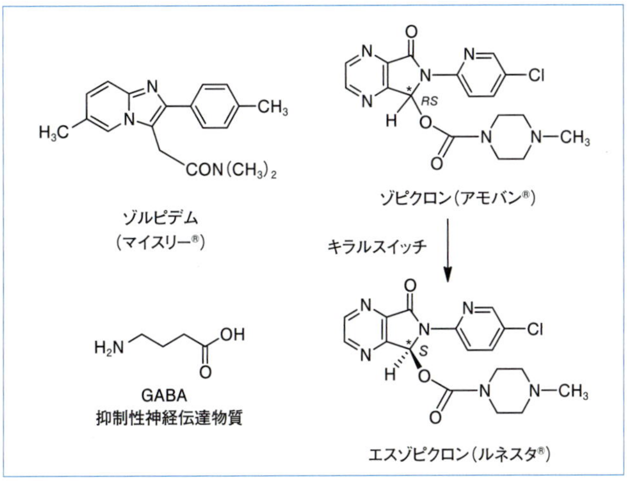

図10-4　ベンゾジアゼピン以外の骨格をもつGABA受容体作動薬

4．新しい睡眠調整薬

ベンゾジアゼピン系薬剤(GABA受容体作動薬)には，記憶障害，長期使用に伴う依存症，中止時の不眠(反跳性不眠)，筋弛緩作用などの副作用がある。この点を改善すべく，概日リズムを調節する生体内物質メラトニンの受容体作動薬が探索され，自然睡眠をもたらす催眠薬(不眠症治療薬)としてラメルテオンが開発された(2010年発売)(**図10-5**)。また，最近，覚醒状態に関与する神経ペプチドであるオレキシンの受容体への結合を阻害することによって睡眠を誘導する新しいタイプの不眠症治療薬，スボレキサントおよびレンボレキサントが開発された(それぞれ，2014年および2020年発売)(**図10-5**)。

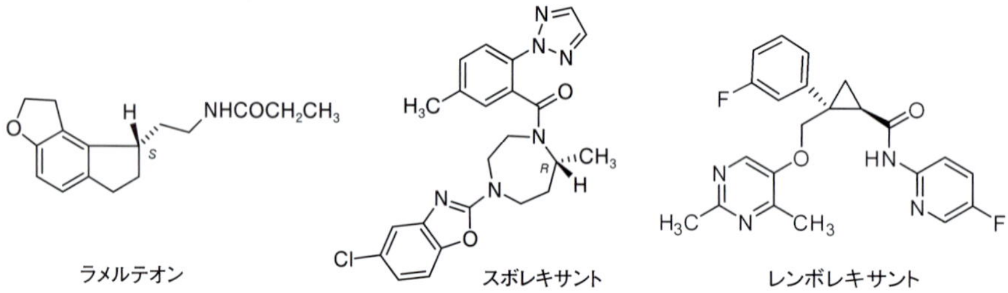

図10-5　新しい睡眠調整薬

5．ベンゾジアゼピンの展開―旧くて新しい骨格―

医薬品化学のなかで，ベンゾジアゼピンやその7員環の関連骨格はCNS作用薬だけでなく，さまざまな生物活性化合物のscaffold(足場)構造としてもよく活用され，privileged structure(特権構造)とも称される。**図10-6**にその例を示した。ジルチアゼムは元来はCNS作用薬を期待して1,5-ベンゾチアゼピン骨格から誘導された化合物であるが，Ca^{2+}拮抗作用に基づく降圧薬・狭心症治療薬として開発された。また，血小板活性化因子(PAF)拮抗作用に基づく抗喘息薬であるイスパラファントは，エチゾラム(**図10-2**)の骨格をもとにして創製された。さらに，1,4-ベンゾジアゼピンの3-アミノ誘導体は，神経伝達作用や膵液中のタンパク分解酵素の調節作用をもつ8個のアミノ酸からなるコレシストキニン(cholecystokinine：CCK)受容体拮抗薬(例：MK-329)としての作用をもつことが報告されている。最近の話題としては，JQ1やI-BET762などにBET(bromodomain and extra-terminal)阻害作用が見出されている(**図10-6**)。これらの化合物は，エチゾラムやエスタゾラム(**図10-2**)に構造上類似する三環性のアリールジアゼピン誘導体である。BET阻害薬は，ブロモドメインタンパク質とアセチル化修飾を受けたヒストンとの結合を阻害することにより，がん細胞の増殖を抑制し，抗腫瘍作用が期待されている。

ここでは，歴史的なセレンディピティ的発見・発明の1つであるベンゾジアゼピン系薬

剤について，最近の進展を含めて紹介した。最初のベンゾジアゼピンが有機化学反応としても極めて珍しい環拡大を伴う転位反応が起こって見出されたこととともに，この骨格は旧くてもなお新しい可能性を秘めていることを記憶にとどめていただきたい。

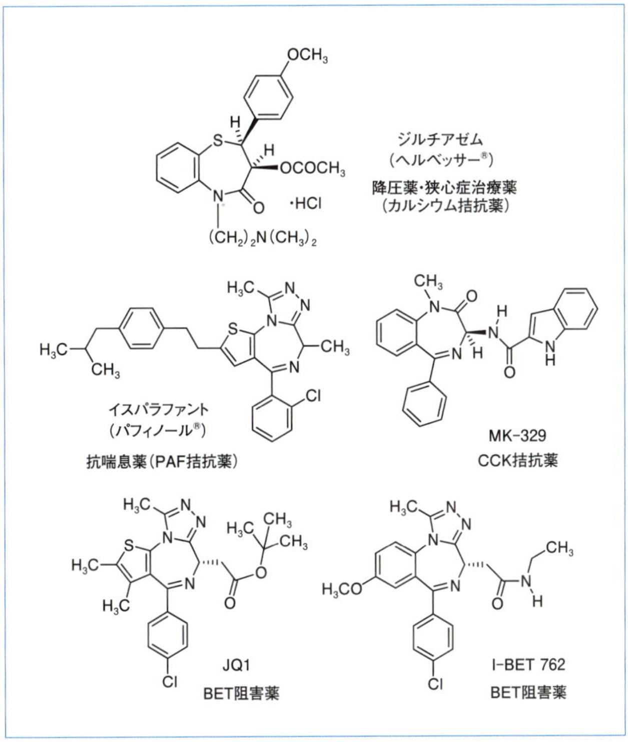

図10-6　ベンゾジアゼピンからの新たな展開

11. ロタキサンを医薬に活かす

はじめに

　2016年のノーベル化学賞に選ばれた「分子マシン」は超分子化学と呼ばれる分野からの久しぶりの受賞だったが，このとき，別の受賞者を予想してノーベル賞の発表中継を見ていた筆者らは，「なんだ，これは？」と肩透かしをくらったような気がした。しかし，後になってみると，分子があたかも機械のように動くことを純粋におもしろいと思ってよいのだとノーベル賞がいってくれているようで，基礎研究に従事する化学者にとってちょっとうれしい受賞かも？　と思うようになった。実用性はこれからかもしれないが，分子マシンにはセンサーや分子スイッチなど，さまざまな応用が期待される。

　一般に，分子マシンと呼ばれる化合物は，カテナンとロタキサン（図11-1）に分類される。カテナンはちょうど鎖のように2つの輪がからみあっている。一方，ロタキサンは輪のな

かに軸を通したような構造で，輪が抜け出てしまわないように軸の両端に大きなストッパーがついている。ロタキサンの両端のストッパーを取り外した状態のものも存在し，擬ロタキサンと呼ばれる。さらに，多くの環状分子が軸に連なったものはポリロタキサン，擬ポリロタキサンと呼ばれる。カテナンもロタキサンもそれらを構成する成分同士に結合がなく，可動性をもつ。これが分子マシンと呼ばれる所以である。ここでは，ロタキサン類について医薬への応用の可能性を述べる。

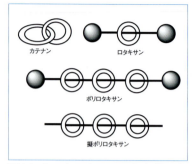

図11-1　カテナン，ロタキサンおよびポリロタキサン

1．ロタキサンの運動性の活用

　ロタキサンは軸となる棒状の分子と環状分子から構成される。軸としては高分子であるポリエチレングリコール（PEG：poly(ethylene glycol)）やポリプロピレンオキシド（PPO：poly(propyleneoxide)）が主に用いられる。一方，環状分子にはクラウンエーテルやシクロデキストリンなどの誘導体が用いられている。ロタキサンの合成法は比較的単純で，水溶液中で輪成分と軸成分を混ぜ合わせれば，擬ロタキサン構造になる。軸の末端に嵩高い基を結合させ，ストッパーをつくることでロタキサンとなり，輪が軸から外れなくなる。そもそも，環状分子がなぜ軸に串刺しのようにはまっていくのか，とても不思議に思えるが，たとえば，シクロデキストリンでは，内側が疎水性で外側が親水性である。したがって，水中では，疎水性を示す内側に同じく疎水性を示す棒状の分子が疎水性相互作用によって貫通していくのである。このとき，シクロデキストリンの内孔の大きさが重要であり，6つのD-グルコースが環状に連なったα-シクロデキストリンにはポリエチレングリコールが軸として適当である。また，7つのD-グルコースからなるβ-シクロデキストリンではポリプロピレンオキシドがちょうどよい。さらに，8つのD-グルコースが連なったγ-デキストリンでは，内孔の半径が大きすぎて，2本のポリエチレングリコールを通してしまう。ロタキサン類の分子としての運動には，環状構造が軸に沿って並進する動きと環状構造自体が回転する動きがある。これまで，このような動きのできる高分子は存在せず，新たな機能性材料として応用展開がなされている。例えば，**図11-2**のように，軸上に環状構造と相互作用する性質をもつ部位を2カ所（A，B）組み込んでおき，pHや光などの外部環境を変えることによって，部位Aと部位Bに対する環状構造の親和性を変え，外部刺激によってAとBの間を行ったり来たりする可逆的運

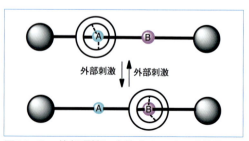

図11-2　外部環境に応答するスイッチ分子

動が可能なスイッチ分子をつくることができる[54]。

また，このような軸状で起こる並進運動と回転運動を利用して，酵素や受容体などの標的タンパク質に対するリガンドの親和性をより高める試みがなされている。これまでにも，結合力の弱いリガンドをより強く標的分子と結合させるために「クラスター効果」を利用した例が報告されている。これは，多数のリガンドを高分子に結合させ，標的タンパク質との間で多点での相互作用を可能にする（クラスター効果）ことにより，リガンドとタンパク質との結合親和性を向上させるものである。しかし，これまでの高分子には可動性がなく，多くのリガンドが狭い範囲に集まることによって，かえって多点での相互作用に支障を来すことがあり，必ずしもクラスター効果が発揮されるとは限らなかった。これに対してポリロタキサンでは分子の可動性を利用してクラスター効果を発揮することができる。たとえば，α-シクロデキストリンとポリエチレングリコールからなるポリロタキサンの環状部位にタンパク質と相互作用するリガンドを結合することで，軸に沿った並進運動や回転運動を可能にした[55]。これにより，リガンドがちょうどよく標的タンパク質にフィッティングするように動くことができ，タンパク質への親和性を従来のものより高くすることができる（図11-3）。

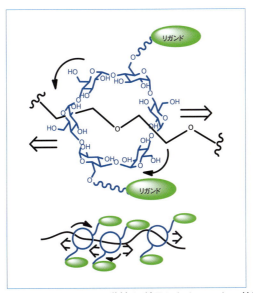

図11-3　ポリロタキサンの可動性を利用したクラスター効果の向上

2. 生分解性ポリロタキサンの製剤技術への応用

ポリエチレングリコールやシクロデキストリンはこれまでにも製剤化に汎用されている素材であり，一定の安全性が確立されている。そのため，これらからなるポリロタキサンも安全性が高いと考えられ，製剤技術への応用が期待される。その1つが生分解性のポリロタキサンである。ポリロタキサンは末端の嵩高いストッパーのため，その構造が保たれ

ているが，ストッパーが片方でもなくなれば，輪の成分は軸から抜け出ていき，ポリロタキサンの構造は失われる。これを利用して，新たなドラッグデリバリーシステム（DDS：drug delivery system）が生み出された[56]。そのしくみを以下に説明する。まず，ポリエチレングリコールを軸として，α-シクロデキストリンの輪を用いて擬ポリロタキサンをつくる。シクロデキストリンは互いに水素結合によって分子間で相互作用するため，薬物を間に取り込んで保持することが可能である[57]。続いて，この擬ポリロタキサンの両末端に生体内の環境下で酵素や化学的変換によって加水分解されうるエステル結合によりストッパーを連結する。このようなポリロタキサンが生体内に投与されてストッパーが外れると，ポリロタキサンの崩壊とともに薬物が放出される。ポリエチレングリコールの分子量や，シクロデキストリンの数によって薬物の放出される速度のコントロールも可能である（**図11-4**）。従来から用いられてきた高分子によって形成されたマイクロスフィアでは，外膜の生分解によって内包された薬物が徐々に漏れ出していくが，ポリロタキサンの生分解による薬物の放出は，いったんストッパーが外れると一気に薬物が放出されるというイメージになる。

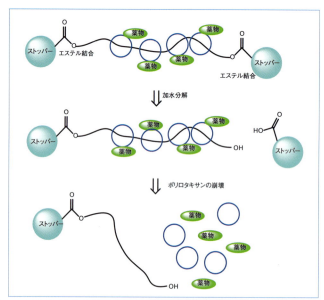

図11-4　エステル結合の加水分解を利用したポリロタキサンからの薬物の放出
青い輪はシクロデキストリンを表す。

同様なコンセプトではあるが，生体直交型反応[58]を上手に応用した例もあるので最後に紹介しておく（**図11-5**）[59]。ここではエステル結合に代わり，ジスルフィド結合によるストッパーの連結がなされており，細胞内のほうが細胞外よりも還元されやすいという環境の違いに応じてストッパーが外れるというしくみを採用している。

まず，軸になるポリエチレングリコール誘導体に水中でα-シクロデキストリンを貫通させ，擬ロタキサン（**1**）を得る。（**1**）の両末端に嵩高いベンゼン環（**2**）をストッパーとして

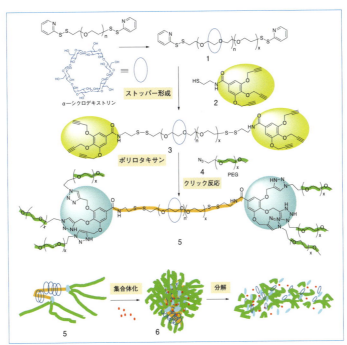

図11-5　ポリロタキサンの自己集合体を用いたDDS
図中の赤い粒は低分子薬物を表す。

ジスルフィド結合させ，ポリロタキサン(3)とする。このとき，ベンゼン環にはあらかじめアルキンが3つ導入されており，ポリエチレングリコールを携えたアジド(4)との間でクリック反応[58]を行うことにより，ベンゼン環を起点としてさらに3つのポリエチレングリコール鎖をもつポリロタキサン(5)が得られる。このようなポリロタキサンを含む高分子は，水中でシクロデキストリン同士が水素結合して分子間で相互作用するため，多数のポリロタキサン分子が集合した塊をつくる。この塊を形成する際に低分子薬物を混在させておくと，塊のなかに薬物が閉じ込められ，その周囲をポリエチレングリコール鎖が取り巻いた集合体(6)ができる。この集合体は医薬品を送達するキャリアーとして働く。集合体が細胞内に到達すると，細胞質に高濃度に存在するグルタチオンによって還元的にジスルフィド結合が切断され，ストッパーが外れる。これにより，ポリロタキサンの構造が崩れ，集合体は分解して内部に閉じ込められていた医薬品を放出する。以前から，シクロデキストリンが分子間で相互作用する[57]ことは知られており，製剤化にも応用されてきたが，これをポリロタキサンの化学と融合させることによって，高分子の自己集合体を調製し，DDSに活用した成功例といえる。

おわりに

冒頭にも述べたが，カテナンやロタキサンの化学は，いまだに基礎的な段階にあるように思われる。ポリロタキサンの医薬への応用も，実用化に至った例はほとんどない。それ

でもノーベル賞が授与された背景には，実用性への期待があったのだろう。超分子化学は，医薬品からはちょっと離れたところにあるという印象がまだ根強いかもしれないが，今回とりあげたように，生体直交型反応[58]と組み合わせればDDSに活用することも容易になる。今後，より広い視野に立って眺めることで，思いもかけない分野で超分子化学が役立っていくことを期待したい。

12. 二次元世界からの脱出？

はじめに

　最近の学会で，「医薬品候補化合物の分子設計がベンゼン環のようなsp^{2}混成の炭素からなる平面性の高い構造を中心として展開されているのはいかがなものか」という声をよく耳にする。これは，鈴木–宮浦カップリング[60]に代表されるようなsp^{2}混成の炭素を結合させる優れた反応が数多く開発され，それらを多くの創薬化学者が汎用したため，なんとなく平面性の高い化合物ばかりになってしまった，ということらしい。2009年にこういった現状を指摘した報告[61]がなされてから，いっそう，「平面性の高い化合物だけでは医薬品はできないのではないか？　sp^{3}混成の炭素をもっと医薬品の化学構造に増やすべきではないか？」という声が大きくなった。筆者らはこのような考えにちょっと抵抗を感ずるものではあるが，とまれ，二次元世界からの脱出がどのように進みつつあるのか，ここではかご型構造（sp^{3}混成の炭素ばかり！）を活かした医薬品の歴史を振り返り，未来についても語りたいと思う。

1. アダマンタン —脂溶性の弾丸—

　実は，天然にはかご型構造の分子が意外と多く存在する。例えば，ノルボルナンはショウノウの構造に含まれており，アダマンタンはフグ毒であるテトロドトキシンを構成する立体構造として知られている（**図12-1**）。また，第98回の薬剤師国家試験の問題には，加水分解されてアルデヒドや一級アミンを与える化合物としてヘキサメチレンテトラミンが登場している。

　これらの古典的なかご型化合物のなかでも，特にアダマンタンは医薬品の構造にしばしば登場する。アダマンタンの歴史は古く，すでに1930年代には石油から単離され，1957年にはSchleyer[62]が合成法を報告している。その後，この骨格の入手が容易となり，アダマンタン骨格をもつさまざまな誘導体がつくられるようになった。医薬化学の分野での利用は，1960年代に酢酸アンモニウムにインフルエンザウイルスA型およびB型を阻害する作用があることが見出されたことがきっかけである。多くのアンモニウム塩がスクリーニン

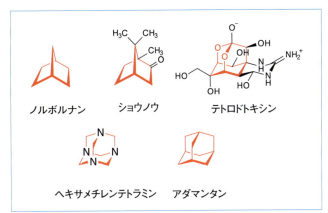

図12-1　ショウノウ・テトロドトキシン・ヘキサメチレンテトラミン
ノルボルナン，アダマンタン骨格を赤で示した．

グされ，そのなかに含まれていた1-アミノアダマンタン（アマンタジン）の塩酸塩にインフルエンザウイルスA型に対する高い活性が認められたため[63]，抗A型インフルエンザウイルス剤であるシンメトレル®（アマンタジン塩酸塩）が開発された．当時はA型インフルエンザの予防薬として使われたが，たまたまインフルエンザ感染予防の目的でアマンタジン塩酸塩を投与されたパーキンソン病患者にパーキンソン症候の著しい改善が認められ，アダマンタン骨格をもつ誘導体が中枢に作用することが明らかになった[64]．その後，いす形配座のシクロヘキサン環が縮環した骨格のもたらす安定性や脂溶性および血液脳関門（BBB）透過性に注目が集まり，多くの類縁体の中枢作用が調べられた（**図12-2**）．

そのなかの1つがメマリー®（メマンチン塩酸塩）である．当初はインフルエンザウイルスA型に対する阻害作用が注目されたが，パーキンソン病患者への投与によって，アマンタジン塩酸塩よりも優れた薬効を示すことが明らかになった．作用メカニズムについては，アマンタジン塩酸塩が黒質-線条体系においてドパミンの放出促進などによってドパミン作動性神経の機能を向上させるのに対し，メマンチン塩酸塩はグルタミン酸受容体サブタイプの1つである*N*-methyl-D-aspartate（NMDA）受容体拮抗作用を主とすると考えられている．グルタミン酸受容体の1つであるNMDA受容体は学習や記憶に重要な役割を演じ，またその機能は神経可塑性や神経保護作用にも関連していることから，現在では，メマンチン塩酸塩はアルツハイマー型認知症の治療薬として用いられる．

このようなアダマンタン骨格そのもので成り立つ医薬品が開発される一方で，既存の医薬品の構造にアダマンタン骨格を加えたり，一部を置き換えたりした分子設計が精力的になされた．例えば，血糖降下作用を示すSU（スルホニルウレア）剤であるトルブタミドにアダマンタンをくっつける（Add-On）と，その作用が5倍増強されるという報告[65]もある（**図12-3**）．

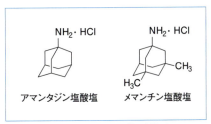

図12-2　アマンタジン塩酸塩とメマンチン塩酸塩

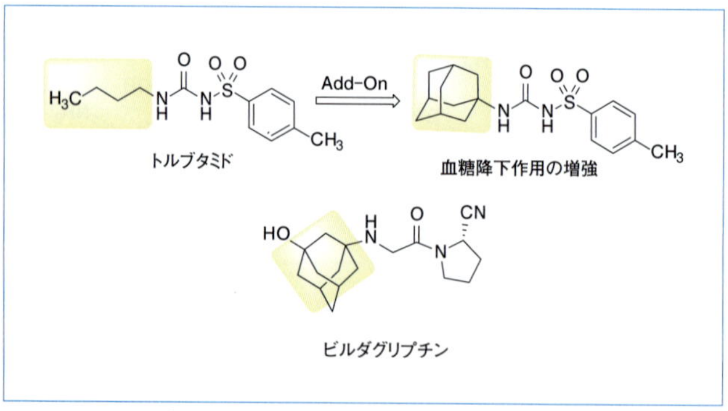

図12-3 アダマンタンのAdd-Onとビルダグリプチン

こうして血糖降下作用とアダマンタン骨格の関連性に注目が集まり，2003年にdipeptidylpeptidase IV（DPP-IV）阻害作用を示す2型糖尿病治療薬であるビルダグリプチンが開発された（**図12-3**）。このとき，研究者たちはDPP-IV酵素の活性部位にやや広めの疎水性空間があり，そこにアダマンタン骨格が収まるという目論見から分子設計を行い，活性の増強に成功した。

アダマンタンは，lipophilic bullet（脂溶性の弾丸）と称されるように，化合物に極度の脂溶性をもたらす。また，入手の容易な構造であることも相まって，脂溶性や薬物動態の改善を目的として既存の医薬品の構造に組み込まれることが多い。

2．次はキュバンか？

最近注目されつつあるかご型化合物はキュバンである。キュバンはまさにサイコロの形をした6面体の化合物で，最初はこんなひずみのかかった化合物が安定に存在するのか？と疑われたほどである。しかし，1964年にEatonとColeによって初めて全合成が報告[66]され，200℃まで加熱しても分解しないほど安定な化合物であることが示された。また，その合成過程において1位と4位がカルボン酸エステルで置換された化合物が比較的容易に得られることが示され，医薬化学分野への利用が検討されることになった。キュバンはほかのかご型化合物と同様に高い脂溶性をもたらすため，化合物の膜透過性を向上させる。さらに，その大きさがベンゼンに近いこと，特にキュバンの1位と4位に置換基が導入されると，ちょうどベンゼン環の平面の上と下に結合が連なっていくかたちをつくることができる，などベンゼンの等価体として用いられる化合物である。まだ認可に至った例はないが，かご型化合物のホープとして今後が期待される。なお，余談ではあるが，アメリカの軍関係者はオクタニトロキュバンの爆発物としての用途についても注目している（**図12-4**）。

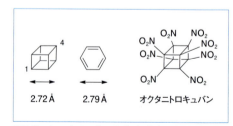

図12-4 キュバンの大きさとオクタニトロキュバン

最初，キュバンはアマンタジンと同様に1位アミノ置換体について抗ウイルス作用を期待した展開がなされ，いくつかよい活性のものが得られている。一方で，少し変わった使われ方ではあるが，モノアミンオキシダーゼBの作用機序解明にアミノメチルキュバンが用いられ，神経伝達物質(モノアミン)の不活性化過程の解明に役立った(**図12-5**)。この酵素は第一級アミンをもつドパミンやセロトニンを分解し，アルデヒドにする働きがあるが，一電子移動と水素の脱離によってアミンがイミニウムイオンを経て加水分解され，アルデヒドが生じる過程がアミノメチルキュバンを用いて解析された[67]。

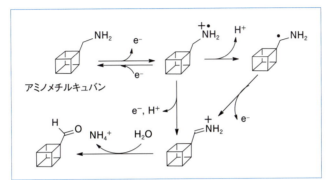

図12-5　モノアミンオキシダーゼBによるモノアミンの不活化の機序

モノアミンオキシダーゼによる脳内のモノアミンの不活化については薬学を学んだ方なら一度は目にされているだろう。こんな重要なメカニズム解明にもキュバンが使われているのは興味深い。このほか，アダマンタン骨格で行われたAdd-Onによる分子設計も行われており，例えば，モルヒネの誘導体(**1**)はオピオイド受容体μとκのアンタゴニストであることが報告されている。

また，狭心症治療薬であるニコランジルのピリジン環をブロモキュバンに置き換えた化合物(**2**)にもニコランジルより高い活性があることが報告されている(**図12-6**)。このように，キュバンには脂溶性や骨格の特徴だけでなく，毒性が確認されていないことも相まって，今後も医薬化学分野に活用されていくことが期待される。

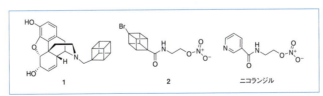

図12-6　キュバンを組み込んだ化合物

最後にキュバンの謎について触れておきたい。キュバンはsp³混成の炭素をもつにもかかわらず，サイコロ状の立体を保っており，非常に安定な結晶として得られる。2018年には，14.5 GPaの高圧下においても安定で存在するという報告までなされている[68]。筆者ら

には，このようなひずみのかかった対称体が安定に存在することが不思議でならない。ひずみのもたらすエネルギーはいったいどこにいってしまうのだろう。キュバンの６面体のなかに閉じ込められたままでいるのだろうか。この点について温故知新とでもいうべきちょっとおもしろい報告が2017年にDoedensとEatonらによってなされている[69]。彼らはキュバンの立体構造のX線結晶構造解析を93K（−180℃）で行い，C–C結合がシクロプロパンのように曲がった結合であることを明らかにした。結論として彼らは，「キュバンはシクロプロパンと同様な化学的特性（反応性）をもつものとして認識されるべきだ」といっている。果たしてキュバンは化学的に安定か，不安定か，まだ謎が残されているように感じられる。

　１年生の授業でsp³の立体モデルを使っていろんな構造をつくってみよう！　と呼びかけたら，１人の学生がキュバンをつくって持ってきた。何も先入観のない１年生だからこそこのようなおもしろい構造をつくるのだろうな，と思いキュバンの立体モデルを眺めてみた。二次元世界からの脱出には，この学生のように，これまでの認識をとりはらって，物性だけでなく，化学的反応性を含めて研究を進める必要があるのではないかと思われる。それにしても，50年以上たってもまだ謎めいているキュバンという化合物は興味深い化合物である。

■参考文献

1) 本第Ⅱ部第１章-１.は，「医薬品化学におけるフッ素」に関する以下の総説類を参考にさせていただき執筆した。たいへん興味深い内容を含む総説であるので，ぜひご覧いただきたい。
(a) 田口武夫ら：特集「フッ素化学の最前線」，ファルマシア，**50**, 1-59, 2014, (b) 田口武夫：有機フッ素化合物と医薬品化学：序章，*MEDCHEM NEWS*, **97**, 7-12, 2009, (c) W.K. Hagmann：The Many Roles for Fluorine in Medicinal Chemistry, *J. Med. Chem.*, **51**, 4359-4369, 2008, (d) S. Purser, P. R. Moore, S. Swallow, V. Gouverneur：Fluorine in Medicinal Chemistry, *Chem. Soc. Rev.*, **37**, 320-330, 2008.

2) 水素結合，電気陰性度とはなんだろう？，本書第Ⅰ部第１章-10., P.54参照.

3) アミンはなぜ塩基性を示すのか？，本書第Ⅰ部第１章-１., P.3参照.

4) 医薬品と生体内標的分子の間に働く力，本書第Ⅱ部第１章-１., P.117参照.

5) Trial watch：Phase II and Phase III attrition rates 2011-2012, J. Arrowsmith, P. Miller, Nat. Rev. Drug Discov., 2013, **12**, 569.

6) プロトンポンプ インヒビターはプロドラッグではないのか？，本書第Ⅱ部第２章-４., P.167参照.

7) 史上初の重水素医薬品，本書第Ⅲ部第１章-１., P.219参照.

8) Drug interactions and hepatitis produced by some macrolide antibiotics, D. Pessayre, D. Larrey, C. Funck-Brentano, J.P. Benhamou. *J. Antimicrob. Chem.*, 1985, **16**, suppl. A., 181-194.

9) Hydroxylation-induced migration: The NIH shift, *Science*, 1967, 157, 1524-1530.

10) Novel bioactivation pathway of benzbromarone mediated by cytochrome P450, Y. Kitagawara, T. Ohe, K. Tachibana, K. Takahashi, S. Nakamura, T. Mashino. *Drug Metab. Dispos.*, 2015, **43**, 1303-1306.

11) 創薬で思うこと（2）：リリカ®とテクフィデラ®，本書第Ⅲ部第２章-２., P.264参照.

12) 廣部雅昭教授 退官記念誌 平成８年３月

13) Ethanol enhances the hemodynamic effects of felodipine. D. G. Bailey, J. D. Spence, B. Edgar, C. D. Bayliff, J. M. Arnold, *Clin. Invest. Med.*, 1989, **12**, 357-362.

14) 澤田康文 「薬と食の相互作用」上巻：医薬ジャーナル社

15) 薬物代謝を有機化学で考える，本書第Ⅱ部第２章-２., P.157参照.

16) Integrated pharmacokinetic assessment and strategy for orally effective prodrugs overcoming luminal degradation and biological membrane barriers. T. Mizuma, *Chem-bio Informatics Journal,*

2008, **8**, 56-68.

17）グレープフルーツだけでなく晩白柚やポメロのような，口に入れたときに少し苦味を感じるかんきつ類にフラノクマリン誘導体が含まれるといわれる。また，一般にルビーと呼ばれるピンク色の果肉のものより白色の果肉のグレープフルーツのほうがGF-I-1およびGF-I-4の含有量が多い。

18）Identification of 6,7'-dihydroxybergamottin, a cytochrome P450 inhibitor, in grapefruit juice. D. J. Edwards, F. H. Bellevue III, P. M. Woster, *Drug Metab. Dis. Informatics Journal*, 1996, **24**, 1287-1290.

19）Amounts and variation in grapefruit juice of the main components causing grapefruit-drug interaction. K. Fukuda, L. Guo, N. Ohashi, M. Yoshikasa, Y. Yamazoe, *J. Chromatogr. B*, 2000, **741**, 195-203.

20）Dihydroxybergamottin caproate as a potent and stable CYP3A4 inhibitor. T. Ohta, M. Nagahashi, S. Hosoi, S. Tsukamoto, *Bioorg. Med. Chem.*, 2002, **10**, 969-973.

21）Inhibition selectivity of grapefruit juice components on human cytochromes P450. W. Tassaneeyakul, L.-Q. Guo, K. Fukuda, T. Ohta, Y. Yamazoe, *Arch Biochem. Biophys*, 2000, **378**, 356-363.

22）Inactivation of cytochrome P450 3A4 by bergamottin, a component of grapefruit juice. K. He, K. R. Iyer, R. N. Hayes, M. W. Sinz, T. F. Woolf, P. F. Hollenberg, *Chem. Res. Toxicol.*, 1998, **11**, 252-259.

23）Bioactivation of 8-methoxypsoralen and irrevasible inactivation of cytochrome P-450 in mouse liver microsomes; modification by monoclonal antibodies, inhibition of drug metabolism and distribution of covalent adducts. D. C. Mays, J. B. Hilliard, D. D. Wong, M. A. Chambers, S. S. Park, H. V. Gelboin, N. Gerber, *J. Pharmacol. Exp. Ther.*, 1990, **254**, 720-731.

24）L. Olbe, E. Carlsson, P. Lindberg, *Nat. Rev. Drug Discov.*, 2003, **2**, 132-139.

25）P. Lindberg, P. Nordberg, T. Alminger, A, Brlindstriim, B. Wallmark, *J. Med. Chem.*, 1986, **29**, 1327-1329.

26）H. Nagaya, H. Satoh, K. Kubo, Y. Maki, *J. Pharmacol. Exp. Ther.*, 1989, **248**, 799-805.

27）H. Nagaya, N. Inatomi, A. Nohara, H. Satoh, *Biochem. Pharmacol.*, 1991, **42**, 1875-1878.

28）M. Miura, *Yakugaku Zasshi*, 2006, **126**, 395-402.

29）長野哲雄，夏苅英昭，原博編著「創薬化学」東京化学同人(2004)：P.314-320(早川勇夫執筆).

30）以下の論文をもとにして編集した(一部の医薬品の追加や構造式挿入)：Assessing the chiral switch: Approval and use of single-enantiomer drugs, 2001 to 2011, W. F. Gellad, P. Choi, M. Mizah, C. B. Good, A. S. Kesselheim, *Am. J. Manag. Care*, 2014, **20**, e90-e97.

31）A. Somogyi, F. Bochner, D. Foster, *Australian Prescriber*, 2004, **27**, 47-49.

32）長野哲雄，夏苅英昭，原博編著「創薬化学」東京化学同人(2004)：a) P.298-307(ドネペジル，杉本八郎執筆)；b) P.293-298(ピオグリタゾン，左右田隆執筆).

33）医薬品開発における軸不斉に関する最近の総説：a) Recent encounters with atropisomerism in drug discovery, P. W. Glunz. *Bioorg. Med. Chem. Lett.*, 2018, 28, 53-60；b) Atropisomerism in the Pharmaceutically Relevant Realm, M.Basilaia, M. H. Chen, J. Secka, J. L. Gustafson, *Acc.Chem.Res.*, 2022, 55, 2904-2919.

34）a) Y. Ikeura, Y. Ishichi, T. Tanaka, A. Fujishima, M. Murabayashi, M. Kawada, T. Ishimaru, I. Kamo, T. Doi, H. Natsugari, J. Med. Chem., 1998, 41, 4232-4239; b) H. Natsugari, Y. Ikeura, I. Kamo, T. Ishimaru, Y. Ishichi, A. Fujishima, T. Tanaka, F. Kasahara, M. Kawada, T. Doi, J. Med. Chem., 1999, **42**, 3982-3993.

35）2019年に第一三共(株)より，ミネラルコルチコイド受容体拮抗薬(高血圧症治療薬)であるエサキセレノン(ミネブロ®)が軸不斉に由来する光学活性な医薬品として上市された。

36）セルロースはなぜ水に溶けないの？，本書第Ⅰ部第2章-6., P.94参照.

37）セルロースの科学，磯貝 明，朝倉書店, 2003.

38）機能性セルロース，シーエムシー出版, 1985.

39）D-グルコースの6位の水酸基がナトリウムアルコキシドになっているとして化学構造式を表しているが，実際には他の水酸基もナトリウムアルコキシドになっている可能性はある。また，1カ所でもアルコキシドが形成されることによってセルロースの分子内もしくは分子間での強固な水素結合が切断され，かつ，隣接する水酸基の反応性が高まってその後の求核反応が進行すると思われる。

40) D-グルコースの2位，3位，6位の水酸基の反応性について，2位と3位の水酸基では同じ2級アルコールであるため反応性が違わないように思われる。しかし，実際には2位はアセタール結合している1位の炭素（アノマー炭素）の隣にあって，電子がアノマー炭素に引っ張られてしまうため，反応性が高くなる傾向にある。

41) 曲がった矢印と化学反応，本書第Ⅰ部第1章-4.，P.19参照.

42) ポビドンはクロスポビドンとも呼ばれているようである。両者ともCAS番号が同じなので同一と考えてよい。

43) カルボニル基の化学（2）：アミド・エステル結合の形成反応，本書第Ⅰ部第1章-6.，P.28参照.

44) アミドの窒素はなぜ塩基性を示さないのか？，本書第Ⅰ部第1章-2.，P.9参照.

45) （a）T. Yoneda, H. Tabata, J. Nakagomi, T. Tasaka, T. Oshitari, H. Takahashi, H. Natsugari, N-Benzoyl- and N-Sulfonyl-1,5-benzodiazepines: Comparison of Their Atropisomeric and Conformational Properties. *J. Org. Chem.*, 2014, **79**, 5717-5727. （b）田畑英嗣，米田哲也，高橋秀依，夏苅英昭，アミドおよびスルホンアミド構造に由来する軸不斉―ベンゾ縮合含窒素7員環化合物の柔軟な立体化学―，有機合成化学協会誌，2016, **74**, 56-68.

46) ドラッグデザインの基礎知識－ファーマコフォア，バイオアイソスター，本書第Ⅱ部第1章-2.，P.123参照.

47) 水素結合，電気陰性度とはなんだろう？，本書第Ⅰ部第1章-10.，P.54参照.

48) 糖尿病治療薬（1），本書第Ⅲ部第1章-3.，P.229参照.

49) ペニシリン開発秘話，ジョン・シーハン著，住田俊訳，草思社（1994）

50) スルバクタムはアンピシリンと化学的に合体させ，プロドラッグ化した形（相互プロドラッグという）でも開発されている（販売名：ユナシン）。

51) セレンディピティに関する読み物：a）セレンディピティー（思いがけない発見・発明のドラマ），R.M. ロバーツ著，安藤喬志訳（化学同人，1993）；b）楽しい薬理学－セレンディピティー，岡部進（南山堂，2001）

52) 実は，原料である2-クロルメチルキナゾリン-3-オキシドの化学構造も，当初想定していた構造ではなかった。詳細は下記の論文を参照されたい：L.H. Sternbach, The Benzodiazepine Story, *J. Med. Chem.*, **22**, 1-7, 1979.

53) キラルスイッチ医薬品を考える，本書第Ⅱ部第2章-5.，P.171参照.

54) Ashton, Peter R.; Ballardini, Roberto; Balzani, Vincenzo; Baxter, Ian; Credi, Alberto; Fyfe, Matthew C. T.; Gandolfi, Maria Teresa; Gomez-Lopez, Marcos; Martinez-Diaz, M.-Victoria; Piersanti, Arianna; Spencer, Neil; Stoddart, J. Fraser; Venturi, Margherita; White, Andrew J. P.; Williams, David J. Acid-Base Controllable Molecular Shuttles. *J. Am. Chem. Soc.*, 1998, **120**, 11932-11942.

55) Ooya, Tooru; Eguchi, Masaru; Yui, Nobuhiko Supramolecular design for multivalent interaction: maltose mobility along polyrotaxane enhanced binding with concanavalin A. *J. Am. Chem. Soc.*, 2003, **125**, 13016-13017.

56) Ichi, Takahiro; Watanabe, Junji; Ooya, Tooru; Yui, Nobuhiko Controllable Erosion Time and Profile in Poly (ethylene glycol) Hydrogels by Supramolecular Structure of Hydrolyzable Polyrotaxane. *Biomacromolecules*, 2001, **2**, 204-210.

57) シクロデキストリンが内孔に分子を包接することはよく知られている。一方で，シクロデキストリン同士の相互作用によって分子間で形成される空間は比較的大きく，その空間に薬物が封入されることが結晶解析によって明らかにされている。

58) 生体直交型反応，本書第Ⅰ部第2章-8.，P.105参照.

59) Tardy, Blaise L.; Dam, Henk H.; Kamphuis, Marloes M. J.; Richardson, Joseph J.; Caruso, Frank Self-assembled stimuli-responsive polyrotaxane core-shell particles. *Biomacromolecules*, 2014, **15**, 53-59.

60) 鈴木-宮浦カップリングと医薬品創製，本書第Ⅰ部第2章-2.，P.73参照.

61) Lovering F, Bikker J, Humblet C, Escape from flatland: Increasing saturation as an approach to improving clinical success. *J. Med. Chem.*, 2009, **52**, 6752-6756.

62) Paul von R. Schleyer. A simple preparation of adamantane. *J. Am. Chem. Soc.*, 1957, **79**, 3292.

63) Jackson GG, Muldoon RL, Akers LW, Serological evidence for prevention of influenzal infection in volunteers by an anti-influenzal drug adamantanamine hydrochloride. *Antimicrob. Agents Chemother.*,

1963, **161**, 703-707.

64) Schwab RS, England AC Jr., Poskanzer DC, Young RR, Amantadine in the treatment of Parkinson's disease. *J. Am. Med. Assoc.,* 1969, **208**, 1168-1170.

65) Gerzon K, Krumalns EV, Brindle RL, Marshall FJ, Root MA, The adamantly group in medicinal agents, 1. Hypoglycemic N-arylsulfonyl-N-adamantylurea. *J. Med. Chem.,* 1963, **6**, 760-763.

66) Eaton PE, Cole TW, Cubane. *J. Am. Chem. Soc.,* 1964, **86**, 3157-3158.

67) Silverman RB, Zhou JP, Eaton PE, Inactivation of monoamine oxidase by(aminomethyl)cubane. First evidence for an c-amino radical during enzyme catalysis. *J. Am. Chem. Soc.,* 1993, **115**, 8841-8842.

68) Huang HT, Zhu L, Ward MD, Chaloux BL, Hrubiak R, Epshteyn A, Baddimg JV, Strbel TA, Surprising stability of cubane under extreme pressure. *Phys. Chem. Lett.,* 2018, **9**, 2031-2037.

69) Doedens RJ, Eaton PE, Fleischer EB, The bent bond of cubane. *Eur. J. Org. Chem..* 2017, 2627-2630. 本論文の著者であるEatonは，最初にキュバンを合成したEatonと同じ人物。

第Ⅲ部

最近の創薬に思う

第1章　新薬と創薬の話題

第2章　創薬を取り巻く環境

最近の創薬に思う 第Ⅲ部

第1章　新薬と創薬の話題

1．史上初の重水素化医薬品

はじめに

　フッ素原子（F）は，最近の創薬において極めて重要な位置を占め，臨床で使用されている合成医薬品のうち約20％に含まれる原子である[1]。一方，ホウ素原子（B）を含む医薬品も，最近になって4つのユニークな医薬品（ベルケイド®，ニンラーロ®，タバボロール，クリサボロール）が市場に出た（詳細は次項[2]で述べる）。最近，米国食品医薬品局（FDA）が重水素原子（deuterium：D）を構造式中に含んだ医薬品（重水素化医薬品），デューテトラベナジン（販売名；Austedo，構造式は後記，図1-3の1）を史上初めて認可した（2017年4月）ことが話題になった。ここでは，重水素化医薬品[3,4]の研究開発状況を紹介したい。

1．同位体とは

　重水素は水素の同位体の1つである。重水素化医薬品の話に入る前に，同位体とは何かを復習したい。図1-1に水素と炭素の同位体と原子構造を示す。原子は中心に原子核をもち，その周囲を電子が回っている[1]。原子核は正の電荷をもつ陽子と，電荷をもたない中性子から成り立っており，原子核全体としては正に荷電している。陽子の数と中性子の数を合計した数が質量数である。それぞれの原子がもつ陽子の数は，その原子の種類を決める大切な数である。この陽子の数に基づいて原子番号が決まり，それぞれの原子番号によって元素を区別できる。原子は全体としては電気的に中性であるので，正の電荷をもっている陽子と負の電荷をもっている電子の数は等しくなる。

　電子1個の質量は，陽子や中性子の約2,000分の1にすぎないので，原子の質量のほとんどは原子核に由来する。同じ元素であっても質量数が異なるものがある。これは中性子の数が異なるためであり，これらは互いに同位体と呼ばれる。天然に存在する水素には質量数が1，2，3の同位体が存在する（図1-1）。通常の水素（^1_1H，軽水素）は，質量数が1であり1個の陽子のみからなり中性子をもたないが，水素の同位体（^2_1H，^3_1H）はそれぞれ1個，2個の中性子をもつ（元素記号の左下数字は陽子の数，左上数字は陽子数と中性子数の和を示す）。水素の元素記号はHであるが，同位体である^2_1HをD（デューテリウム，重水素），^3_1HをT（トリチウム，三重水素）と表すことがある。天然における存在比は，^1_1H 99％以上，^2_1H 約0.015％，^3_1Hは微量である。また，炭素は天然には$^{12}_6C$，$^{13}_6C$，$^{14}_6C$の同位体

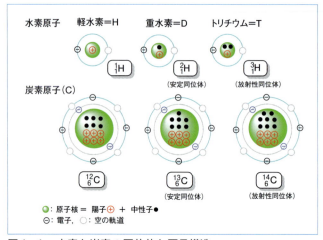

図 1-1　水素と炭素の同位体と原子構造
元素記号の左下数字が原子番号（陽子の数），左上が質量数（陽子数と中性子数の和）である。

が存在する（図 1-1）。陽子の数はいずれも 6 個で，中性子の数はそれぞれ 6 個，7 個，8 個である。天然における存在比は，$^{12}_{6}C$ 99％，$^{13}_{6}C$ 約 1 ％，$^{14}_{6}C$ は微量である。

なお，H と C の同位体のうち，D（$^{2}_{1}H$）と $^{13}_{6}C$ は安定な同位体，T（$^{3}_{1}H$）と $^{14}_{6}C$ が放射性同位体である。放射性同位体の T（$^{3}_{1}H$）と $^{14}_{6}C$ は，β崩壊［中性子がβ線（電子）を放出して陽子になる］により，各々陽子が 1 個増えて同じ質量数をもつ安定なヘリウム（$^{3}_{2}He$）と窒素（$^{14}_{7}N$）に変わる。

同位体同士は一般的には，化学的に同様な振る舞いをする。これは原子の化学的挙動は最外殻電子の配置によって決められ，内側の原子核にある陽子や中性子はあまり関係しないことによる。しかし，原子番号の小さい水素の同位体では，質量数が（軽水素の）2 倍，3 倍となるので，同位体の物理的・化学的性質の違い（同位体効果）が大きく表れる。例えば，軽水（H_2O）と重水（D_2O）では，以下のような物性の違いが生じる（H_2O/D_2O：融点 0.0/3.79 ℃，沸点 100/101.4 ℃，密度 0.998/1.106 g/mL，イオン積（25 ℃）14.00/14.87）。

有機化学者にとって最も身近な同位体は核磁気共鳴（NMR）スペクトルの測定に用いられる重溶媒（CDCl$_3$，DMSO-d_6，D_2O など）である。重水素は化合物の水素や炭素原子の測定に際して，溶媒の水素原子による影響（妨害）を避けるために用いられている。そのほか，同位体は医薬品の代謝研究（代謝様式や体内分布など）に頻用され，さらに最近では，以下に述べるように，医薬品探索にも活用されている。

2. 重水素化医薬品

ご存じのように，医薬品分子は，シトクロムP450（CYP）などの酵素により酸化・還元・抱合化などの代謝を受ける。なかでも，C-H 結合が酸化され C-OH 結合に変化するケースが多い。O-メチル体や N-メチル体では酸化された後に，脱メチル化が起こる（図 1-2）。

これらの代謝変換では，多くの場合，活性の低下や作用の持続性低下につながり，また，代謝物が毒性の原因になることもある。この代謝を防ぐために，酸化部位の水素原子をフッ素や塩素，メチル基などに変える手法がしばしば用いられている[1,5]。しかし，これらは水素原子とはサイズも性質も異なるため，分子全体の性質も変えることが多く，代謝は改善されたものの，活性の低下や水溶性・吸収性などが低下する望ましくないプロファイルを示すことも多い。一方，水素Hと同位体であるDでは，前述したような同位体効果があり，C-D結合はC-H結合に比べて結合を切断する活性化エネルギーが高く，さらに重い分子の運動速度は小さくなるので反応速度は遅くなる。生物活性化合物においても，生体内での代謝が遅延されるため，薬効の持続性の改善，安全性の向上などが期待される。しかも，水素HのDへの置換は，フッ素や塩素などへの置換と違って，分子全体の性質にはほとんど影響を与えないので，生物活性や溶解性などは維持されるはずである。このようなことから，代謝部位のHを重水素Dに置換する方法がドラッグデザインに取り入れられることになった。

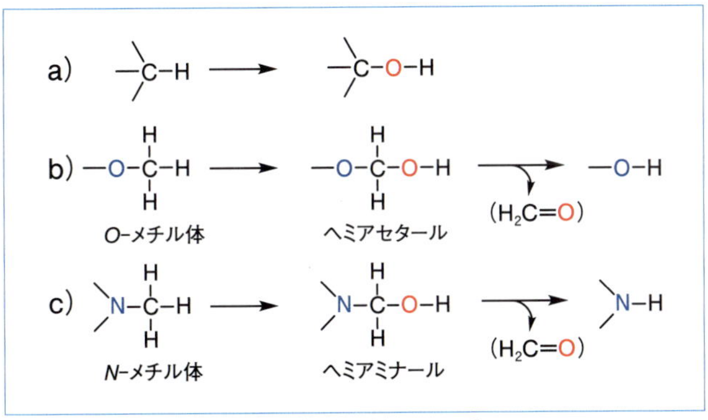

図1-2　C-H結合の酸化的代謝と脱メチル化
C-H結合は酸化されてC-OH結合になる。O-メチル基（b）およびN-メチル基（c）では，メチル基は酸化されて不安定なヘミアセタール[6]，ヘミアミナール[6]を経て除去される。このような酸化的代謝は，C-H結合をC-D結合に変換して遅延させることができる。

　米国では，このような重水素化医薬品を専門とするベンチャー企業が出現している。コンサート・ファーマ（Concert）社，オースペックス（Auspex）社，バーズ（BiRDS）社などである。大手製薬メーカーも関心をもち，これらのベンチャー企業の買収や開発提携なども盛んである[7]。

　次項で述べるが，重水素化医薬品の臨床試験は，1980年代にフルダラニン（構造式は**図1-4の3**）で行われたのが最初といわれている。その後，ドラッグデザイン手法の1つとして利用され，主に既存の医薬品の重水素化が行われてきた。これまで何百という重水素化化合物に関する特許が出願されている。これらは特許潜り的な面もあるが，重水素化医薬品の特許については，重水素化しただけで新規化合物とみなせるのか，既存医薬品との差別化が認められるかなど，特許要件（新規性，有用性，進歩性）のバリアは高いといわ

れる。最近では，各社とも特許出願の際には，重水素化に対する対策を考慮しているようである。

3．重水素化医薬品：デューテトラベナジン（1）とデュークラバシチニブ（2）

　デューテトラベナジン（1）（**図1-3の1**）は，難病であるハンチントン病の舞踏運動症状を改善する医薬品である（作用機序はドパミンやセロトニンなどのモノアミンのトランスポーターの阻害作用）。すでにH体であるテトラベナジンは，海外では1970年代からハンチントン病や遅発性ジスキネジアなど不随意運動の治療薬として使用されてきた。日本では，2012年に「ハンチントン病に伴う舞踏運動」を効能・効果として承認され販売されている（販売名；コレアジン，希少疾病用医薬品指定）。H体のヒトでの代謝は，最初にカルボニル基（C=O）が還元酵素により還元されて，活性代謝物である水酸基（CH-OH）になり，次いで，ベンゼン環にある2個のメトキシ基（OCH₃）がCYP酵素の働きにより代謝を受け，脱メチル化されて活性の弱いヒドロキシ基（OH）となる。この脱メチル化の抑制を期待して，2個のメトキシ基（OCH₃）の6個のHを重水素Dに変換したのが，デューテトラベナジン（1）である。臨床試験の結果，（1）は症状スコアの改善がみられ，H体に比べて各種精神症状の副作用発現率が低く，より安全性が高いことが示され，史上初の重水素化医薬品としてFDAにより認可された（2017年4月）。また，2022年9月には，ブリストル マイヤーズ スクイブ（BMS）社のチロシンキナーゼ2（TYK2）阻害薬であるデュークラバシチニブ（ソーティクツ®）（2）（**図1-3の2**）が「乾癬」を対象疾患とする国内初の重水素化医薬品として承認された。

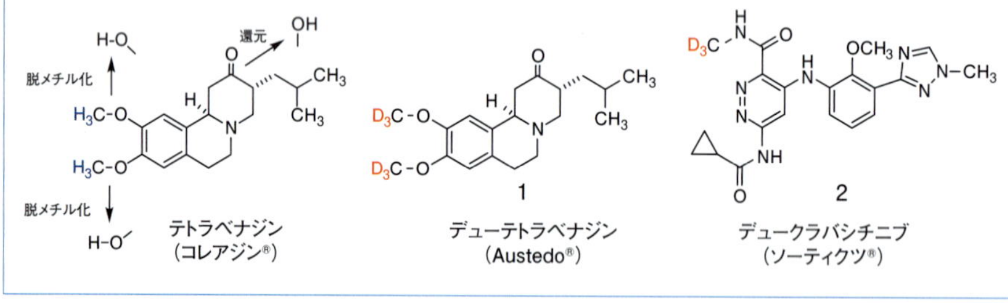

図1-3　**重水素化医薬品：デューテトラベナジン（1）とデュークラバシチニブ（2）**
テトラベナジンとデューテトラベナジンはラセミ体である。テトラベナジンは，矢印部位のような代謝を受ける。脱メチル化を遅くするため，デューテトラベナジンでは2個のメトキシ基の水素原子6個が重水素原子（赤字）に代わっている。重水素化された（deuterated）テトラベナジンなので，デューテトラベナジンという。

4．そのほかの重水素化化合物

　重水素化医薬品を目指した化合物の代表例を**図1-4**に示した。以下にこれらの概略を

述べる．重水素化は，前述した酸化的代謝（図1-2，1-3）を遅延させるために行うことが多い．図1-4の(3)〜(5)がその例である．フルダラニン(3)は，メルク社が創製し1980年代に重水素化医薬品（抗菌薬）として初めて臨床試験に入った化合物である（その後，Phase IIで中断された）．この化合物（3-フルオロ-D-アラニン）は，代謝されヘミアミナールを経由して，有害な2-フルオロピルビン酸(3')になるが，D化体(3)は，H体に比べてこの代謝が2.5倍遅くなり，安全性向上に寄与する．D化-ベンラファキシン(4)は，セロトニン・ノルアドレナリン再取り込み阻害薬（SNRI）に含まれる抗うつ薬ベンラファキシン（販売名；イフェクサー）のD化体である．ベンラファキシンは，ヒトにおけるCYP酵素による代謝反応で，活性代謝物である*O*-脱メチルベンラファキシンや活性が消失した*N*-脱メチル体や*O*-グルクロニド体などを生成する．この代謝を抑えるために，3個のメチル基水素がすべてD化された(4)が臨床試験に入った．D化-デキストロメトルファン(5)は，デキストロメトルファンのD化体である．デキストロメトルファン自体は，すでに1940年代に鎮咳去痰薬として開発され，脳内のさまざまな受容体に作用することが知られている．2010年，アバニア社[7]は，デキストロメトルファン－キニジン配合剤（販売名；Nuedexta）

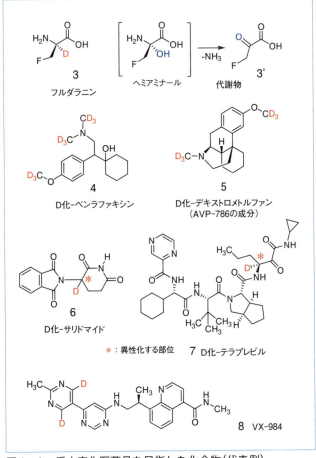

図1-4　重水素化医薬品を目指した化合物（代表例）

を世界で初の情動調節障害(PBA)の治療薬としてFDAから認可を得た。PBAは,神経変性疾患や頭部外傷などに併発する神経性障害の1つであり,Nuedextaはアルツハイマー病患者の興奮を抑えるためにも用いられる。Nuedextaの成分キニジンは,デキストロメトルファンの代謝を遅らせる目的で使用されている。D化によってデキストロメトルファンの代謝を遅らせることができれば,心毒性作用の恐れのあるキニジンの用量を減らすことができる。実際に,(4)と同様に,代謝部位をD化した(5)を用いることにより,キニジンの用量を半分以下にしたAVP-786が創製された(2015年11月,Phase Ⅲ入り)[8]。

不斉中心部分の立体化学が反転(異性化)しやすい化合物をD化体として反転を抑える例もある。D化-サリドマイド(6)およびD化-テラプレビル(7)がその例である(図1-4の6,7,赤いアステリスクの部位が異性化部位)。催奇形性の薬害を引き起こしたサリドマイドは,一方の立体異性体が催奇形性の原因といわれる[9]。サリドマイドをD化することにより異性化を抑制し,催奇形性の発現を抑える試みがなされた。また,テラプレビル[C型肝炎ウイルス(HCV)治療薬(Phase Ⅲ)]には,代謝物として異性化した化合物(活性は1/30に減弱)が生成する。この異性化を抑えるために,D化-テラプレビル(7)が創製された。(7)は活性を保持し,安定性にも優れ,経口吸収性もテラプレビルと比べて13%(AUCベース)改善された。

以上は,既存の薬物についてのD化体の創製例であるが,最近では,最適化研究段階でD化体をドラッグデザインする例も見られる。抗がん剤 VX-984(8)がその例である[10]。代謝面で安定な化合物を得るため,代謝部位およびその周辺部位について,通常の化学修飾(置換基導入,立体障害の組み込み,環の変換など)が行われたが成功せず,D化体とすることにより代謝に安定な(8)が見出された。

以上,重水素化医薬品について概説した。これまで,重水素化医薬品が医薬品として価値があるかどうか懐疑的な見方もあったが,デューテトラベナジン(1)とデュークラバシチニブ(2)が認可されたことは大きな一歩である。さらに,いくつかの化合物が臨床試験段階にあり,今後も目が離せない領域である。

2.ホウ素を含む4つの新医薬品

はじめに

世界売上高上位の医薬品のなかにホウ素(ボロン:B)を含む珍しい医薬品,ベルケイド®(多発性骨髄腫治療薬)がある。ホウ素は,これまで医薬品としての活用は試みられてはいたものの実用化されたことはなかったが,2003年にベルケイド®が初めて製品化された。その後,現在までに図2-1に示す4つの医薬品(1.ベルケイド®,2.ニンラーロ®,3.タバボロール(一般名),4.クリサボロール(一般名))が市場に出ている。ここでは,ホウ

素を含むこれらのユニークな医薬品の特性や，開発経緯などを概説する。

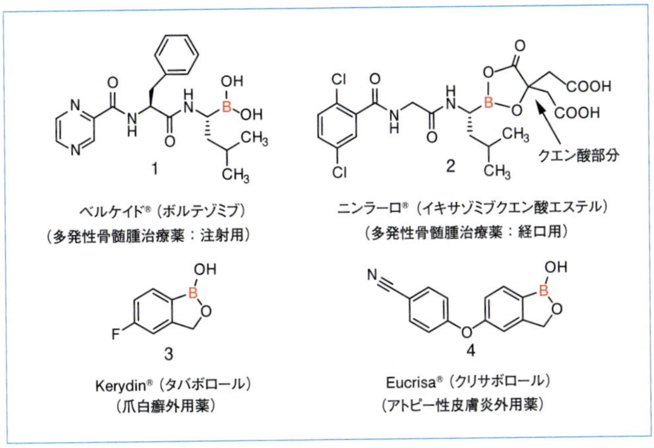

図2-1　ホウ素(B)を含む4つの医薬品
　　　カッコ内は一般名。3と4は日本では未承認。1〜4のホウ素(B)部分はいずれも平面構造をなしている。
　　　2のクエン酸部分は血中で速やかに除去され，-B(OH)$_2$体(活性体：イキサゾミブ)になる。

1．ホウ素化合物の特徴

　最初に，ホウ素の化学的な特徴を述べる。ホウ素は，原子番号5の小さな元素であり，周期表では炭素(原子番号6)の左側に位置する。**図2-2**に示すように，ホウ素と炭素は化学結合に関与できる価電子(原子の最外殻にある電子)の数は，それぞれ3個と4個である。1本の化学結合は2個の電子を共有することによって形成され，各々の原子は自身の周りに8個の電子が存在することにより安定化される。したがって，炭素原子は4本の結合(構造**C**)をつくることができる。一方，ホウ素原子は3本の結合(構造**A**)をつくること

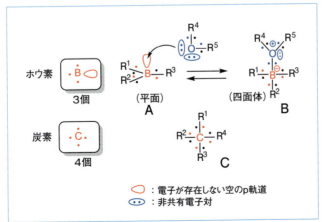

図2-2　ホウ素原子と炭素原子の価電子(最外殻電子)数と化学結合
　　　ホウ素原子は**A**と**B**の2つのタイプ(3本と4本)の結合を形成できる。炭素は**C**のように4本の結合のみ。
　　　化学結合は，原子自身の周りに8個の電子が存在すると安定(オクテット則という)。構造**A**のホウ素原子は6個の電子をもつだけなので，オクテット則を満たすには2個不足していることになる。

ができるが，もう1つ空の軌道（p軌道という）をもつので，酸素のような非共有結合電子対をもつ原子から電子対をその空の軌道に受け取り4本の結合（構造B）をつくることができる。このとき，平面構造のAから四面体構造のBへ変化することが重要である。具体例として三フッ化ホウ素を図2-3に示した。三フッ化ホウ素は空の軌道を持ち，ジエチルエーテルの酸素原子の非共有電子対を受け取る性質（ルイス酸という）[11]があり，安定な複合体が形成される。このように，ホウ素はAとBの2つのタイプの構造をとるという性質を利用することにより，従来の炭素とは異なる形式でタンパク質や核酸などさまざまな創薬ターゲットと相互作用することが可能となる。以下，ホウ素を含む新しい4医薬品（図2-1）の開発経緯を簡単に紹介する。

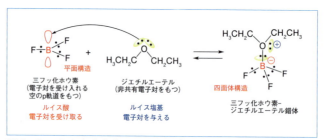

図2-3　ホウ素化合物はルイス酸（電子対を受け取る）[11]

2．ベルケイド®（1）：注射用多発性骨髄腫治療薬

ベルケイド®（一般名：ボルテゾミブ）（図2-1の1）は，多発性骨髄腫（血液細胞の1つである形質細胞のがん）[12]に用いられる注射用薬である。作用標的は，不要となったタンパク質の分解に関わる酵素複合体プロテアソームであり，その作用を阻害して骨髄腫細胞の増殖を抑制する。ベルケイド®は最初に米国のバイオベンチャー，プロスクリプト社（ProScript Inc.）で創製された（コードNo.PS-341）。その後，NCI（National Cancer Institute）の協力を得て，バイオベンチャー企業のミレニアム社と大手製薬企業のジョンソン＆ジョンソン（ヤンセンファーマ）社がそれぞれ米国と米国以外（欧州その他）の地域を分担して，抗がん薬として共同開発した（2003年に米国で最初に認可，日本では2006年に認可）。ミレニアム社は2008年，武田薬品により買収され（買収費用88億ドル：約8,900億円），現在は武田薬品とヤンセンファーマ社が販売し，2015年の世界売上高2,694百万ドル（武田薬品が1,361百万ドル，ヤンセンファーマ社が1,333百万ドル）のブロックバスター医薬品である。

ボルテゾミブ（PS-341）（図2-1の1）は一種のペプチド誘導体であり，右側のC末端アミノ酸（ロイシン）のカルボキシ基（-COOH）をボロン酸［-B(OH)$_2$］に置き換えた構造をもつ。このドラッグデザインには，すでに述べた「遷移状態アナログ」の概念がうまく用いられている。図2-4に，ペプチド基質のセリンプロテアーゼによる加水分解の機序[13]とペプチドボロン酸とセリンプロテアーゼとの結合の様子を示した。酵素反応では，基質

が分解（反応）する際の四面体中間体（遷移状態）［**図2-4 (a)** の右側］は基質よりも強力に酵素に結合する。この遷移状態を模倣した化合物（遷移状態アナログ）は酵素阻害剤のドラッグデザインにしばしば用いられ，HIV感染症やAIDS（後天性免疫不全症候群）治療薬，および高血圧症治療薬（レニン阻害薬）などの誕生に至っている[14]。ホウ素が4本の結合をつくることができるという特徴を活かせば，ペプチドボロン酸は，**図2-4 (b)** 右側に示すように遷移状態アナログとして機能するはずである。このようなペプチドボロン酸を用いる酵素阻害薬の探索研究は古くから広く行われていたが，実用化に至った例はなかった。プロスクリプト社では，酵素（プロテアソーム）に対する阻害活性をもつペプチド誘導体をリード化合物として，ペプチドボロン酸の研究へ展開し，選択性が高く，強い阻害作用をもつボルテゾミブ（PS-341）の創製に至った。

実際に，ボルテゾミブと酵素（プロテアソーム）の複合体のX線結晶構造解析の結果，**図2-5** に示すようにボルテゾミブのホウ素原子は，プロテアソーム中の活性中心にあるスレオニン残基のOH基酸素原子と結合し，ホウ素原子は四面体構造をとっていることが明らかにされた。

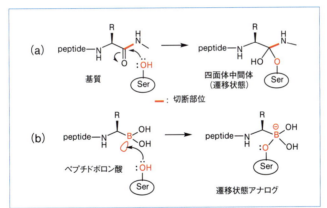

図2-4　遷移状態アナログのドラッグデザイン：セリンプロテアーゼによる基質加水分解(a)とペプチドボロン酸との結合(b)

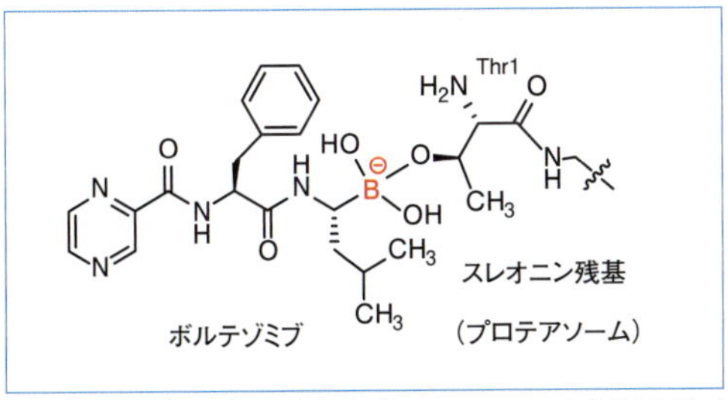

図2-5　ボルテゾミブの酵素（プロテアソーム）複合体中の構造

3. ニンラーロ®(2):経口用多発性骨髄腫治療薬

ニンラーロ®(一般名:イキサゾミブクエン酸エステル)(**図2-1の2**)は,ミレニアム社(現・武田薬品)が開発したベルケイド®に続く多発性骨髄腫治療薬である。2015年に米国で認可,2017年に日本で認可された。作用機序はベルケイド®と同じプロテアソーム阻害である。ベルケイド®が注射用(凍結乾燥品)であったのに対して,ニンラーロ®は経口用薬(カプセル剤)であり,ホウ酸部分($B(OH)_2$)はクエン酸エステル化(**図2-1の2**の矢印部分)されている[15]。クエン酸部分は,血中あるいは水溶液中で速やかに加水分解されて除去され,活性体であるイキサゾミブ(ホウ酸誘導体:$R-B(OH)_2$)になる。ニンラーロ®は,サリドマイド誘導体レブラミド®[16]およびデキサメタゾンとの3剤併用療法の一成分として使用される。

4. タバボロール(3):爪白癬外用薬

タバボロール(Kerydin®)(**図2-1の3**)は,真菌のロイシルtRNA合成酵素の働きを抑え,タンパク質合成を阻害することにより真菌の増殖を抑える。ヒト酵素よりも真菌酵素に高い阻害作用を有し,爪に対する透過性が高く,爪白癬の外用薬として開発された。米国のホウ素医薬品に特化した研究開発を行うバイオベンチャーのアナコア・ファーマシューティカル(Anacor Pharmaceuticals Inc.)社が開発し,2014年米国で認可された(日本では未承認)。

タバボロールもまた,ホウ素の特性を活かして創製されていることが,タバボロールと酵素-tRNAの複合体のX線結晶構造解析の結果から明らかにされた。すなわち,**図2-6**に示すようにタバボロールのホウ素原子は,ロイシルtRNAの末端アデノシン部位で5員環糖(リボース)の2個のOH基の酸素原子と結合を形成し,四面体構造をとっている。

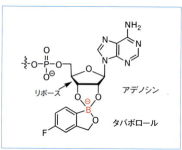

図2-6 タバボロールとロイシルtRNAの末端アデノシンとの付加体構造

5. クリサボロール(4):アトピー性皮膚炎外用薬

クリサボロール(Eucrisa®)(**図2-1の4**)は,軽度および中程度のアトピー性皮膚炎の外用治療薬である。タバボロール(3)と同様にアナコア社により開発され,2016年米国で認可された(日本では未承認)。化学構造も(3)と類似したホウ素を含むベンゾオキサボロール骨格を有する。作用機序はホスホジエステラーゼ4(PDE4)の酵素阻害であり,PDE4阻害剤のアトピー性皮膚炎への適応は初めてである。クリサボロールは全身吸収性が低く,不活性代謝物に速やかに代謝されるので,全身性副作用のリスクが低いと記載されている。

アトピー性皮膚炎治療の外用療法は，従来ステロイドかタクロリムスが用いられているが，新しい選択肢が1つ増えたことになる。

　以上，ホウ素を含む新しい医薬品を概説した。ホウ素は，がん細胞のみを破壊する放射線治療(中性子捕捉療法)に用いられていることはよく知られている。一方，ホウ素含有化合物は，これまで微生物(陸生および海洋)から大環状ラクトン構造をもつイオノフォア抗生物質(ボロマイシン，アプラズモマイシンなど，グラム陽性菌やマラリア原虫に有効)として単離されているが，医薬品として開発されたものはなかった。また，化学者にとっては鈴木章先生のノーベル化学賞の受賞対象になった鈴木-宮浦反応[17]に用いられるなど，たいへんなじみが深い元素でもある。しかし，創薬化学の分野においては今まであまり注目されていなかった。本稿で述べたホウ素医薬品は，多発性骨髄腫治療というアンメットメディカルニーズの高い領域や，外用薬領域での開発という若干の特殊性があるが，これらの開発が契機となり，ホウ素は改めて見直されるかもしれない。

　ホウ素を含む医薬品開発では米国のバイオベンチャーの活躍が目立っている。ベルケイド((1)，PS-341)を創製したプロスクリプト社(当初の名称はMyoGenics Inc.)は1993年にハーバード大学関係の研究者が集まり，ボストンで誕生した小さなバイオベンチャーである。PS-341の成果をもって，1999年にミレニアム社に買収された。一方，ボロール系医薬品(3，4)は，ホウ素医薬品に特化したアナコア社の研究から誕生した。アナコア社は，2002年にスタンフォード大学とペンシルベニア州立大学の研究者が立ち上げたベンチャーである。爪白癬外用薬タバボロール(3)はノバルティス社の傘下の企業(Sandoz Inc., PharmaDerm Inc.)に販売権がライセンスされ，さらにクリサボロール(4)は，新しいタイプの外用アトピー性皮膚炎治療薬として大型化(年20億ドル以上)が見込まれることから，ファイザー社はアナコア社を52億ドル(約5,700億円)で買収した(2016年5月)。ベンチャービジネスの成功例である。

3．糖尿病治療薬(1)：SGLT2阻害薬とインクレチン関連薬

はじめに

　世界の糖尿病人口は，2021年には5億3,700万人(10人に1人)に上り，2040年までに糖尿病患者数は世界全体で6億4,200万人まで増加すると予測されている。近年，糖尿病治療薬はめざましい進展を遂げており，2005年に「GLP-1受容体作動薬(アナログ)」，2006年に「DPP-4阻害薬」，2013年に「SGLT2阻害薬」，2021年にメトホルミンに類似した構造を有するイメグリミン，さらに，2022年には「GIP/GLP-1アナログ」が登場した。これらの新薬が従来の治療薬に加わり，糖尿病治療薬はたいへん競合の激しい領域となっている。「GLP-1アナログ」，「GIP/GLP-1アナログ」および「DPP-4阻害薬」は，インスリ

ン分泌を促進させるホルモンであるインクレチンに関連する医薬品である。一方，「SGLT2阻害薬」は，血糖を尿糖として体外に排泄することにより血糖値を低下させ，従来のインスリンの分泌や抵抗性改善に依存する作用機序とは異なる新たな糖尿病治療薬である。本項では，糖尿病治療薬を分類し，それらのうち，最近開発された新薬を中心に概説する。

1. 糖尿病治療薬の分類

糖尿病治療薬は**図3-1**に示すように分類される。インスリンは膵臓に存在するランゲルハンス島のβ細胞から分泌されるペプチドホルモンの一種であり，ブドウ糖を体内に取り込ませるホルモンである。インスリンが欠乏すると，ブドウ糖が体内に取り込まれず血液中のブドウ糖が増加する。その結果，組織の毛細血管壁が高血糖状態にさらされ，血管・組織が障害を受ける。これまで，注射剤としてインスリン製剤が用いられ，経口剤としては，**図3-1**に示すように，インスリン分泌を促進させるスルホニル尿素系，グリニド系薬剤（①-1）やインスリン抵抗性を改善させるチアゾリジン系（②-1）や糖新生を抑制するビグアナイド系（②-2），糖吸収を抑制するα-グルコシダーゼ阻害薬（③-1）が用いられてきた。最近，この分類表に，インクレチンに関連する薬剤（GLP-1アナログ，GIP/GLP-1アナログ，DPP-4阻害薬），糖の体外への排泄を促進させる薬剤（SGLT2阻害薬），およびイメグリミンといった新薬が加わった。

注射剤
　①インスリン製剤
　②インクレチン製剤（GLP-1アナログ*，GIP/GLP-1アナログ）（新薬）

経口剤
　①インスリン分泌促進系
　　1）インスリン分泌促進作用（スルホニル尿素系，グリニド系）
　　2）インクレチン増強作用（DPP-4阻害薬）（新薬）
　②インスリン抵抗性改善系
　　1）インスリン抵抗性改善作用（チアゾリジン系）
　　2）糖新生抑制作用（ビグアナイド系，イメグリミン（新薬））
　③糖吸収・排泄調整系
　　1）糖吸収抑制作用（α-グルコシダーゼ阻害薬）
　　2）尿糖排泄作用（SGLT2阻害薬）（新薬）

図3-1　糖尿病治療薬の分類
*セマグルチドは，唯一経口剤としても認可された（米国：2019.10，日本：2020.6）。

---

2. インスリン抵抗性改善系

(1)インスリン抵抗性改善薬（チアゾリジン系）

ピオグリタゾン（アクトス®）（**図3-2**）はチアゾリジンジオン骨格をもつ糖尿病薬である脂肪細胞分化や脂肪蓄積の主要調節因子であるペルオキシソーム増殖活性化受容体γ（PPARγ）と特異的に結合して活性化させることにより、インスリン抵抗性の惹起因子である腫瘍壊

死因子 α（TNFα）の産生を減少させるなどして、インスリンに対する感受性を高め、末梢や肝臓におけるインスリン抵抗性を改善する。

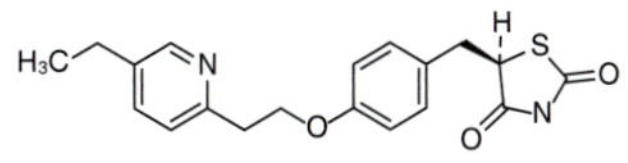

図 3-2　チアゾリジン系（ピオグリタゾン）
ラセミ体である。

(2) 糖新生抑制作用（ビグアナイド系）と新薬イメグリミン

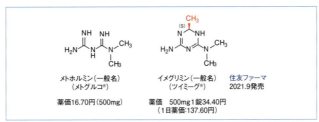

図 3-3　ビグアナイド系薬（メトホルミン）と類似構造をもつイメグリミン

　2個のグアニジノ基をもつビグアナイド系薬のメトホルミンは古くから用いられている血糖低下薬である。安価で、国内での処方箋数は極めて多く、欧米では糖尿病薬の第一選択薬として用いられる。ビグアナイド系薬は、肝臓での糖新生の抑制や筋肉や脂肪組織での糖の取り込みを促進（インスリン抵抗性を改善）させ、血糖値を低下させる。2021年9月、メトホルミンと類似の構造をもつイメグリミン（ツイミーグ®）が住友ファーマから発売された（図3-3）。イメグリミンは、上記のメトホルミンに類似する作用のほかに、グルコース濃度依存的なインスリンの分泌促進作用および活性酸素発生を低下させることによる膵β細胞の保護作用ももつ。

3．糖吸収・排泄調整系

(1) 糖吸収抑制作用（α-グルコシダーゼ阻害薬）

　食事により摂取された多糖類のデンプン（グルコースが α-グルコシド結合で連なる[18]）は、唾液や膵液中の消化酵素 α-アミラーゼによって二糖類のマルトース（麦芽糖）にまで分解される。その後、さらに小腸粘膜に存在する二糖類の分解酵素（α-グルコシダーゼ）によりグルコースにまで分解されて吸収される（図3-4）。α-グルコシダーゼ阻害薬（α-GI）はこの酵素作用を阻害することで、糖の分解・吸収を遅らせる。そして食後の急激な血糖

値の上昇を抑える。糖質はこのように，最小単位である単糖類まで分解されてはじめて吸収される。なお，セルロースをセルラーゼで分解して生じる二糖類のセロビオース（図3-4）はマルトースと同様にグルコース2分子からなるが，β-グリコシド結合をもつのでα-グルコシダーゼの基質とならない（したがって，セルロースはヒトの栄養源にならない）。最初に市場に出たα-GIは，アミノ糖産生菌の培養液中から得られたアカルボースである。その後，ミグリトール，ボグリボースのような塩基性窒素を含む化合物が創製された（図3-5）。

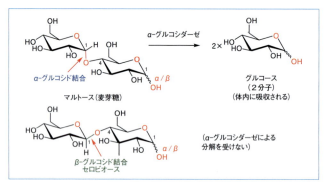

図3-4　α-グルコシド（マルトース）のα-グルコシダーゼによる分解

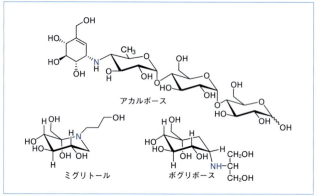

図3-5　α-グルコシダーゼ阻害薬

(2) 尿糖排泄作用（SGLT2阻害薬）

　最近話題の糖尿病新薬「SGLT2阻害薬」は，腎臓の近位尿細管でのブドウ糖再吸収を阻害して，尿糖として体外に排泄することで血糖を低下させる。糖尿病は，「尿中に糖が出る」疾患であるが，SGLT2阻害薬は「尿中に糖を出す」という逆転の発想により創製された。この新しい機序の治療薬は，従来の薬と違い，インスリン分泌やインスリン作用の亢進などに依存することなく血糖値を低下させる作用をもつ薬剤であり，次世代糖尿病治療薬として期待されている。SGLTとは，sodium glucose co-transporterの略で，「ナトリウム・グルコース共役輸送体」と呼ばれるタンパク質の一種である。SGLTは，体内で

グルコースやナトリウムといった栄養分を細胞内に取り込む役割を担っている。SGLTには6種類のサブタイプが判明しており，体内のさまざまな場所に存在しているが，SGLT2は腎臓の近位尿細管に主に存在している。近位尿細管ではSGLT2が約90％のグルコースを再吸収し，残りの10％をSGLT1が再吸収する。グルコースは近位尿細管でほぼ完全に再吸収され，正常ではほとんど尿中に出現しない。SGLT2阻害薬は，この再吸収を抑えて尿中にグルコースを排泄させる。

　この糖尿病治療薬創製のきっかけとなった化合物が，1835年にリンゴの樹皮から抽出されたグリコシド（配糖体）（フロリジン）である。フロリジンは腎臓に存在するSGLTを阻害し尿中に糖を排泄する。しかし，このフロリジンは経口投与では腸管のグルコシダーゼによってグルコースとアグリコン部分（フロレチン）に加水分解され尿糖排泄作用を示さない。また，腎毒性が懸念されることから，医薬品として応用されなかった。そこで，フロリジンをもとにして経口投与可能な安全性の高い尿糖排泄促進薬の創製が検討され，1999年に田辺三菱製薬の研究グループは初めて経口投与で有効なT-1095を見出し，その後のSGLT2阻害薬開発の起点となった（**図3-6**）。

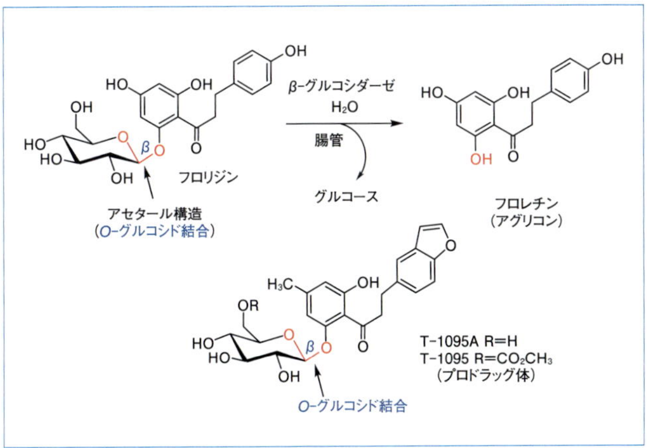

図3-6　フロリジンとT-1095

　激しい開発競争が展開された結果，2013年3月にカナグリフロジンがファースト・イン・クラスの薬剤として米国で認可された後，上市が相次ぎ，現在は6製品になっている（**図3-7，表3-1**）。これらは，一般名の共通語幹（ステム）に「—グリフロジン」をもち，いずれも類似した構造を含むが，フロリジンやT-1095のようなO-グルコシド構造ではなく，代謝的により安定な（加水分解されにくい）β-配置をもつC-グルコシド結合をもつことが大きな特徴である。このC-グルコシドのアグリコン部分はアリールメチルフェニル基（青色部分構造式）が共通している。また，ルセオグリフロジンはグルコース部分の酸素原子を硫黄原子に変え，5-チオグルコースにしたユニークな構造をもつ。

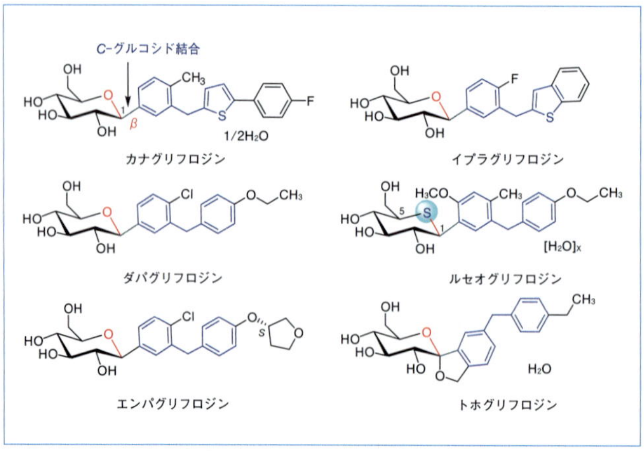

図3-7　SGLT2阻害薬

表3-1　SGLT2阻害薬(ステム：グリフロジン)

一般名	販売名	開発・販売元	1日用量[1] (経口)
カナグリフロジン	カナグル	田辺三菱製薬，第一三共	100mg
	インボカナ	ヤンセン	
イプラグリフロジン	スーグラ	アステラス製薬，寿製薬，メルク	50〜100mg
ダパグリフロジン	フォシーガ	アストラゼネカ，小野薬品	5〜10mg
ルセオグリフロジン	ルセフィ	大正製薬，ノバルティスファーマ	2.5〜5mg
エンパグリフロジン	ジャディアンス	ベーリンガーインゲルハイム	10〜25mg
		イーライリリー	
トホグリフロジン	デベルザ	興和創薬	20mg
	アプルウェイ	サノフィ	

いずれも，1日1回服用[1]

4．インクレチン関連薬(GLP-1アナログ, DPP-4阻害薬, GIP/GLP-1アナログ)

　インクレチンは，「膵臓のランゲルハンス島β細胞を刺激して，血糖値依存的にインスリン分泌を促進する消化管ホルモン」として定義され，具体的にはグルコース依存性インスリン分泌刺激ポリペプチド(glucose-dependent insulinotropic polypeptide：GIP)とグルカゴン様ペプチド-1 (glucagon-like peptide-1：GLP-1)の2つを指す。その1つであるGIPはグルコース濃度に依存してインスリン分泌を刺激するポリペプチドである。またGLP-1 (gulucagon-like peptide-1)は，食事による血糖上昇に応じて，膵β細胞のインスリン分泌を促進し，さらに血糖上昇作用のあるグルカゴンの分泌を抑制する。インスリン分泌促進薬としては，従来からスルホニル尿素やグリニド系の薬剤が用いられているが，GIP とGLP-1はこれらとは異なる機序，すなわち血中のグルコース濃度に依存してインスリンを分泌して高血糖を是正するので，低血糖の発現リスクが低い糖尿病治療薬として期待される。一方，GLP-1は，生体内でDPP-4 (dipeptidyl peptidase-4)[19]によってすばやく(半減期2分以内)分解され失活してしまう。このようなことから，インクレチン関連薬として，はじめに1) GLP-1をDPP-4に対して安定な構造にしたGLP-1アナログ，次いで2)

酵素DPP-4の作用を抑える阻害薬が開発され，さらに，最近，3) GIP/GLP-1の両インクレチンに有効なアナログも開発された。

(1) GLP-1アナログ

　腸管で産生されたGLP-1(1-37)(37個のアミノ酸からなるペプチド)はインスリン分泌作用をもたないが，血中では活性型のGLP-1(7-36)amide〔GLP-1(1-37)からN末端側の6個のアミノ酸とC末端の1個のアミノ酸が切り離された30個のアミノ酸(7-36)からなるペプチドで，C末端はアミド($CONH_2$)になっている〕に変換されて存在し，これがグルコース濃度に依存してインスリン分泌を促進させる。前述のように，活性型のGLP-1(7-36)amideはDPP-4により分解され失活する(図3-8a)。DPP-4は766個のアミノ酸残基からなるタンパク質であり，セリンプロテアーゼ(活性中心で働く成分がセリン残基である酵素)[13,14]／エキソペプチダーゼ(基質の末端から1～2個のアミノ酸残基を切り取る酵素)[13]である。図3-8bに示すように，C末端側にある触媒領域には，触媒3点セット(Asp^{708}, His^{740}, Ser^{630})[14]があり，GLP-1(7-36)amideのN末端側2個のアミノ酸(ジペプチド)(ヒスチジン-アラニン：His-Ala)を切断して不活性型のGLP-1(9-36)amideとする。

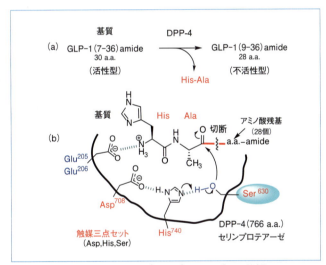

図3-8　DPP-4による活性型基質〔GLP-1(7-36)amide〕の分解
活性型の基質GLP-1(7-36)amideは，(b)のようにN末端His-Alaが切断され不活性型GLP-1(9-36)amideになる。

　DPP-4によって分解されないGLP-1誘導体の探索研究が進められていた途上，1992年，アメリカオオトカゲの唾液腺から，GLP-1様の活性をもつグルカゴンに類似したペプチド，exendin-4(エクセンジン-4)が発見された。エクセンジン-4は39個のアミノ酸からなるペプチドであり，GLP-1とアミノ酸配列で53％の相同性を有している。N末端から2番目(切断部位)のアミノ酸がグリシン〔GLP-1(7-36)amideはアラニン〕であるためにDPP-4に対する抵抗性をもち，皮下注射後の半減期が長い。バイオベンチャーのアミリン社とイー

ライリリー社は，エクセンジン-4を化学合成により調製し，最初のGLP-1アナログの糖尿病治療薬エキセナチド（販売名 バイエッタ®）を開発した。その後，ヒトGLP-1についても，N末端から２番目（切断部位）のアミノ酸をグリシンや2,2-ジメチルグリシンに変えることなどにより，DPP-4に対する安定性を高めた医薬品（共通語幹ステム：グルチド）も開発された（表3-2）。最近では，エキセナチド（ビデュリオン®）をはじめとして，製剤上の工夫がなされた持続性製剤（１週間１回注射）が上市されている。このうち，セマグルチドはGLP-1アナログ（高分子ペプチド）としては初の経口剤として米国で認可（2019年10月）され，日本でも2020年６月に認可された（リベルサス®）（P.244を参照されたい）。

表3-2　GLP-1アナログ（ステム：セナチド，グルチド）

一般名	販売名	開発・販売元	基本骨格	用法（注射）
エキセナチド	バイエッタ	イーライリリー， アストラゼネカ	エクセンジン-4	1日2回
	ビデュリオン		エクセンジン-4	1週間1回
リキシセナチド	リキスミア	サノフィ	エクセンジン-4	1日1回
リラグルチド	ビクトーザ	ノボノルディスク	ヒトGLP-1	1日1回
デュラグルチド	トルリシティー， アテオス	イーライリリー， 大日本住友製薬	ヒトGLP-1	1週間1回
セマグルチド[1]	オゼンピック	ノボノルディスク	ヒトGLP-1	1週間1回
アルビグルチド[2]	タンゼウム（米国）， エペルザン（欧州）	グラクソスミスクライン	ヒトGLP-1	1週間1回

[1]経口剤としても認可されている。[2]日本では未発売。

　なお，GLP-1アナログ（グルチド系薬）は，糖尿病治療薬としての適応以外に，抗肥満薬としての適応も認可されている。抗肥満症薬として，海外ではすでにリラグルチド，セマグルチドが認可されていたが，日本でもセマグルチドが認可された（2023年１月）。

(2)DPP-4阻害薬

　注射投与で用いられるペプチド構造をもつインクレチン（GLP-1）アナログの探索研究とともに，GLP-1の分解酵素DPP-4の阻害作用をもつ低分子化合物（経口用）も広く検討された。メルク社は，2006年にDPP-4阻害薬でファースト・イン・クラスとなるシタグリプチ

表3-3　DPP-4阻害薬（ステム：グリプチン）

No.[1]	一般名	販売名	開発・販売元	用量	用法（経口）
①	シタグリプチン	ジャヌビア	メルク	1日50〜100mg	1日1回
		グラクティブ	小野薬品		
②	オマリグリプチン	マリゼブ	メルク	1週間25mg	1週間1回
③	テネリグリプチン	テネリア	田辺三菱製薬， 第一三共	1日20〜40mg	1日1回
④	アログリプチン	ネシーナ	武田薬品	1日25mg	1日1回
⑤	トレラグリプチン	ザファテック	武田薬品	1週間100mg	1週間1回
⑥	リナグリプチン	トラゼンタ	ベーリンガーインゲルハイム， イーライリリー	1日5mg	1日1回
⑦	ビルダグリプチン	エクア	ノバルティスファーマ	1日50〜100mg	1日2回
⑧	サキサグリプチン	オングリザ	ブリストル・マイヤーズスクイブ，アストラゼネカ，大塚製薬，協和発酵キリン	1日2.5〜5mg	1日1回
⑨	アナグリプチン	スイニー	三和化学，興和創薬	1日200〜400mg	1日2回

[1]No.は図3-9の構造式No.と対応する。

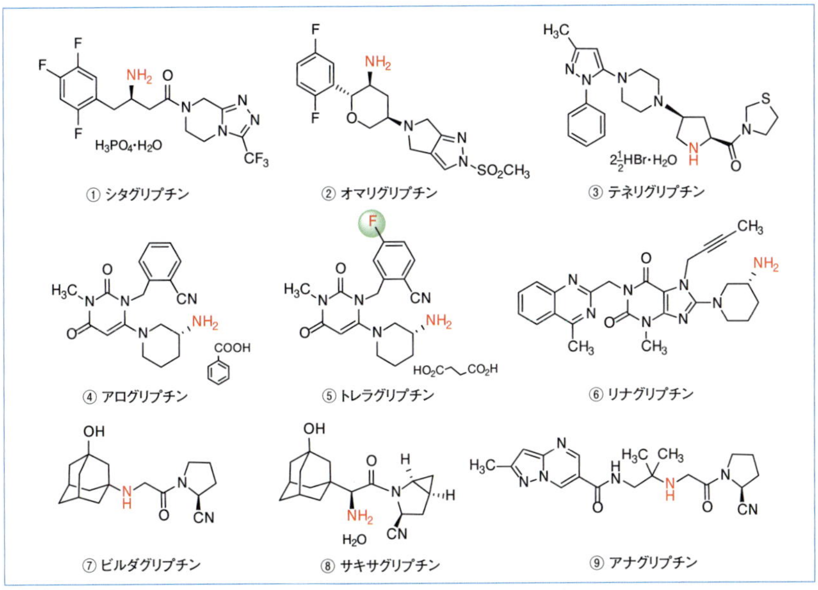

図3-9　DPP-4阻害薬の化学構造式

ン（ジャヌビア®）（**表3-3**，**図3-9**①）を開発した。その後，**表3-3**／**図3-9**に示すような全9個のDPP-4阻害薬（ステム：グリプチン）が開発されている。**図3-9**に示すように，DPP-4阻害薬の化学構造は多様であるが，塩基性のNH$_2$あるいはNH基（**図3-9**，構造式の赤字）を共通して有している。この部位は，DPP-4に存在する2個のグルタミン酸残基（Glu[205]，Glu[206]）（**図3-8b**）とイオン性相互作用する部位であり，活性発現には必須である。化学構造は多様であるが，おおむね①－②（シタグリプチン系），④－⑥（アログリプチン系），⑦－⑨（ビルダグリプチン系）に分類され，それぞれ同様の様式で酵素と結合すると思われる。日本オリジナルのDPP-4阻害薬テネリグリプチン③は，⑦の創製と同様のリード化合物を用いて，独自のドラッグデザインを展開して創薬に成功した[20]ユニークな化合物である。

　DPP-4阻害薬は，従来1日1回あるいは2回の経口投与の薬剤として開発されていたが，最近（2015年），1週間に1回経口投与（持続型）のオマリグリプチン②およびトレラグリプチン⑤が開発された。ただし，②は日本では上市されたものの欧米での開発は中止されている（開発戦略によるとされている）。⑤は，化学構造上はアログリプチン④のベンゼン環にフルオロ（F）基[1]を導入させたものである。その結果，⑤はヒトDPP-4阻害活性が増強され［IC$_{50}$（nmol/L）：⑤1.3／④5.3］，組織移行性も改善され，持続型製剤として開発に至った。

（3）GIP/GLP-1アナログ

　インクレチン作動薬として，新たに米国イーライリリー社により創製された糖尿病薬がチルゼパチド（販売名 マンジャロ®）である（2022年5月に米国で，2022年9月に日本で認可された）（**図3-10**）。チルゼパチドは，GLP-1とGIPの両インクレチンの作用を単一分子

に統合した初のGIP/GLP-1受容体作動薬に分類されている。構造的には，図3-10に示すようにGIPのアミノ酸配列をもとにした39個のアミノ酸を含む合成ペプチドであるので，特にGIPに対する作用が強いとされ，またDPP-4による分解を受けにくいため，長時間血中で作用すると考えられている。さらに，Lys[20]に連結鎖とC20脂肪酸側鎖を付加することにより内因性アルブミンへの結合性を高めて消失半減期を延長させ，持続性の長い作動薬としている。チルゼパチドは，膵β細胞の受容体と結合することにより，グルコース濃度依存的にインスリン分泌を促進させ，空腹時および食後グルコース濃度を低下させることにより，血糖コントロールを改善する。

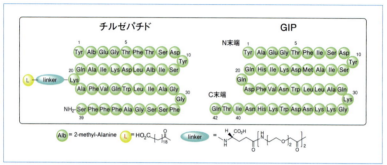

図3-10 チルゼパチド（GIP/GLP-1アナログ）とGIPの構造
（GLP-1の構造は図4-1に記載）

5．糖尿病治療薬の使用状況

　糖尿病治療薬の2021年度世界および国内の売上高上位の製品を表3-4に，表3-5に2021年度国内の売上高上位の製品を示した。このほかに，糖尿病治療薬としてはⅠ型糖尿病に用いられるインスリン製剤がある。インスリンはさまざまなタイプの製品が開発されており，それらを総計すれば莫大な売上高になる。例えば，世界での売上高10億ドル以上の製品にはノボラピッド®（ノボノルディスク社），ランタス®（サノフィ社），ヒューマログ®（イーライリリー社）などのインスリン製剤があるが，表3-4にはⅡ型糖尿病治療薬のみを示している。

　表3-4から，2021年度にはDPP-4阻害薬，GLP-1アナログおよびSGLT2阻害薬の使用が世界で定着してきたことがうかがえる。日本売上高の上位は経口薬であるDPP-4阻害薬が占めている。ただし，処方箋数からみる[21]と，日本では，糖尿病治療薬のなかで古い歴史をもつメトホルミン（メトグルコ®）が圧倒的に多い。なお，欧米では安価なメトホルミンは，ガイドライン上は第一選択薬とされている。

　インクレチン関連薬であるGLP-1アナログは注射薬で，経口剤であるDPP-4阻害薬と比べると薬価[22]が高いにも関わらず，世界での使用は伸びていることがうかがわれる（表3-4）。また，SGLT2阻害薬の使用は世界，日本ともに着実に伸長している。SGLT2阻害薬は，大規模な国際臨床試験[23]が行われた結果，心血管イベントリスクの有意な減少が認められ，

SGLT2阻害薬に共通した「クラス効果」である可能性が高まり，慢性腎臓病や慢性心不全治療薬として適応が追加されている[24]。実際に，**表3-5**に示した2021年度の国内における糖尿病治療薬の使用傾向でもSGLT2阻害薬の着実な伸長がうかがわれる。

最近では，利便性，費用対効果，あるいは企業の製品寿命延長策のために，配合剤の開発が行われている。配合剤の先駆となったのは降圧薬の領域で，AII受容体拮抗薬と利尿薬の配合剤が最初に上市された。その後，降圧薬と脂質異常症治療薬の合剤も発売されている。糖尿病領域でも，異なる作用機序の薬剤を用いた配合剤の上市が続いている。例えば，DPP-4阻害薬とメトホルミンとの配合剤，ビルダグリプチン（エクア®）とメトホルミンとの配合剤であるエクメット®のほかに，DPP-4阻害薬とSGLT2阻害薬の配合剤も多く，リナグリプチン（トラゼンタ®）とエンパグリフロジン（ジャディアンス®）の配合剤であるトラディアンス®，シタグリプチン（ジャヌビア®）とイプラグリフロジン（スーグラ®）の配

表3-4 糖尿病治療薬の世界および日本での売上高（2021年度）（インスリンを除く）

世界売上高				日本売上高		
一般名	作用機序	百万ドル		一般名	作用機序	億円
デュラグルチド	GLP-1アナログ	6,472		シタグリプチン	DPP-4阻害	552
セマグルチド	GLP-1アナログ	5,056		ビルダグリプチン ＋ メトホルミン	DPP-4阻害 配合剤	375
エンパグリフロジン	SGLT2阻害	4,649		リナグリプチン	DPP-4阻害	369
シタグリプチン	DPP-4阻害	3,324		タパグリフロジン	SGLT2阻害	367
タパグリフロジン	SGLT2阻害	3,005		エンパグリフロジン	SGLT2阻害	341
リラグルチド	GLP-1アナログ	2,258		デュラグルチド	GLP-1アナログ	336
シタグリプチン ＋ メトホルミン	DPP-4阻害 配合剤	1,964		イプラグリフロジン ＋ シタグリプチン	SGLT2阻害 ＋ DPP-4阻害配合剤	303

日本での薬価（標準的な1日投与当り）：
シタグリプチン（ジャヌビア®）118.10円（50mg錠），エンパグリフロジン（ジャディアンス®）189.00円（10mg錠）
デュラグルチド（トルリシティー®）2,917円（0.75mg，週1回皮下注），メトホルミン（メトグルコ®）16.70円（500mg錠）

表3-5 2021年度 主な糖尿病治療薬の国内売上高

作用機序分類 一般名	販売名	億円（順位）	作用機序分類 一般名	販売名	億円（順位）
DPP-4阻害薬　（―グリプチン）			**SGLT2阻害薬　（―グリフロジン）**		
シタグリプチン	ジャヌビア[1]	552(13)	イプラグリフロジン/シタグリプチン配合剤	スージャヌ	303(41)
	グラクティブ[2]	245(52)			
ビルダグリプチン/メトホルミン配合剤	エクメット	375(30)	エンパグリフロジン	ジャディアンス	341(34)
リナグリプチン	トラゼンタ	369(32)	タパグリフロジン	フォーシガ	367(33)
テネリグリプチン	テネリア	237(53)[3] 152(80)[4]	カナグリフロジン/テネリグリプチン配合剤	カナリア	168(69)[3] 104(116)[4]
リナグリプチン/エンパグリフロジン配合剤	トラディアンス	186(64)	カナグリフロジン	カナグル	113(108)
アログリプチン	ネシーナ	131(90)	ルセオグリフロジン	ルセフィ	124(98)
GLP-1アナログ　（―グルチド）			**その他**		
デュラグルチド	トルリシティー	336(35)	メトホルミン（メトグルコ®），レパグリニド（シュアポスト®），イメグリミン（ツイミーグ®）など		

[1] メルク，[2] 小野薬品，[3] 第一三共，[4] 田辺三菱

国内糖尿病治療薬市場：1989年（平成元年），1,415億円
　　　　　　　　　　　2009年（平成21年），2,760　┐
　　　　　　　　　　　2018年（平成30年），4,670　┘×1.7倍
　　　　　　　　　　　2020年（令和4年），6,052　　×1.3倍

合剤であるスージャヌ®，テネグリプチン（テネリア®）とカナグリフロジン（カナグル®）の配合剤であるカナリア®も売上高を伸ばしている。

　なお，糖尿病治療薬の国内市場も順調に伸長している。その売上高の推移を**表3-5**の下部に示した。売上高は，2009年から2018年までの10年間で1.7倍，2018年から2020年までの３年間で1.3倍の伸長がある。しかし，市場拡大を支えているのは2009年以降に相次いで登場した新薬の普及である。DPP-4阻害薬やSGLT2阻害薬が特許切れを迎え，後発医薬品に置き換わっていく一方，各社のパイプラインを見てもこれらに続く大型の新薬候補がほとんどなく，パイプラインは枯渇している。このような状況下，糖尿病治療薬の国内市場は，引き続きSGLT2阻害薬やGLP-1受容体作動薬が拡大するものの，2026年度には減少すると予測されている。

　以上，糖尿病治療薬について，新薬（SGLT2阻害薬とインクレチン関連薬）の開発状況，および最近の使用状況を概説した。すでに高血圧症治療薬領域はさまざまな作用機序に基づいた医薬品が開発され，治療満足度は極めて高いといわれる。糖尿病領域も，薬剤の選択肢が増え，患者にとっては恵まれた環境になってきたといえる。今後は，薬剤の特性を十分に活かした処方が必要であろう。

４．糖尿病治療薬（2）：GLP-1アナログの進歩

はじめに

　近年，生理活性ペプチド・タンパク質が数多く発見され，化学合成技術に加えてバイオテクノロジー技術（遺伝子組換えや細胞融合など）の進歩により大量供給が可能になったことから，医薬品としての応用に期待が高まっている。一般にペプチド類は経口投与ではなく注射剤として用いられる。これは，ペプチド・タンパク質の膜透過性が低いことや，消化管内で消化酵素やペプチダーゼ（プロテアーゼ）により分解されることに起因する。一方で，注射剤としてのペプチド医薬品も，血中半減期が短く作用時間が短いことが原因で十分な治療効果が得られないことが課題となっており，薬剤の特性に応じた適切な薬物動態プロファイルを獲得するため，種々の分子修飾が試みられている。

　前節で，糖尿病治療薬のうちインクレチン関連薬について述べ，ペプチド医薬品であるGLP-1アナログ（受容体作動薬）についても概説した。引き続き，GLP-1アナログを化学構造面からとりあげる。GLP-1アナログがどのように改変され誕生したか，持続性向上のための工夫（分子修飾）がなされ経口薬に至ったかを紹介する。

第Ⅲ部 最近の創薬に思う

1．GLP-1アナログの分類

　GLP-1（glucagon-like peptide-1）は食事による血糖上昇に応じて，膵β細胞のインスリン分泌を促進し，さらに血糖上昇作用のあるグルカゴンの分泌を抑制する。GLP-1は，血中のグルコース濃度に依存してインスリンを分泌し高血糖を是正するので，低血糖の発現リスクが低い糖尿病治療薬として期待できる。一方，GLP-1は，生体内でDPP-4（dipeptidyl peptidase-4）[19]によって分解され失活してしまう。そのため，生理活性ペプチドGLP-1（7-37）あるいはGLP-1（7-36）アミドをもとにしたDPP-4に対して安定なGLP-1アナログの開発が検討された。最初に1日2回皮下投与のエキセナチド（E1）が開発された後，DPP-4やほかのペプチダーゼに対する安定性の向上，注射部位における吸収速度や腎クリアランスの抑制，あるいは細胞内への薬物の吸収促進などが検討され，1日1回投与および1週間1回投与の利便性のよい薬剤が開発された。開発された注射用GLP-1アナログを

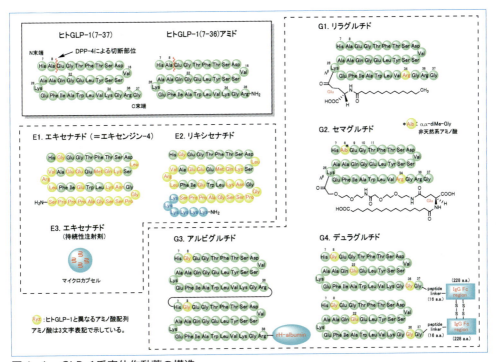

図4-1　GLP-1受容体作動薬の構造

表4-1　GLP-1受容体作動薬（皮下注射用）の分類（括弧内は用法）

エキセンジン-4 由来（セナチド系）		GLP-1 由来（グルチド系）	
短時間作用型	長時間作用型（1週間1回）	短時間作用型（1日1回）	長時間作用型（1週間1回）
エキセナチド（E1）（1日2回）	エキセナチド（E3）持続型製剤	リラグルチド（G1）	セマグルチド（G2）[a]
リキシセナチド（E2）（1日1回）			アルビグルチド（G3）[b]
			デュラグルチド（G4）

[a]経口剤としても認可されている。[b]日本では未発売。

図4-1および表4-1に示す（アミノ酸は三文字表記[25]で示した）。大きくエキセンジン-4由来（ステム：セナチド）（E1〜E3）とGLP-1由来（ステム：グルチド）（G1〜G4）の２系統に分類される。以下に，これらの医薬品について化学構造を比較しながら概説する。

(1)セナチド系（エキセンジン-4骨格）注射剤
①エキセナチド（E1）

　DPP-4によって分解されないGLP-1誘導体の探索研究が進められていた途上，1992年，アメリカオオトカゲの唾液腺から，GLP-1様の活性をもつペプチドexendin-4（エキセンジン-4）が発見された。エキセンジン-4は39個のアミノ酸からなるペプチドであり，GLP-1(7-36)アミドとアミノ酸配列で53％の相同性を有している。N末端から２番目（切断部位）のアミノ酸がGly（GLP-1はAla）であるため，DPP-4に対する抵抗性をもち，皮下注射後の半減期が長い。エキセンジン-4は化学合成（ペプチド固相合成法）により製造され，１日２回皮下投与の最初のGLP-1アナログの糖尿病治療薬エキセナチド（E1）が誕生した。

②リキシセナチド（E2）

　リキシセナチド（E2）は，エキセナチド（E1）のC末端側にあるProの１個を除去し，C末端のSer残基に６個のLys残基を結合させたペプチドである。近年，数個から10個程度の塩基性のアミノ酸（ArgやLysなど）からなる塩基性オリゴペプチドが細胞膜透過性を有することが見出された。膜透過性の低い薬物をこれらペプチドと結合させ，細胞内取り込み（エンドサイトーシス）を促進させる試みが報告されている。本剤は，その方法を応用した成功例であり，１日１回皮下投与製剤として開発された。

③エキセナチド持続性注射剤（E3）

　エキセナチド（E1）（１日２回皮下投与）の利便性を改善するため徐放製剤化が検討された。その結果，リュープロレリンで用いられたもの[25]と同様な生分解性ポリマー（乳酸とグリコール酸の共重合体）のマイクロカプセルにE1を封じ込めたDDS製剤（週１回の皮下投与）（E3）が開発された[26]。

(2)グルチド系（GLP-1骨格）注射剤

　エキセナチド（E1）（＝エキセンジン-4）が開発された後，GLP-1骨格からも新たな薬物（G1〜G4）が創製された。

①リラグルチド（G1）

　最初に登場したリラグルチド（G1）は，１日１回皮下投与剤である。GLP-1(7-37)を基本骨格として，Lys^{34}残基をArgに置換し，Lys^{26}残基の側鎖アミノ基にGluを介して長鎖の脂肪酸（パルミチン酸）を結合させた（分子量：3,751）。本剤は，DPP-4による切断部位Ala^8を変換していないが，脂溶性部位を導入したことによって，自己会合しやすくなり注射部

位から血中への移行性が低下する。さらに血中タンパク質であるアルブミンに脂肪酸結合部位が存在することから，脂肪酸を含む長鎖部分が血中アルブミンと結合しやすく，その結果，血中滞留性がよくなり，作用の持続時間を長くすることに成功した[27]。

リラグルチド(**G1**)の開発に次いで，以下の持続型(１週間１回投与)GLP-1アナログ(**G2**〜**G4**)が創製された。

②セマグルチド(**G2**)

セマグルチド(**G2**)は，DPP-4による切断部位であるGLP-1(7-37)のAla^{8}をAib^8(a, a-ジメチルグリシン：Alaのa位水素をメチル基に置換した非天然系アミノ酸)に置換して，DPP-4に対する安定性を向上させている。さらに，Lys^{26}残基の側鎖アミノ基に長いスペーサー(エチレンジオキシ基など)を介して，Gluおよび長鎖の脂肪酸(パルミチン酸)を結合させた構造をもつ(分子量：4,114)。前述のリラグルチドと同様に，脂肪酸を含む長鎖部分は薬物とアルブミンとの結合を亢進させ，循環血中で血中動態の持続化が起こるとされている[27]。

このように，GLP-1の消失半減期を延長する手段の１つとして，高分子キャリアタンパク質との結合により腎クリアランスを抑制することは有効と考えられる。実際にマウスを用いた試験では，GLP-1をアルブミンまたは免疫グロブリン鎖(IgG Fc領域)と結合させることにより，消失半減期が大幅に延長される。このような知見をもとにして，以下の**G3**，**G4**が開発された。

③アルビグルチド(**G3**)

アルビグルチド(**G3**)は，DPP-4に対する安定性を向上させるためにDPP-4の切断部位であるAla^{8}をGly^{8}に置換したGLP-1(7-36)誘導体としている。この誘導体を二量化し，さらにアルブミンを付加させて分子量を大きくし(分子量：約73,000)，注射部位から体内への吸収速度および腎クリアランスを抑制している。

④デュラグルチド(**G4**)

デュラグルチド(**G4**)は，遺伝子工学を用いて製造されたFc融合タンパク質である。DPP-4による分解を回避させるために，GLP-1(7-37)のアミノ酸配列を３カ所(Ala^8→Gly，Gly^{22}→Glu，Arg^{36}→Gly)改変し，さらにC末端のGly^{37}にリンカー(16個のアミノ酸からなるペプチド)を介して免疫グロブリンIgG4 Fc(228個のアミノ酸からなるタンパク質)と結合させ，分子量を大きくしている(分子量：約63,000)。このIgG4 Fcは，免疫原性を軽減するためアミノ酸配列(３カ所)に改変が加えられている。これらのユニットがジスルフィド結合(RS-SR)で結ばれた二重鎖構造(ホモダイマー)をもつ。この結果，DPP-4に対する安定性の向上に加えて，分子量を大きくしたことによるクリアランスが低下し，さらにIgGリサイクリングに関わる受容体に結合して血中からの消失が緩徐となり，作用が持続する[28]。

(3) 経口用GLP-1アナログ［セマグルチド（G2）］

　経口用GLP-1アナログの開発も進んでいる．最近，セマグルチド（**G2**）が，経口剤として米国で認可され（2019年10月），日本でも認可（2020年6月）・販売された（2021年2月：販売名 リベルサス®）．本剤は，セマグルチド（**G2**）をEmisphere Technologies社が開発した吸収促進剤SNAC（図4−2）と共存させて，消化管粘膜を受動拡散によって透過させるコンセプトに基づいている．SNACは薬物と弱く結合し，タンパク質の3次元構造を部分的に伸長させるために，疎水性部分が現れて薬物が脂質二重膜を通りやすくなると考えられている．SNACの薬物への結合は弱いために循環血液中に入った後は，タンパク質は再びもとの3次元構造に戻り活性を発揮する．セマグルチド（**G2**）自身，分解酵素に抵抗性が高く，生体内半減期も長い薬物であるので経口剤としての開発は有望といわれていた[29]．また，インスリンは過剰投与により低血糖に直結するが，GLP-1受容体作動薬は血糖依存的にインスリン分泌を促進するため，たとえ薬剤が多く吸収されても血糖は正常値以下にならず，低血糖に陥るリスクは低いとされている．ペプチド医薬品として初めての経口剤セマグルチドの動向が注視されている．

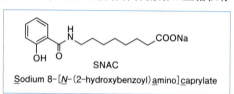

図4−2　吸収促進剤SNAC

2．GLP-1アナログの製造法

　ペプチド医薬品[30]であるGLP-1アナログのうち，セナチド系の2製品（**E1**，**E2**）は化学合成（固相合成法）によって製造され，グルチド系の4製品（**G1**〜**G4**）は遺伝子組換え技術を中心にして製造されている．ペプチド合成の化学合成法と遺伝子組換え法をみてみよう．

(1) 化学合成法
① 液相合成法
　反応させたい分子を溶媒に溶かして，均一溶液中で反応を行う方法である．ペプチド合成の場合，アミノ酸を1個縮合するごとに単離精製する．工程数を多く必要とするが，最終物の純度を厳密にコントロールできる．市販されているペプチド医薬品の多くは液相合成法によって製造されている．

② 固相合成法
　1963年にR. Merrifield（1984年ノーベル化学賞受賞）によって開発された．ポリスチレン高分子ゲルのビーズなどを固相として用い，ここにアミノ酸を結合させる．次いで，保護されたアミノ酸との縮合反応と脱保護反応を行い，これを繰り返すことによって1個ずつアミノ酸鎖を伸長していく．目的とするペプチドの全配列ができあがった後，固相表面から切り出し目的の物質を得る．固相合成法は液相合成法と比較して，原料と縮合剤を洗い流すだけでよく，合成期間も短縮でき簡便であるが，反応生成物の分析や純度のコントロー

最近の創薬に思う　**第Ⅲ部**

ルが難しい面がある。しかし，最近ではHPLC（high-pressure liquid chromatography）などを用いる分析法や精製技術の進展が著しく，固相合成法によりペプチド医薬品の製造も行われるようになった。

(2)遺伝子組換え法

　目的とするペプチド（またはタンパク質）のアミノ酸配列をコードした遺伝子を細胞［大腸菌，酵母，チャイニーズハムスター卵巣細胞（CHO細胞）など］中に組み込み，細胞を培養して，ペプチドを生産させる方法である[31]。近年，バイオ医薬品（タンパク質）の生産に威力を発揮している。なお，非天然系のアミノ酸を含むペプチドや脂肪酸側鎖は組換え法によって調製できないので，化学合成も併用する。例えば，セマグルチド（**G2**）は，遺伝子組換え技術により（Arg^{34}）GLP-1（11-37）を調製し，別途化学合成した側鎖部分（リンカーと脂肪酸部分）およびN末端側のHis^7–Aib^8–Glu^9–Gly^{10}（Aibは非天然系のアミノ酸）部分を化学的方法によって（Arg^{34}）GLP-1（11-37）に導入して製造している[32]。

　以上，ペプチド医薬品GLP-1アナログを化学構造面から概説した。糖尿病治療薬領域では，すでに代表的なペプチド系バイオ医薬品であるインスリンで，持続性の向上や非注射剤型などの製剤化に関する膨大な研究・開発が行われている。そこで得られた経験・知見がGLP-1アナログの開発に見事に活かされて持続性注射剤が創製され，さらにインスリンで成功していない経口剤の開発も夢ではなくなった。ペプチド医薬品が進化していることを実感させられる。

5．核酸医薬品を支える化学

はじめに

　先に[18]，糖の化学においてD-リボースにはほかの糖と異なる特徴があり，核酸（DNAやRNA）の構成要素となって生命現象に関わる重要な役割を果たしていることを記した。本節では核酸を化学構造の観点から概観し，抗体医薬品に次いでいっそうの発展が期待される核酸医薬品の創製を支える化学についてまとめる。一般に，核酸医薬品（oligonucleotide therapeutics）とは「核酸あるいは修飾型核酸が直鎖状に結合したオリゴ核酸を薬効本体とし，タンパク質発現を介さず直接生体に作用するもので，化学合成により製造される医薬品」[33]を指す。遺伝子治療薬も核酸でつくられているが，作用発現にタンパク質への翻訳を介し，生物学的に製造される点において核酸医薬品とは異なる。このように核酸医薬品は化学的に合成される医薬品であり，抗体医薬品と比較して，製薬企業がこれまで得意としてきた低分子創薬で培った化学を適用しやすい対象と考えられる。多くの核酸医薬品は，

標的となるメッセンジャーRNAなどに相補的な塩基対を形成することによって作用するため、その化学構造は標的の配列に依存した数十塩基以下のヌクレオチド（オリゴヌクレオチド）を基本とする。核酸医薬品はこれまであまり上市されておらず、実用性が低いと考えられてきたが、このように開発を難航させた理由はいくつかある。例えば、リン酸ジエステル結合で連なったオリゴヌクレオチドは体内では容易に酵素（核酸分解酵素：ヌクレアーゼ）によって分解されてしまう。血中ではエキソヌクレアーゼ、細胞内ではエンドヌクレアーゼにより分解され、高い水溶性のため速やかに腎排泄されるので体内動態が悪い。また、数千以上の分子量を持ち、ホスホジエステルが連続したポリアニオン構造がもたらす高い極性をもつ高分子であるため、疎水性の細胞膜を通過しづらい。最近、これらの難点を克服する化学的な手法が開発され、さらに標的細胞に医薬品を送達するためのDDS技術も組み込まれるようになり、多くの核酸医薬品が臨床試験段階へ進むことができるようになった。特に、2013年にmipomersen（Kynamro®）がアメリカで承認されてから勢いが増し、日本でもヌシネルセンナトリウム（スピンラザ®）の迅速承認（2017.7）や高額薬価［1瓶（12mg／5mL）932万0424円、4カ月ごとに髄注で用いられ、年間薬剤費は2,7961,272円（バイオジェン・ジャパン社販売）］が話題となった。スピンラザ®については、後段において化学的な観点から考察する。

1．核酸の化学構造

　RNA（ribonucleic acid）およびDNA（deoxyribonucleic acid）を取り扱ったことがある方ならおわかりだろうが、前者は分解されやすく、後者は比較的安定である。両者の化学構造を比較すると、D-リボースの2'位の水酸基の有無が安定性に大きな影響を与えていることがわかる。図5-1に示すように、RNAおよびDNAはヌクレオチド（塩基、D-リボース、リン酸ジエステルからなる）が連なったものであるが、RNAではD-リボースの2'位の水酸基が隣接する3'位にあるリン酸ジエステルを求核攻撃しやすい位置にあるので、リン酸エステル結合が加水分解されやすい。一方、DNAではデオキシリボヌクレオチドといわれ

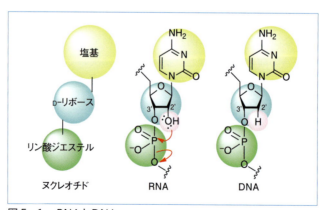

図5-1　RNAとDNA

るとおり，リボースの2'位の水酸基がなく，代わりに水素原子が結合している。そのため，RNAに比べて化学的に安定である。

このような化学的安定性の違いにより，生命体は大事な遺伝情報をより安定な形で保存するための役割をDNAに託したのではないかと考えられている。

さらに，D-リボースの2'位の水酸基の有無は5員環のコンホメーションにも大きく影響する。一般にはD-リボフラノースを図5-1のように表記するため，5員環が平面構造であるかのように誤解されるかもしれないが，実際にはD-リボフラノースは図5-2に示すようなコンホメーションの平衡状態で存在する。一般に，リボヌクレオチドでは2'位の炭素が塩基の反対側にあるN型の比率が多く，デオキシリボヌクレオチドでは2'位の炭素が塩基と同じ側にあるS型が多い。このようにリボフラノースの5員環のコンホメーションには2'位の置換基の立体電子的効果が影響するので，核酸医薬品のなかにはリボフラノースの2'位にさまざまな工夫がなされているものが多い（コラム5参照）。

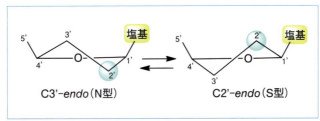

図5-2　リボフラノース（RNA）はN型，デオキシリボフラノース（DNA）はS型が優先

また，DNAの二重らせん（B型）[34]）が右巻きなのはD-リボースのもつキラリティーによるもので，代わりに鏡像異性体（エナンチオマー）であるL-リボースが含まれたとしたら，DNAの二重らせんは左巻きになるだろう。

そのほか，核酸塩基であるプリン塩基およびピリミジン塩基とD-リボフラノースの1'位の単結合についてC-N結合軸の回転に基づくコンホメーションの平衡も潜在しており，一般には*anti*のコンホメーションが優先される（図5-3）。また，後述するスピンラザ®のようにリン酸ジエステル部位を修飾することによって新たな中心不斉が生じる可能性があることも考慮する必要がある。

以上のように，核酸は化学的にとても興味深い特徴を多く有しており，これらに配慮した分子設計が核酸医薬品にはなされている。

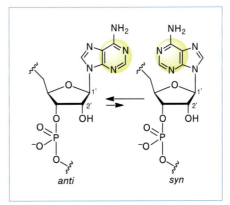

図5-3　C-N結合軸の回転に基づくコンホメーションの平衡
*anti*ではピリミジン環がD-リボースと反対側にあり，*syn*では同じ側にある。

2．核酸医薬品の化学

ヌシネルセンナトリウム（スピンラザ®）（**図5-4**）は，脊髄性筋萎縮症（神経難病）の治療薬として承認された核酸医薬品である．標的であるpre-mRNA（メッセンジャーRNAの前駆体）と結合して遺伝子発現を調節するようデザインされ，遺伝子変異により機能性タンパク質が欠損して引き起こされる疾病に対し，タンパク質の産生を増やすことにより効果を発揮する．スピンラザ®は18塩基長，分子量7,500を超えるオリゴヌクレオチドであるため，誌面に全体を表すことはできないが，一部をとりあげて核酸医薬品として成立させるための工夫を以下に説明する．

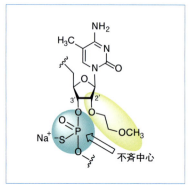

図5-4　スピンラザ®の化学構造
オリゴヌクレオチドの一部抜粋

まず，糖部位では，2'位がメトキシエチル化されている．このような修飾を施すことにより，立体電子的効果によって**図5-2**で示したN型のコンホメーションの割合がより高くなり，標的であるpre-mRNAの塩基の相補鎖として結合する力が強くなる．また，これまで核酸医薬品には生体内でヌクレアーゼによって分解されやすいという難点があったが，このような2'位の修飾による立体障害がヌクレアーゼに対する耐性を向上させることにもつながっている．次に，リン酸ジエステル結合部位では酸素原子をイオウ原子に置換したホスホロチオエートへの変換がなされている．チオエート化は核酸と核酸を連結する部分への修飾であるため，ヌクレアーゼに対する耐性の獲得に大きく寄与する．また，イオウ原子を組み込んだことにより脂溶性が増し，細胞内への取り込み効率も改善される．しかし，このホスホロチオエートへの変換は，リン原子に不斉を生じさせるという大きな問題をもたらす．多くの核酸医薬品でこのようなホスホロチオエート化が行われているが，例えば，3個のヌクレオチドが連なった構造では連結部が2つ存在し，$2^2=4$個の立体異性体の混合物になる．18個のヌクレオチドが連結しているスピンラザ®では連結部は17個あり，$2^{17}=131072$個！の立体異性体が存在しているはずである．これらを分離することは難しいので，一般には「リン原子の立体配置に起因する異性体はいずれも有効成分」という前提で医薬品が開発されているが，立体異性体が混合物として体内に入ることを考えると少し怖い感じがする．もし，さらに多くのヌクレオチドが連結した核酸医薬品が二本鎖で働くとすると，1兆を超える数の組み合わせになってくる．このような大きな数の混合物からなる核酸医薬品は細胞膜透過性のような基本的な物理的性質だけでなく，体内動態や生理活性および毒性など，すべてにおいて統計学的な分布を考慮して取り扱われねばならないだろう．ホスホロチオエート化は副作用の原因になる可能性もあり，不斉を生じさせないより良い構造の開発が望まれる[35]．

スピンラザ®は，推定有病率が10万人あたり0.5～1.0人の希少な難病である脊髄性筋萎縮

症の治療に髄腔内投与で用いられる。また，これに先立ち，日本で2008年に認可された加齢黄斑変性症の治療薬であるペガプタニブナトリウム（マクジェン®）は硝子体内投与される核酸医薬品である。将来的な発展が大いに期待される核酸医薬品ではあるが，現状ではニッチな領域を狙ったやや特殊な医薬品という印象はぬぐえない。また，前述したように立体異性体の混合物を扱うこと，オリゴヌクレオチドの化学合成や精製によるコスト高，さらにはDDS技術の不足もあって核酸医薬品の実用化には多くのハードルがあるようにも感じられる。核酸医薬品は最近の生命科学の発展と密接に関連しており，例えばRNA干渉のような発見がなされることで新たなメカニズムに基づく医薬品開発がなされてきた。多くの製薬企業が核酸医薬品開発に有機合成系の研究者を投入していると聞くが，日本には糖化学や複素環化学に長じた経験があり，今後の核酸医薬品開発において日本らしい化学に基づいたアプローチが実ることを期待したい。

コラム5　2'位におけるリボースの構造修飾

D-リボースの2'位にさまざまな修飾を行うことによって5員環のコンホメーションを偏らせる工夫がされている（図5-C1）。

特に，2'位と4'位を化学的に架橋することによりコンホメーションをN型に固定化することに成功している例として，大阪大学薬学部の今西武名誉教授・小比賀聡教授らによって開発されたBNA（Bridged nucleic acid）が知られている。同様なコンセプトによって南デンマーク大学のJesper Wengel教授らもLNA（Locked nucleic acid）を開発している。通常，RNAはN型のコンホメーションをとるので，コンホメーションの固定化により，相補鎖としての結合力およびヌクレアーゼ耐性の向上がもたらされた。

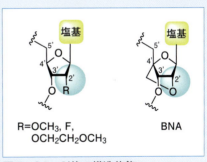

図5-C1　2'位の構造修飾

6．ADC：抗体−薬物複合体

はじめに

すでに，生体直交型反応[37]についてとりあげたが，ここではその応用例の1つとして抗体-薬物複合体（ADC）について概説する。ADCは，高分子量のタンパク質である抗体に医薬品を結合したもので，特に抗がん剤として用いられることが多い。従来の抗がん剤に認められる副作用の多くは，抗がん剤のがん細胞への選択性が低く正常細胞へも作用してし

まうことが原因である。ADCは，抗体医薬品と従来からの低分子医薬品とのハイブリッドであり，抗体を利用した薬物送達法（DDS：drug delivery system）により，標的であるがん細胞へ選択的に薬物を送達することができる。現在，抗がん作用をもつ抗体医薬品がたいへん多く開発されている。これらはがん細胞に特異的に発現している分子をターゲットにしており，例えば，乳がん特有の抗原であるHER2に対する抗体であるトラスツズマブ，上皮成長因子（EGFR）に対する抗体であるベバシズマブ，血管内皮細胞増殖因子（VEGF）に対する抗体であるセツキシマブなどは，正常細胞への作用を最小限にして有害作用を減らし，抗がん作用を最大限発揮する。ADCはこのような抗体医薬品の働きに加え，細胞毒性を示すことで抗がん作用を示す低分子の抗がん剤の働きを組み合わせたものである。抗体医薬品に耐性を示すようになったがん細胞に対する効果も認められており，抗体医薬品の新たな展開としても期待されている。日本で認可されたADCは4つあり（2020年時点），急性骨髄性白血病に用いられるゲムツズマブ オゾガマイシン（マイロターグ®）（2008年承認），乳がんに用いられるトラスツズマブ エムタンシン（カドサイラ®）（2013年承認），ホジキンリンパ腫に用いられるブレンツキシマブ ベドチン（アドセトリス®）（2014年承認），および乳がん治療薬のトラスツズマブ デルクステカン（エンハーツ®）（2020年承認）[42]である。ADCを医薬品として開発するためには，従来の低分子医薬品と高分子であるタンパク質を結ぶリンカーが重要であり，ここに生体直交型反応を応用した有機合成化学の力が発揮されている。ADCの開発を支える化学を追ってみたいと思う。

1．ADCとは

　ADCは，抗体と薬物，そして両者をつなぐリンカーからなる。微小管阻害作用をもつ低分子薬物との複合体としてつくられたADCを一例として，その作用機序を説明する（**図6-1**）。まず，ADCの抗体ががん細胞の表面に存在するがん特異性抗原を認識して結合する。その後，ADCはインターナライゼーション（細胞内への移行）を経て形成されたエンドソーム（細胞内小胞）のなかで酵素などによるリンカーの化学的変換を受け，低分子薬物が切り離される。遊離した薬物は標的分子である細胞内の微小管に作用してその働きを阻害し，結果としてがん細胞は死滅する。

　このように，ADCにおける抗体は薬物をがん細胞へ選択的に送達するためのキャリアーとしての役割が主で，殺細胞効果を示すのは，細胞毒性の高い低分子である。これまでの低分子による抗がん剤は，正常細胞へも毒性を及ぼすという欠点をもっており，毒性の高いものについては安全域が狭く，医薬品として開発することができなかった。しかし，ADCでは抗体による高いがん細胞選択性が可能となるため，従来は断念されてきた毒性の極めて高い化合物を用いることが可能である。もちろん，このような毒性の高い低分子をより多く抗体に結合させることができれば，より高い効果が期待できるが，抗体の機能を損なうことなく結合させられる低分子の数は最大でも8個程度であることを考慮すると，たいへん低い濃度であるピコモル濃度程度で毒性を発揮する低分子を抗体に結合させる必

要がある。そのため，ADCにはこれまで毒性が強すぎて医薬品として用いることができなかった天然物由来の低分子が用いられている。例えば，微小管阻害作用を示すメイタンシン（maytansine）をもとにしたメイタンシノイド（maytansinoid）やDNAを障害するカリケアミシン（calicheamicin）などである。

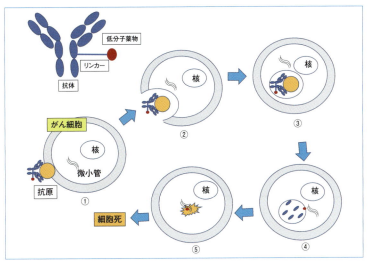

図6-1　ADCの作用機序
①抗体の結合，②インターナライゼーション，③エンドソーム形成，
④リンカーの切断，⑤薬物による標的分子への作用

2．トラスツズマブ エムタンシンの化学構造[36]

　抗体と薬物の連結がどのようになされているか，トラスツズマブ エムタンシンを例にして見てみよう（**図6-2**）。トラスツズマブ エムタンシンは，前述のメイタンシン由来のメイタンシノイドをHER2に対するモノクローナル抗体であるトラスツズマブに連結させたものである。合成法は，先にとりあげた生体直交型反応[37]に類する反応が用いられている。はじめに末端にマレイミド基と活性エステルをそれぞれ有するリンカーを用意する。このリンカーの活性エステルの側を抗体のもつリジン残基（アミノ基）と反応させてアミド結合を形成させ，（**A**）を得る。一方，メイタンシンは十分な水溶性はあるものの，リンカーを結合させやすい官能基がないため，構造変換を行って末端にスルファニル基を有するメイタンシノイド（**B**）とする。このスルファニル基を（**A**）のマレイミド基とマイケル付加反応[38]によって結合させ，トラスツズマブ エムタンシンを得る。

　このようにして合成されたトラスツズマブ エムタンシンが生体内に投与されると，抗体の働きによって乳がん細胞に選択的に結合し，細胞内にインターナライゼーションして取り込まれる。細胞内には加水分解酵素を含むリソソームがあり，トラスツズマブ エムタンシンを含むエンドソームはリソソームと融合する。その結果，リソソーム内の加水分解酵素によって抗体との結合部分がリジン残基部分を残して切断され，（**C**）の構造になる

（図6-3）。これがメイタンシンの標的分子である微小管に作用してその働きを阻害する。（C）の構造に含まれるリシン部位は生体内では電荷をもつので細胞膜を通過して細胞外に出ることができず，細胞内にとどまり続けてその効果を持続させ，がん細胞を死滅させる[39]）。

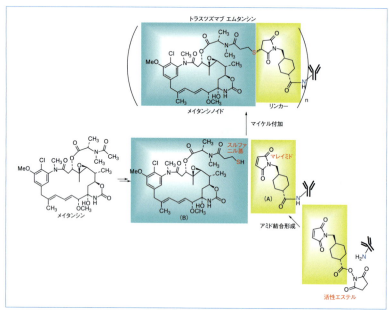

図6-2　トラスツズマブ エムタンシンの合成

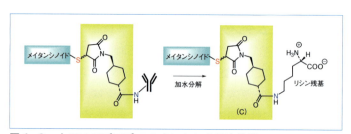

図6-3　トラスツズマブ エムタンシンの加水分解

3．ブレンツキシマブ ベドチンの化学構造[36]）

　ブレンツキシマブ ベドチンは，微小管阻害活性をもつ殺細胞性の高い低分子として，タツナミガイから得られた天然物であるドラスタチン10を構造変換したmonomethyl auristatin E（MMAE）を用いている。これを抗体に結合させるリンカー部位は，血中では安定であるが，がん細胞内では低分子薬物を効率よく切り離せるよう工夫がなされている（図6-4）。抗体によってがん細胞選択的にブレンツキシマブ ベドチンが結合し，細胞内にインターナライゼーションして取り込まれると，細胞内のプロテアーゼ（カテプシン）によってペプチド結合が切断される。その結果，末端に生じたアミノベンジルカルバモイル基は図6-4に示すような機構で脱離し，切り離されたMMAEが微小管に作用し，がん細

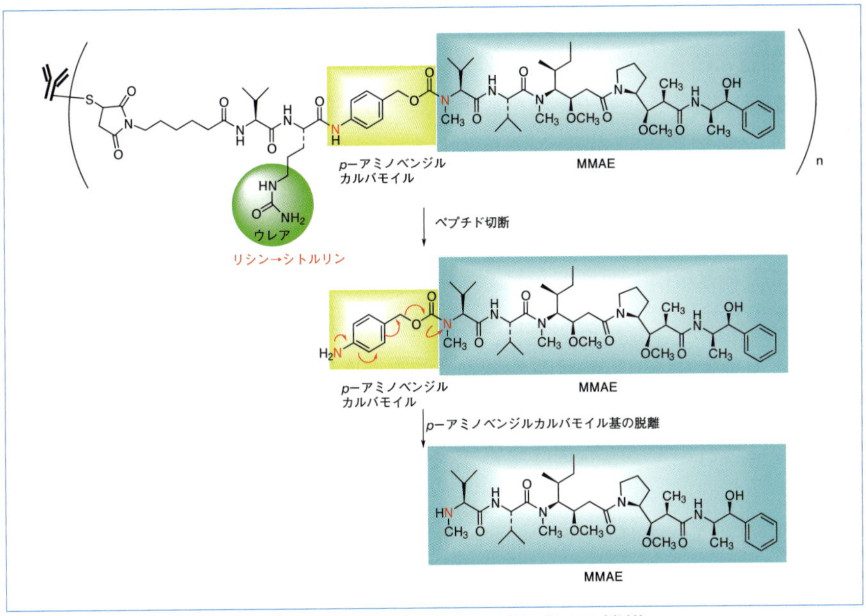

図6-4　ブレンツキシマブ ベドチンからMMAEが生成する機構

胞を死滅させる。このリンカーについては，酵素の認識能を適度にコントロールすべく，カテプシンが本来認識するリシン残基のアミノ基（-NH$_2$）をウレア基（-NHCONH$_2$）に変え，シトルリンにすることで体内での半減期をより長くし，安定性を高め，ADCとしての効果が発揮できるように工夫されている。

　以上のような酵素によるリンカーの切断を利用するものだけでなく，グルタチオンによるリンカーの切断を利用したADCも存在する。スルファニル基（-SH）をもつグルタチオンは血流中では5マイクロモル濃度で存在するが，細胞内では1〜10ミリモル濃度で存在する。したがって，抗体のシステイン残基にジスルフィド結合によって連結されたADCは，生体内ではある程度の安定性を確保し，がん細胞内に取り込まれたのち，グルタチオンの作用により抗体と低分子が切り離されて効果を発揮することができる（図6-5）[40]。

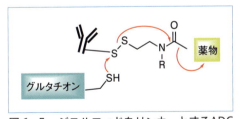

図6-5　ジスルフィドをリンカーとするADC

4．バイスタンダー効果[41]

　ADCには興味深い特徴がある。抗体が結合したがん細胞の周囲にある細胞にもADCから遊離した低分子薬が作用するバイスタンダー効果である。これは，がん細胞内で切り離された薬物が細胞膜を透過し，周囲のがん細胞にも影響を及ぼすためと考えられている。がん細胞の周囲には，正常細胞と異なるやや無秩序な環境が存在するため，リンカーを切

断するきっかけとなる現象（例えば，pHの部分的な低下など）が起こり得る。したがって，ADCはがん細胞に結合した後，細胞内にインターナライゼーション（内部移行）せずとも，その周辺の環境に応じて低分子薬物を放出し，十分な効果を発揮することも可能と考えられる。リンカーを工夫すれば細胞外からでもより高い抗がん作用を示すことができるかもしれない。このようなバイスタンダー効果は，ADCの今後の発展の鍵と考えられるが，一方で両刃の剣にもなる。例えば，図6-2に示したマレイミドとスルファニル基のマイケル付加[38]による連結は，逆反応が起こり得る反応であり，リンカーの切断はがん細胞の周辺で起こるとは限らない。がん細胞選択的に抗体が結合する前にこのようなリンカーの切断が起こってしまうと，これまでの低分子薬物と同様な有害作用が起きてしまう。このように，リンカーの切断されやすさをチューニングするために今後もさまざまな工夫が必要とされる。これらはすべて有機合成化学の手法によって解決されるものである。

おわりに

　現在，製薬企業では抗体医薬品の開発に高額な開発費と優秀な人材が投入されている。ADCは次世代の抗体医薬品として期待され，多くのパイプラインが動いているといわれている[42]が，成功させるために最も重要なのはリンカーの分子設計や生体直交型反応を利用した合成技術を向上させることであり，この点において有機合成化学の力はこれからも大きく貢献すると期待される。加えて，ADCに用いられる低分子薬物はこれまでには毒性が強すぎて医薬品として用いることができなかった天然物であること，この点を強調しておきたい。これまで非常に複雑な構造の天然物の全合成がたいへん優秀な合成化学者たちの手によってなされてきた。このような天然物化学の成果がADCをきっかけにして医薬化学の世界でも活用され始めている。天然物の全合成に携わる有機合成化学者にとってたいへん勇気づけられる話である。生体直交型反応と天然物の全合成が融合することによって，新たなADCが生まれていくことを期待する。

■参考文献

1）なぜ，フッ素は医薬品に活用されるのか？，本書第Ⅱ部第2章-1.，P.151参照.

2）ホウ素を含む4つの新医薬品，本書第Ⅲ部第1章-2.，P.224参照.

3）重水素化医薬品に関する記事：a）B. Halford, Deuterium switcheroo breathes life into old drugs－Drugmakers juggle isotopes in hopes of achieving novelty, stability, and success－, *Chem. Eng. News*, **2016**, *94*, 32. b）F. M. Kahan, A deuterated drug that almost succeeded, *Chem. Eng. News* (online) June 22, 2009, 36. c）A. Yarnell, Heavy-hydrogen drugs turns heads, again－Firms seek to improve drug candidates by selective deuterium substitution－, *Chem. Eng. News* (online) September 7, 2009, 4. d）K. Sanderson, Big interest in heavy drugs. *Nature*, **2009**, *458*, 269.

4）重水素化医薬品に関する総説：T. G. Gant, Using deuterium in drug discovery: Leaving the label in the drug. *J. Med. Chem.*, **2014**, *57*, 3595.

5）ドラッグデザインの基礎知識－ファーマコフォア，バイオアイソスター－，本書第Ⅱ部第1章-2.，P.123参照.

6）カルボニル基の化学（1）：イミンの生成反応とイミンが関与する生体内反応，本書第Ⅰ部第1章-5.，

最近の創薬に思う **第Ⅲ部**

P.23参照.

7) 例えば，テバ社はオースペックス社［デューテトラベナジン（**1**）を開発］を買収（2015年，35億ドルの買収），グラクソ・スミスクライン社はコンサート社と提携契約（2009年，10億ドル以上の契約）をしている．また，米国のアバニア社は，コンサート・ファーマ社の化合物（AVP-786）を導入開発（2015年11月，Phase Ⅲ入り）[8]し，大塚製薬はアバニア社を買収した（2015年1月）．

8) その後，AVP-786の有効性に関して有意差が認められなかったとのPhⅢ試験速報（2019.9.27）あったが，終了したPhⅢ試験の解析結果に基づき，本適応症［アルツハイマー型認知症に伴う行動障害（アジテーション）］に係る開発プログラムを継続する，と報告された（2019.11.12 大塚製薬ニュースリリース）．

9) キラリティーを学ぼう，本書第Ⅰ部第1章-7., P.35参照.

10) K. Cottrell, et al.（Vertex社），Discovery of VX-984: Mitigation of aldehyde oxidase metabolism through the use of targeted deuteration, ACS National Meeting 2016 at San Diego, MEDI-283.

11) アミンはなぜ塩基性を示すのか？，本書第Ⅰ部第1章-1., P.3参照.

12) 多発性骨髄腫（Multiple Myeloma：MM）について：MMは血液細胞の1つである形質細胞ががん化した血液のがんであり，骨髄が病巣となる．通常，全身の骨髄（多発性）で病気が発生する．形質細胞はBリンパ球が成熟した細胞で免疫グロブリン（抗体）（病原菌から体を守る働きをするタンパク質）をつくっている．正常な形質細胞は骨髄に1％未満の割合でしか存在しないが，多発性骨髄腫の場合，通常10％以上にまで増え，異常な免疫グロブリン（M蛋白と呼ばれ，感染防御の働きをしない）を産生する．悪性化した形質細胞には骨を脆くする作用があり，多くの骨に影響を与え，結果として圧迫骨折，溶解性骨病変や関連疼痛につながることがある．また，本疾患は免疫系，腎，赤血球数に影響を与え，倦怠感，貧血などの典型的な症状を伴うことが多く，数多くの重大な健康障害を引き起こす可能性がある．本疾患は，がんのなかではまれであり，新規に本疾患を発症する患者数は全世界で年間11万4千人である．日本における総患者数は約1万8千人と報告されている（ニンラーロ®の武田薬品ニュースリリースをもとに編集引用）．

13) 酵素反応の仕組み（1）：触媒反応の有機化学，本書第Ⅱ部第1章-4., P.133参照.

14) 酵素反応の仕組み（2）：プロテアーゼ阻害薬の創製へ，本書第Ⅱ部第1章-5., P.139参照.

15) 一般にボロン酸［R-B(OH)$_2$］は，酸化反応を受けてホウ素がはずれR-OHになったり，脱水して6環状の3量体［-B(R)O-]$_3$に変化するなど取り扱いが困難な化合物である．そのような化学反応を防ぐためにクエン酸エステル体としている：ミレニアム社米国特許，「Boronate Ester Compounds and Pharmaceutical Compositions Thereof」，US 8, 859, 504B2を参照されたい.

16) 創薬で思うこと（1）：世界および国内の医薬品市場，ハーボニ®ーとレブラミド®，本書第Ⅲ部第2章-1., P.257参照.

17) 鈴木-宮浦カップリングと医薬品創製，本書第Ⅰ部第2章-2., P.73参照.

18) 糖化学へのお誘い，本書第Ⅰ部第1-章9. P.47参照.

19) DPP（dipeptidyl peptidase）は，ポリペプチドのN末端側から2個目のアミノ酸（アラニンやプロリン）を認識して，ジペプチドを切り離す酵素である．DPP-4以外にも類似のDPP-3，DPP-7（DPP-2），DPP-8，DPP-9などが知られている．

20) 赤星文彦，2型糖尿病治療薬テネリグリプチンの創製：新規DPP-4阻害剤の創薬研究と結合様式，有機合成化学協会誌，*2013*, *71*, 1259.

21) NDBオープンデータ（厚生労働省）（第一回公表2016.10）：糖尿病内服処方数（2014.4～2015.3），例，外来（院外処方），1位 メトグルコ® 11億4,080万，2位 エクア® 3億3,297万，3位 ジャヌビア® 2億8,869万

22) 日本での薬価（標準的な1日用量あたり）：ビクトーザ® 512円（0.9 mgとして），ジャヌビア® 136.50円（50 mg錠），カナグル® 205.50円（100mg錠），メトグルコ® 16.70円（500 mg錠）

23) EMPA-REG OUTOCOME試験：エンパグリフロジン（ジャディアンス®），DECLARE-TIMI 58 試験：ダパグリフロジン（フォシーガ）（追跡中）CANVAS試験：カナグリフロジン（カナグル®／インボガナ®）

24) 日本では，SGLT2阻害薬のうち，カナグリフロジンは2型糖尿病を合併する慢性腎臓病が，ダパグリフロジンは慢性心不全および慢性腎臓病が，エンパグリフロジンは慢性心不全が適応追加されており，さらにエンパグリフロジンは慢性腎臓病の適応追加が承認申請された（2023年1月31日）．

25) タンパク質・ペプチド・アミノ酸の化学，本書第Ⅰ部第1章-8., P.40参照.

26) 草場昭宏（アストラゼネカ），持続性エキセナチド注射剤ビデュリオン®皮下注2mgペン，*Drug Delivery Syst.*, *2016*, *31*, 156.

255

27) 堀籠博亮, 井上明弘, 森脇紀親, 杉井　寛（ノボノルディスクファーマ）, 分子修飾に基づく創薬：インスリンおよびGLP-1の分子修飾とその機能, *Drug Delivery Syst.*, **2016**, *31*, 423.

28) 田牧千裕, 竹内雅和, 岩本紀之, W. Glaesner（日本イーライリリー社）, 週1回投与が可能な持効型GLP-1受容体作動薬デュラグルチド（遺伝子組換え）の薬理学的特性および臨床試験成績, 日本薬理学雑誌, **2015**, *146*, 215.

29) 武田真莉子, 剤形の進歩：GLP-1およびインスリンの非注射製剤の開発動向, *Drug Delivery Syst.*, **2016**, *31*, 440.

30) ペプチド医薬品は, バイオ医薬品, 化学合成医薬品のいずれに属するか判別が難しい。バイオ医薬品の定義は, 広義には, 生物がつくり出すものを原材料にして製造された医薬品, 狭義には, バイオテクノロジー（遺伝子組換えなど）を活用して製造された医薬品とされている。この定義によれば, 狭義にはセナチド系のE1, E2はバイオ医薬品ではなく, グルチド系のG1〜G4はバイオ医薬品である。

31) 遺伝子組換えにより製造された医薬品の一般名は, 正式には「リラグルチド（遺伝子組換え）」のように, 医薬品名の後ろに「（遺伝子組換え）」が付記される（日本特有のルール）。

32) ノボノルディスクA/S社：GLP-1アナログの半組換え調製. 公表特許公報, 特表2011-509077

33) 井上貴雄, 核酸医薬品における開発の現状と安全性評価.
http://www.nihs.go.jp/mtgt/section2/201704-ISBN978-4-86104-650-6.pdf

34) 生体内を模した水溶液中ではDNAは右巻きの二重らせんを形成し, これをB型二重らせんと呼ぶ。一方, 周囲の環境を変えると塩基配列によっては, より密な右巻きらせんであるA型二重らせんおよびZ型二重らせんが形成される。Z型二重らせんは左巻きである。

35) リン原子の立体化学の制御法の開発は重要な課題と思われるが, 東京理科大学薬学部の和田猛教授のWave Life Sciences社を中心にリン原子の立体化学が厳密に制御されたホスホロチオエート核酸の合成について精力的な取り組みが行われており, 今後に期待がもたれる。

36) R. V. Chari, M. L. Miller, W. C. Widdison, Antibody-drug conjugates: an emerging concept in cancer therapy, *Angew. Chem. Int. Ed. Engl.*, **2014**, *53*, 3796.

37) 生体直交型反応, 本書第Ⅰ部第2章-8., P.105参照.

38) マイケル付加反応については, 創薬で思うこと(2)：リリカ®とテクフィデラ®, 本書第Ⅲ部第2章-2., P.264参照.

39) H. K. Erickson, P. U. Park, W. C. Widdison, Y. V. Kovtun, L. M. Garrett, K. Hoffman, R. J. Lutz, V. S. Goldmacher, W. A. Blättler, Antibody-maytansinoid conjugates are activated in targeted cancer cells by lysosomal degradation and linker-dependent intracellular processing, *Cancer Res.*, **2006**, *66*, 4426.

40) T. Rodrigues, G. J. L. Bernardes, Development of Antibody-Directed Therapies: Quo Vadis?, *Angew. Chem. Int. Ed. Engl.*, **2018**, *57*, 2032.

41) がん細胞内で遊離した薬物が細胞膜を透過して周囲にあるがん細胞に作用することによる結果を指す。

42) 最近, 乳がん治療薬（HER-2陽性）の新しいADCとして, トラスツズマブ デルクステカン（DS-8201）（開発：第一三共）が, 承認され（国内2020年3月, 米国2019年12月）, 発売された（販売名, エンハーツ®）。第一三共は, この製品について, 乳がん, 胃がん, 非小細胞肺がんおよび大腸がんを含むHER2発現がんを対象としたグローバルな開発および商業化契約をアストラゼネカと締結した（2019年3月29日, ニュースリリース）。この契約は,「アストラゼネカは第一三共に対して, 最大で総額69億米ドルの対価を支払い, このうち13.5億米ドルは契約一時金, 55.5億米ドルは開発・販売の進捗等に応じて支払われる」という超大型であることが話題になった。エンハーツ®は, ベストインクラスのADC医薬品として評価されており2022年の世界売上高は1,676億円のブロックバスター薬に育っている。さらに第一三共では, エンハーツ®に続いて, DS-1062（抗TROP2 ADC, 一般名 ダトポタマブ デルクステカン）, U3-1402（抗HER3 ADC, 一般名 パトリツマブ デルクステカン）といったADC製品の開発が進められている。

最近の創薬に思う　第Ⅲ部

第2章　創薬を取り巻く環境

1．創薬で思うこと(1)：世界および国内の医薬品市場，ハーボニー®とレブラミド®

はじめに

　日本の製薬企業は，1970年代の「ヘルベッサー®」（ジルチアゼム）（狭心症・高血圧症治療薬）の創製を端緒にして，これまで世界に通用する数多くの画期的な低分子医薬品を創製してきた。それらのうちいくつかは，売上高も世界の上位を占めるブロックバスター医薬品に成長し，医薬品産業は日本の基幹産業の1つに育った。その低分子創薬を中心とする研究開発力は今なお健在と信じている。しかし，1990年代の後半からバイオ医薬品（生物学的製剤：生体内生理活性成分や抗体などのタンパク質製品）の開発に力が注がれ，世界の医薬品産業の様相が変わってきているようである。創薬に関わるメディシナルケミストはもとより，薬剤系研究者の皆様も，最近の低分子医薬品の創製がたいへん困難になっている状況を深刻にとらえておられることと思う。

　ここでは，国内外での医薬品の売上高を概観し，世界売上高の上位をバイオ医薬品が占めるなかで，上位を占める2つのユニークな低分子医薬品，「ハーボニー®」（C型肝炎治療薬）と「レブラミド®」（多発性骨髄腫治療薬）について紹介したい。

1．医薬品の売上高（世界と国内）

　世界および日本国内での売上高上位15位までの医薬品について，2005年と2015年の推移データを表1-1，1-2に示した（表1-1は世界／表1-2は国内）[1]。表中，売上高順位を低分子医薬品は青枠黒数字，バイオ医薬品は黄色枠赤数字で示している。最初に世界での医薬品売上高（表1-1）を見てみよう。

　表に示したように，2005年には15製品中，高脂血症治療薬リピトールをトップにして低分子医薬品が12製品を占める。それらには，高脂血症，高血圧症，糖尿病などいわゆる生活習慣病治療薬が多い。一方，バイオ医薬品は「ノボリン®」（インスリン製剤），「イープレックス®」（エリスロポエチン），「リツキサン®」（抗ヒトCD20ヒト・マウスキメラ抗体）の3製品である。その様相は，2015年になると一変し，15製品中9製品がバイオ医薬品，低分子医薬品は6製品となる。バイオ医薬品9製品のうち，がん（「リツキサン®」など3製品），リウマチ治療薬（抗TNFa抗体「ヒュミラ®」など3製品）が多く登場している。低

表1-1 世界：売り上げトップ15医薬品（黄色枠赤数字はバイオ医薬品）

	2005年度				2015年度		
	販売名	主な対象疾患他	会社名		販売名	主な対象疾患他	会社名
1	リピトール	高脂血症	ファイザー	1	ヒュミラ	リウマチ	アッヴィ
2	アドベア[*1]	喘息	グラクソSK[*2]	2	ハーボニー	C型肝炎	ギリアド・サイエンシズ
3	ノルバスク	高血圧症	ファイザー	3	リツキサン	がん	ロシュ
4	ネキシウム	胃潰瘍	アストラゼネカ	4	ランタス	インスリン製剤	サノフィ
5	ゾコール	高脂血症	メルク	5	アバスチン	がん	ロシュ
6	ザイプレキサ	統合失調症	イーライ・リリー	6	ハーセプチン	がん	ロシュ
7	タケプロン	胃潰瘍	武田／TAP	7	レミケード	リウマチ	ヤンセン
8	プラビックス	高脂血症	BMS[*3]	8	プレベナー	ワクチン	ファイザー
9	ディオバン	高血圧症	ノバルティス	9	レブラミド	がん	セルジーン
10	リスパダール	統合失調症	J&J[*4]	10	ニューポジェン	G-CSF製剤	アムジェン
11	ノボリン	インスリン製剤	ノボノルディスク	11	アドベア	喘息	グラクソSK
12	メバロチン	高脂血症	BMS／三共	12	エンブレル	リウマチ	アムジェン
13	エフェクサー	うつ病	ワイス	13	ソバルディ	C型肝炎	ギリアド・サイエンシズ
14	イープレックス	腎性貧血	J&J	14	クレストール	高脂血症	アストラゼネカ／塩野義
15	リツキサン	がん	ロッシュ	15	リリカ	神経性疼痛	ファイザー

[*1] 日本販売名「アドエア」，[*2] グラクソ・スミスクライン，[*3] ブリストル・マイヤーズ・スクイブ，[*4] ジョンソン＆ジョンソン

表1-2 国内：売り上げトップ15医薬品（黄色枠赤数字はバイオ医薬品）

	2005年度				2015年度		
	販売名	主な対象疾患他	会社名		販売名	主な対象疾患他	会社名
1	ノルバスク[*1]	高血圧症	ファイザー	1	ハーボニー	C型肝炎	ギリアド・サイエンシズ
2	ブロプレス	高血圧症	武田薬品	2	プラビックス	血栓症	サノフィ
3	ディオバン	高血圧症	ノバルティスファーマ	3	ソバルディ	C型肝炎	ギリアド・サイエンシズ
4	リピトール	高脂血症	アステラス／ファイザー	4	ミカルディス（合計[*2]）	高血圧症	アステラス
5	メバロチン	高脂血症	第一三共	5	クレストール	高脂血症	塩野義／アストラゼネカ
6	ニューロタン	高血圧症	万有製薬	6	アバスチン	がん	中外製薬
7	エポジン	腎性貧血症	中外製薬	7	オルメテック（合計[*2]）	高血圧症	第一三共
8	ガスター	胃潰瘍	アステラス製薬	8	リリカ	神経性疼痛	ファイザー
9	ベイスン	糖尿病	武田薬品	9	ネキシウム	胃潰瘍	第一三共（アストラゼネカ）
10	リュープリン	前立腺がん	武田薬品	10	ジャヌビア	糖尿病	メルク
11	アムロジン[*1]	高血圧症	大日本住友製薬	11	レミケード	リウマチ	田辺三菱（ヤンセン）
12	タケプロン	胃潰瘍	武田薬品	12	モーラス	炎症・痛み	久光製薬
13	モーラス	炎症・痛み	久光製薬	13	ジプレキサ	統合失調症	日本イーライリリー
14	パキシル	うつ病	グラクソSK	14	アジルバ（合計[*2]）	高血圧症	武田薬品
15	クラビット	感染症	第一三共	15	ブロプレス（合計[*2]）	高血圧症	武田薬品

[*1] 成分は同一：一般名アムロジピン

[*2] 配合剤を含む合算売り上げ

分子医薬品では6製品のうち，C型肝炎治療薬（「ハーボニー®」と「ソバルディ®」），多発性骨髄腫治療薬（「レブラミド®」）および神経性疼痛治療薬（「リリカ®」）が，従来の大型製品とは異なる対象疾患領域から登場していることが注目される。また，**表1−1**の製品を開発（販売）したバイオ医薬品企業［ギリアド・サイエンシズ（6位），アッヴィ[2]（10位），アムジェン（11位），ノボノルディスク（15位），バイオジェン（21位），セルジーン[3]（23位）（カッコ内は2015年世界売上高企業順位）］が，従来の世界大手の製薬企業に匹敵する巨大企業に成長していることも2005年からの大きな変化である。

次に，国内での医薬品の売上高の推移（**表1−2**）を見てみよう。2005年は15製品中，低分子医薬品が14製品，バイオ医薬品は腎性貧血症治療薬「エポジン®」（エリスロポエチン）1製品という構成である。2015年でもこの傾向は変わらず，バイオ医薬品は抗がん薬「アバスチン®」（抗VEGF抗体），抗リウマチ薬「レミケード®」（抗TNFα抗体）の2製品があるのみである［高薬価で話題となった抗がん薬「オプジーボ®」（抗PD-1抗体）は，2015年の国内売上高は212億円（第72位）であるが，2016年には上位に入ると予想され，実際に2018年の国内売上高は1063億円（第4位）を占めている（後記）。低分子医薬品は生活習慣病治療薬を中心として13製品を占める。このうち，高血圧症治療薬では，AII受容体拮抗薬がCa拮抗薬などとの配合剤として開発され，LCM（Life Cycle Management：製品寿命延長策）が行われていることが注目される。日本でバイオ医薬品の売上高が伸びていないのは予想外であった。これは，国内製薬企業が一部を除きバイオ医薬品の創製が得意でないこと，日本の薬価・保険制度のもとで高額医薬品を使用しにくいこと，日本では生活習慣病領域ががん・リウマチ治療薬市場に比べて大きいことなどによると思われる[4a]。確かに，売上高だけを見ると，世界ではバイオ医薬品が低分子医薬品を圧倒しているが，バイオ医薬品はニッチ的な希少疾患（難病・特定疾患）を対象とするものも多く[4b]，その結果，薬価が高く設定され売上高が上がっているようにも思われ，患者数，処方箋数なども考慮して医薬品を評価することも必要なのであろう。

2018年度の世界および国内の医薬品高トップ15医薬品

以上は、2005年および2015年のトップ15医薬品の概説である。3年後の2018年度には，それらがどのように変化したか見てみよう（**表1−3**）。なお，2021年度の世界売上高は，第5節第2項「コロナ禍が変えた医薬品市場」（P.278）に記載した。

世界の医薬品売上高上位15製品[5]は，2015年と変わらずバイオ医薬品が多くを占め10製品，低分子医薬品は5製品である。売上高のトップは2015年と同じくヒュミラ®（売り上げ高，199億ドル）で7年間連続して首位の座を守っている。リウマチ治療薬を対象とするバイオ医薬品はヒュミラ®を含めて3製品を占める。そのほかバイオ医薬品は，話題のオプジーボ®やキイトルーダ®をはじめとするがん治療薬が4製品，インスリン製剤も2製品を占める。低分子医薬品の5製品は，抗凝固薬（「エリキュース®」／「ザレルト®」），糖尿病治療薬「ジャヌビア®」，疼痛治療薬「リリカ®」，喘息治療薬「セレタイド®」である。2015年2位であったC型肝炎治療薬「ハーボニー®」は20位圏外に落ちている。

表1-3　2018年度売り上げトップ15医薬品（黄色枠赤数字はバイオ医薬品）

世界

	販売名	主な対象疾患他	会社名
1	ヒュミラ	リウマチ	アッヴィ
2	ランタス	インスリン製剤	サノフィ
3	エンブレル	リウマチ	アムジェン
4	エリキュース	抗凝固薬	BMS
5	ザレルト*¹	抗凝固薬	バイエル
6	レミケード	リウマチ	ヤンセン
7	オプジーボ	がん	BMS／小野薬品
8	ノボラピット	インスリン製剤	ノボノルディスク
9	キイトルーダ	がん	メルク
10	ジャヌビア	糖尿病	メルク
11	リリカ	神経性疼痛	ファイザー
12	ステラーラ	乾癬	ヤンセン／田辺三菱
13	ハーセプチン	がん	ロシュ
14	セレタイド*²	喘息	グラクソSK
15	マブセラ*³	がん	ロッシュ／中外／全薬工業

国内

	販売名	主な対象疾患他	会社名
1	マヴィレット	C型肝炎	アッヴィ
2	リリカ	神経性疼痛	ファイザー
3	アバスチン	がん	中外製薬
4	オプジーボ	がん	小野薬品
5	キイトルーダ	がん	メルク
6	ネキシウム	胃潰瘍	第一三共（アストラゼネカ）
7	イグザレルト	抗凝固薬	バイエル
8	アジルバ（合計*⁴）	高血圧症	武田薬品
9	リクシアナ	抗凝固薬	第一三共
10	レミケード	リウマチ	田辺三菱（ヤンセン）
11	タケキャブ	胃潰瘍	武田薬品
12	アイリーア	加齢黄斑変性	参天製薬
13	サインバルタ	抗うつ薬	塩野義／イーライ・リリー
14	ネスプ	腎性貧血	協和発酵キリン
15	サムスカ	利尿薬	大塚HD

*¹ 日本販売名イグザレルト，*² 日本販売名アドエア，*³ 日本販売名リツキサン，*⁴ 配合剤を含む合算売り上げ

　一方，国内での医薬品の売上高上位15製品の内訳は，2015年と比べるとやや変化が認められ，バイオ医薬品は2015年にあった２製品（がん治療薬「アバスチン®」（抗VEGF抗体）（2018年売上高第３位，956億円），リウマチ治療薬「レミケード®」（抗TNFα抗体））はそのまま残り，新たに４製品（がん治療薬「オプジーボ®」／「キイトルーダ®」，加齢黄斑変性治療薬「アイリーア®」［一般名：アフリベルセプト（遺伝子組換え）］（眼科用血管内皮増殖因子（VEGF）阻害剤），腎性貧血症治療薬「ネスプ®」）が増えて合計６製品となった。低分子医薬品は９製品を占めるが，バイオ医薬品の伸長は進んでいる。国内売り上げ高のトップは，C型肝炎治療薬「マヴィレット®」（アッヴィ社）（売上高，1,177億円）である（「マヴィレット®」と「ハーボニー®」については後記する）。低分子医薬品は，「リリカ®」（P.264参照）が第２位を占め（売上高，1,007億円），抗凝固薬の２製品「リクシアナ®」／「イグザレルト®」，利尿薬「サムスカ®」が伸長している。そのほか，従来多数の大型医薬品が占めた潰瘍治療薬および高血圧治療薬は，それぞれ２製品（「ネキシウム®」／「タケキャブ®」）および１製品（「アジルバ®」）が上位15製品に入っている。

　以下に，世界売上高の上位を占める２個のユニークな低分子医薬品，C型肝炎治療薬（「ハーボニー®」と「マヴィレット®」），多発性骨髄腫治療薬（「レブラミド®」）を簡単に紹介する。

2．ハーボニー®（C型肝炎治療薬）

「ハーボニー®」（**表1-1／2**，2015年売上高，世界第2位／国内第1位）は，レジパスビルとソホスブビルの2成分の抗ウイルス薬が配合されたC型肝炎の治療薬である（**図1-1**）。2015年にギリアド・サイエンシズ社から発売された。ソホスブビル（販売名「ソバルディ®」）は単剤としても販売され大きな市場を得ている（**表1-1／2**，2015年売上高，世界第13位／国内第3位）。C型肝炎には，いくつかの遺伝子多型（ジェノタイプ）があるが，そのなかでもジェノタイプ1型のC型肝炎に効果を示す抗ウイルス剤である。C型肝炎では，従来はインターフェロンを用いたり，複数の抗ウイルス薬（**図1-1**，リバビリンやダサブビル）を用いて治療を行うことが一般的であったが，ハーボニー®配合錠は1日1回1錠の経口投与を12週間続けることにより，ウイルスを100％近く消失させ，肝炎を治療ではなく治癒させる画期的な薬剤として登場した。

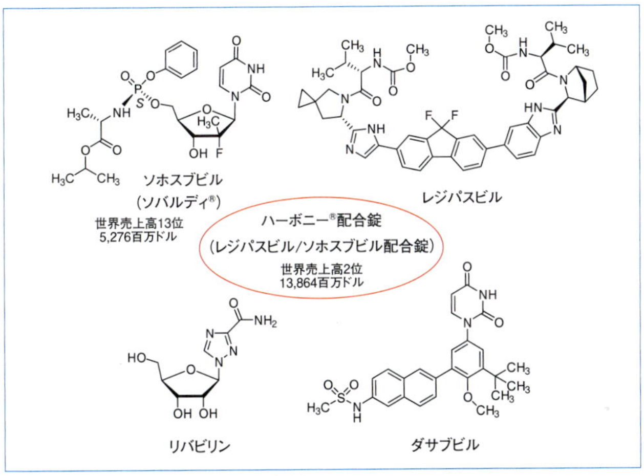

図1-1　ハーボニー®とC型肝炎治療薬
ハーボニー®は，成人には1日1回1錠（レジパスビルとして90mgおよびソホスブビルとして400mgの配合錠）を12週間経口投与。図中の売上高・順位は2015年のデータ[1]。

ハーボニー®はレジパスビルとソホスブビルの配合錠として開発されたが，そのもとになっているソホスブビルは米国のバイオ医薬品会社ファーマセット（Pharmasset）社の研究によるものである[6]。ソホスブビルは，ヌクレオチド（リン酸化された核酸誘導体）に対する新しいタイプのプロドラッグ体として実用化された画期的な核酸医薬品である（**図1-2**）。このプロドラッグ化技術はプロチド法（ProTide：prodrug＋nucleotide）と呼ばれ，1990年代に研究がはじまった。一般的に，ウイルスのヌクレオチド系阻害剤では，ヌクレオシド（リン酸化されていない核酸誘導体）（**A**）から，リン酸化酵素によって，モノリン酸化体（**B**）を経てトリリン酸化体（**C**）となってウイルスポリメラーゼのヌクレオチド代替基質として働き，ウイルスの発育を抑える（**図1-2**）。このリン酸化は，最初のリン酸化段階，すなわち，（**A**）から（**B**）への変換が遅く律速段階である。これに続く（**B**）からトリリン酸化体（**C**）への変換は通常は容易に進み，律速ではない。これらの点を考慮して，細胞に取り込まれ

261

やすくし，さらに(B)を有効に生成する方法として，リン酸構造にアミノ基(アラニン残基)およびフェノキシ基を置換させたヌクレオチドのプロドラッグ(ソホスブビル)が考案された。このように，ハーボニー®(ソホスブビル)は化学的(科学的)にもすばらしい研究成果の詰まった低分子医薬品である。

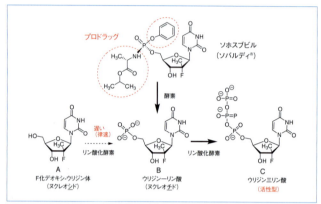

図1-2　ソホスブビルはプロドラッグ
ソホスブビルは，酵素により(B)に変換され，さらにリン酸化を受けて活性型の(C)となって作用を発現する。ヌクレオチド(B)は電荷をもつリン酸部分があるため感染細胞内へ入りにくいので，(B)をProTide法によりプロドラッグ化したソホスブビルが開発された。

3．ハーボニー®に代わるマヴィレット®の登場

肝炎を治療ではなく治癒させる画期的な薬剤といわれ登場したハーボニー(日本では2015.11発売)は，全世界で圧倒的に市場を占有した。しかし，その後，ジェノタイプ(遺伝子型)1および2の両方のタイプのC型肝炎に有効であり，8週間の経口投与で治癒効果を示す「マヴィレット®」(アッヴィ社)が発売された(日本では2017.11発売)。2018年度国内における売上高トップもマヴィレット®に代わり，ハーボニー®の売り上げ高は激減している。マヴィレットはグレカプレビル水和物(NS3/4Aプロテアーゼ阻害薬)とピブレンタスビル(NS5A阻害薬)の配合錠である。肝炎が根治するというこれらの優れた治療薬の出現により，C型肝炎治療薬の売り上げは急速に縮小している。マヴィレット®も18年半ばで既にピークを越え，つかの間の1,000億円強のトップの座といわれている。

4．レブラミド®(多発性骨髄腫治療薬)

「レブラミド®」(一般名レナリドミド)(図1-3)は，セルジーン社により再発もしくは難治性の多発性骨髄腫治療薬(抗造血器悪性腫瘍薬)として開発されたブロックバスター医薬品である[7]。特に，デキサメタゾンとの併用で高い奏効率があるといわれている。「レブラミド®」は，薬害の原点といわれるサリドマイドの関連化合物である。サリドマイドは1957年に鎮静催眠薬として発売されたが，ご存じのように，妊娠初期の服用により奇形(アザラシ肢症：サリドマイド胎芽症)児が誕生し，薬害事件となった。サリドマイドの発

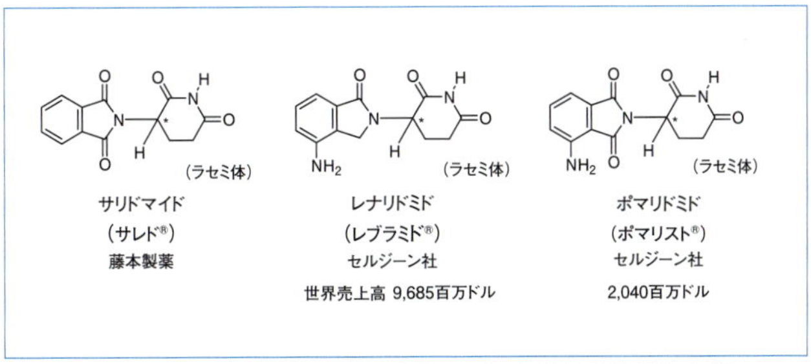

図1-3　サリドマイド関連化合物と多発性骨髄腫治療薬
図中の売上高は2018年のデータ[7]。

売は中止されたが，その後，ハンセン病や多発性骨髄腫（血液がんの一種）に対して有効とわかり，患者からは製品化が望まれていた。しかし，あまりに悪名高い医薬品であるために，製品化を手掛けようとする企業は少なかった。そういうなか，日本では藤本製薬が開発に着手し，日本で医薬品（サレド®）として認可・発売された。一方，米国に本拠をもつグローバルなバイオ医薬品企業セルジーン社はサリドマイド類縁体からの多発性骨髄腫治療薬の開発に挑戦し，サリドマイドより効果（TNF-α産生抑制作用）が強く，副作用の少ない「レブラミド®」の創製に至った[8]（2005年）。セルジーン社は，後継品として「ポマリスト®」も開発している（**図1-3**）。さらに，「レブラミド®」は，ほかの多発性骨髄腫治療剤「ニンラーロ®」（一般名：イキサゾミブ：プロテアソーム阻害薬）（第Ⅲ部第1章-2，P.225参照）でもデキサメタゾンとの3剤併用療法の一成分として使用されている。

　以上，低分子医薬品「ハーボニー®」と「レブラミド®」について述べた。「ハーボニー®」は核酸医薬というやや特殊な領域の医薬品であり，抗HIV治療薬開発で培った高度な専門知識・技術が活かされている。また，「レブラミド®」は多発性骨髄腫という難病治療薬をターゲットとして，サリドマイドという一般的には避けるであろう化学構造をベースとして成功している。両医薬品は，元来はバイオ医薬品企業であるギリアド・サイエンシズ社とセルジーン社[3]から誕生していることを考えると，メディシナルケミストがこれまで経験した攻め方とは異なる創薬のように感じるとともに，今後の創薬の参考にすべきことがあるようにも思われる。

　日本の製薬企業は，最近でも「ジレニア®」（多発性硬化症治療薬），「フェブリク®」（痛風・高尿酸血症治療薬），「ベタニス®」（過活動膀胱治療薬），「テネリア®」をはじめとするDPP-4阻害薬（糖尿病治療薬）（第Ⅲ部第1章-3，P.236参照），「カナグル®」をはじめとするグリフロジン系糖尿病治療薬（第Ⅲ部第1章-3，P.232参照），「ハラヴェン®」（乳がん治療薬），「タケキャブ®」（抗潰瘍薬），「ロゼレム®」（不眠症治療薬），「テビケイ®」（抗HIV薬）（第Ⅱ部第1章-5，P.142参照），「アレセンサ®」（抗がん薬），「クレナフィン®」（外用爪白癬治療薬），「サムスカ®」（水利尿・多発性のう胞腎治療薬），「レミッチ®」（そう痒治療薬），「リクシアナ®」（抗血栓薬）など，特徴ある低分子医薬品を創製している。外国からの新薬の導入に頼るだけではなく，オリジナリティーのある研究に基づく日本発の創薬を期待したい。

263

2．創薬で思うこと(2)：リリカ®とテクフィデラ®

はじめに

前項では，国内外での医薬品の売上高を概観し，世界売上高の上位をバイオ医薬品が占めるなかで，トップ10位に入る2個のユニークな低分子医薬品，ハーボニー®（C型肝炎治療薬）とレブラミド®（多発性骨髄腫治療薬）について紹介した。同じく世界売上高（2015年）の上位の医薬品の中に，極めて簡単な化学構造をもつ2つの医薬品，リリカ®（売上高 4,839百万ドル）とテクフィデラ®（売上高 3,638百万ドル），がある（図2-1）[1]。これらの医薬品は，伝統的な医薬品化学のドラッグデザインでは生まれてこないような極めて簡単な構造をもつ。ここでは，これらの医薬品の特性や，どのような経緯で創製され，ブロックバスター医薬品に育ったかを概説する。

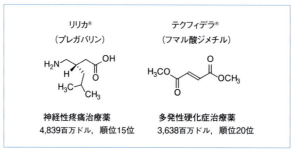

図2-1　リリカ®とテクフィデラ®と世界売上高（2015年）と順位
　リリカ®の日本売上高は856億円で順位第8位，テクフィデラ®は2016.12.日本でも承認された。

1．リリカ®（GABA誘導体）　疼痛治療の第一選択薬

リリカ®（一般名 プレガバリン）は最初に2004年米国で承認され，現在，神経障害性疼痛の薬物治療において，国際疼痛学会が推奨する第一選択薬の1つとして位置づけられているブロックバスター医薬品である。

その創製の経緯を見てみよう。ヒスタミンから抗潰瘍薬シメチジンが創製されたように，生体内生理活性物質からの構造変換による医薬品の創製は，創薬の1つの手法である。ワーナー・ランバート社（現ファイザー社）[9]では，抑制性の神経伝達物質であるγ-アミノ酪酸（γ-aminobutyric acid：GABA）からの創薬をめざして関連化合物を合成し，1973年にニューロンチン®（日本販売名はガバペン®）（一般名 ガバペンチン）（図2-2）を合成した。ニューロンチン®は1994年から米国で「てんかん」および「帯状疱疹後神経痛（2002年適応追加）」の治療を適応として承認され使用された。ワーナー・ランバート社では，ニュー

ロンチン®をもとにしてさらに構造変換を展開し，後継化合物として，化学構造上自由度が高く，生物活性が改善されたリリカ®を創製した。両者は基本的には同一の作用機序をもつ医薬品である。

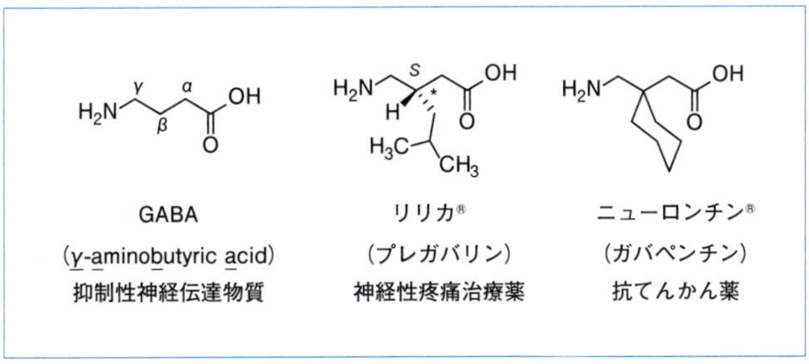

図2-2　GABAとその誘導体
リリカ®の＊印は不斉炭素[10]

　リリカ®はGABA誘導体であるものの，興味深いことに，GABA（GABA_A, GABA_B, ベンゾジアゼピン）受容体との結合，GABAの代謝や再取り込みへの阻害作用は認められていない。また，既存の鎮痛薬の作用機序としてあげられるナトリウムチャネル遮断，オピオイド受容体活性化，NMDA受容体遮断，シクロオキシゲナーゼ阻害，モノアミン再取り込み阻害などの作用は有していない。神経痛は，神経細胞にカルシウムイオンが作用して痛みの伝達物質が放出されることによって起こる。リリカ®は神経細胞のカルシウムチャネルの$\alpha_2\delta$サブユニットに結合して，カルシウムイオンの流入を抑え，痛みの伝達物質［グルタミン酸，サブスタンスP，カルシトニン遺伝子関連ペプチド（CGRP）など］の放出を低下させて鎮痛効果を発揮する新しいタイプの鎮痛薬である。ただし，GABA様の中枢神経系抑制作用は避けられないためか，添付文書によればかなり多様な副作用が発現しているので，使用に際しては注意が必要である。

　なお，ニューロンチン®には不斉炭素はないが，リリカ®は不斉炭素をもち$(R)/(S)$-光学異性体[10]が存在する。$(R)/(S)$-体の$\alpha_2\delta$サブユニットに対する親和性は異なり，(S)-体は(R)-体よりも約10〜20倍高い活性を示す。リリカ®は(S)-体である。また，リリカ®はニューロンチン®よりも約2倍活性が高い[11]。

2. テクフィデラ®（フマル酸ジメチル）　多発性硬化症治療薬の第一選択薬

　多発性硬化症（multiple sclerosis; 以下，MSと表示）治療薬の2016年の世界売上高は24,766億円に上る。その内訳は，インターフェロンβ（IFNβ）製剤が6,358億円（26%），そのほかの生物学的製剤（抗体）などの注射剤[12]が7,806億円（31%），経口剤が10,602億円（43%）である[13]。経口剤は**図2-3**に示す4製品があり，売上高順に，①テクフィデラ®，②ジレニア®，③オーバジオ®，④アムピラ®である。このうち①テクフィデラ®（フマル酸ジメチル）と④アムピラ®（4-アミノピリジン）は医薬品としてはあまりに簡単な化学構造で驚かされ

265

る。以下，まずMSについて概観し，次いで経口剤の①～④の４医薬品（**図２-３**）について，その特性や創製の経緯などを述べる。

(1) MSについて

　MSは中枢性脱髄疾患の１つで，脳，脊髄，視神経などに病変が生じ，多様な神経症状が再発と寛解を繰り返す疾患である。MSの有病率は人種間および地域間で差があり，日本における推定有病率は欧米諸国の10％程度と報告されている。患者数は，米国では少なくとも35万人，全世界においては約250万人である。日本では，罹患率は10万人当たり10.8～14.4人，推定患者数はおよそ14,500人であり，特定疾患に認定されている指定難病である。発症原因は，さまざまな説が唱えられており明らかではないが，遺伝，自己免疫，ウイルスなどの感染の可能性が高いと考えられている。

(2) 経口用MS治療薬

　MS治療薬は，当初はIFNβ製剤およびそのほかの生物学的製剤（抗体）などが注射剤として用いられ，特に経口剤についてはアンメット・メディカル・ニーズが極めて高かった。このような状況下，2010年代になって経口剤として使用できる低分子医薬品①～④の４製品（**図２-３**）が登場した。

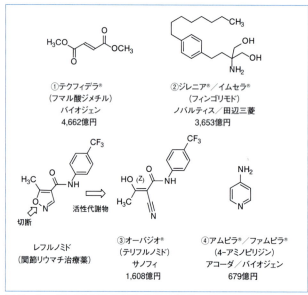

図２-３　経口用多発性硬化症治療薬①～④
数字は2016年の世界売上高[13]

①テクフィデラ®（一般名 フマル酸ジメチル）

（バイオジェン社開発，2013米国承認，2016.12日本承認）
　フマル酸は有機酸の１つとして，塩基性部分構造をもつ医薬品の塩形成にしばしば用い

られる。例えば，最近開発された抗潰瘍薬タケキャブ®（一般名 ボノプラザン）はフマル酸塩として開発されている。さらに，そのエステルは有機合成原料として頻用される化合物である[14]。また，フマル酸ジメチルのような二重結合とエステル結合が連続した化学構造は，マイケルアクセプター構造といわれている。この構造は反応性が高く，電子が豊富な官能基をもつ求核剤（例えばSH基をもつシステイン）が二重結合に容易に付加する[15]（図2-4）。したがって，非特異的に反応が進行して，生物活性の選択性が得られないことが多く，通常メディシナルケミストリーでのドラッグデザインでは避けるべき部分構造とされている。以上のことから，一般的なメディシナルケミストには，この構造をもつフマル酸ジメチルを医薬品として開発することは思い浮かばないと思われる。

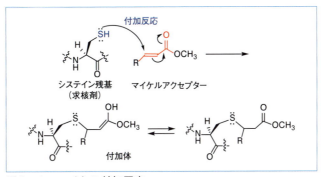

図2-4　マイケル付加反応
構造式中の赤色部分構造がマイケルアクセプター構造。SH基のような官能基と反応して付加反応を起こす[15]。

フマル酸エステル類の医薬品としての使用は，1959年皮膚疾患である乾癬に悩んだドイツの化学者（W. Schweckendiek）が，乾癬はクエン酸サイクルの乱れが原因になっていると考え，クエン酸と関連するフマル酸エステルを補充することにより，病態の改善を期待したのが始まりである。その後，1994年にはドイツで乾癬症治療薬として正式に承認され，使用された。IFNβや生物学的製剤のMS治療薬（ともに注射薬）の開発で豊富な経験をもつバイオジェン社は，MSと乾癬とのなんらかの関連性を洞察して，フマル酸ジメチルをMS治療薬として臨床評価したのであろう。

MS治療薬としてのフマル酸ジメチル（およびその主要な活性代謝物であるフマル酸モノメチル）の作用は，酸化，炎症，および生体異物ストレスを軽減する重要な細胞防御機構であるNrf2（NF-E2-related factor 2）転写経路の活性化によって発現すると説明されている。すなわち，通常，Nrf2はKeap1という抑制性因子と相互作用し転写活性能は抑えられているが，Keap1の抑制が解除されると転写活性能が発現する。フマル酸ジメチルは，Keap1に存在するシステイン残基（マウスのKeap1には25個のシステイン残基がある）のSH基とマイケル型の付加反応を起こし，Keap1の構造を変えて抑制を解除する。その結果，Nrf2が活性化され，MSで起こっているさまざまな細胞障害を軽減する。

②ジレニア®／イムセラ®（一般名 フィンゴリモド）

（田辺三菱／ノバルティス社開発，2010米国承認，2011日本承認）

　ジレニア®（イムセラ®）の創薬は，冬虫夏草菌の一種に含まれる成分であるミリオシンに免疫抑制効果が見出されたことから始まる。これをリード化合物として，発見者の藤田哲朗・京大教授（F），台糖製薬（T），吉富製薬（Y）（三菱ウェルファーマを経て現・田辺三菱製薬）の共同研究により，膨大な，たいへん興味深い構造活性相関研究が展開されて，スフィンゴシン-1-リン酸（S1P）受容体作動薬「FTY-720」（一般名 フィンゴリモド）が誕生した。フィンゴリモドは，ノバルティス社（注射用MS治療薬INF（インターフェロン）βの開発経験があり，経口剤に関心をもつ）へ導出され，経口MS治療薬として開発されてブロックバスター医薬品に成長した。血中のリンパ球をリンパ節にとどめることにより，MS病巣へのリンパ球浸潤を抑制する機序が明らかにされている。

③オーバジオ®（一般名 テリフルノミド）

（サノフィ・アベンティス社開発，2012年9月米国承認，日本未発売）

　関節リウマチ治療薬や乾癬治療薬として使用されているレフルノミド（図2-3）の活性代謝物がMS治療薬オーバジオ®として開発された。オーバジオ®は，ミトコンドリアでのピリミジン合成における律速酵素であるジヒドロオロト酸デヒドロゲナーゼを阻害して，MSにおいて活性化された免疫細胞でのピリミジン合成を妨げ，増殖を抑えるといわれる。

④アムピラ®／ファムピラ®[16]（化学名 4-アミノピリジン[17]）

（アコーダ社開発，2010.1米国承認，日本未発売）

　4-アミノピリジン（4-AP）も，フマル酸ジメチルと同様に，有機合成で原料化合物として頻用される試薬であり，メディシナルケミストがそれ自身を医薬品として開発することを発想しないと思われる化合物である。4-APは，古くからカリウムチャネル阻害作用，痙攣誘発作用をもつことが知られており，カリウムチャネルに関連する研究用試薬や害鳥の駆除を目的とした農薬（アビトロール®）として用いられていた。MS治療薬としての4-APの作用は，このカリウムチャネル阻害により発現されると説明されている。すなわち，脊髄の軸索が障害され脱髄するとカリウムイオンの流出が増大し，ニューロンの活動が阻害される。4-APは，中枢神経・末梢神経の軸索の細胞膜上のカリウムチャネルをブロックすることによって，シナプス伝達を増大させシグナル伝導を高め，MSで起こっている障害を軽減すると考えられる。なお，アムピラ®（ファムピラ®）は4-APの徐放製剤として開発されている[18]。

　以上，リリカ®と経口用MS治療薬の4製品を紹介した。鎮痛薬の市場は大きい。現在の鎮痛薬はいずれも固有の副作用があり，リリカ®に続く新しい作用機序に基づく新薬の研究開発が進められているようである。成功を期待したい[19]。経口MS治療薬の4製品については，ジレニア®（②）の素晴らしいメディシナルケミストリーの成果に比べると，ほかの3製品（①，③，④）は公知の生物活性化合物であり，化学構造面からわくわく感が感じ

られない化合物である。ただ，MS治療薬というアンメット・メディカル・ニーズの高い薬剤のなかではたいへん価値のある医薬品が創製されたことになる。MSは，日本では罹患率が低い難病であり発症原因も不明なため，メディシナルケミストリーを得意とする日本の製薬企業はやや関心が低かったと思われる[20]。一方，海外では当初からMS治療は注目されており，まずはIFN βや生物学的製剤が注射用MS治療剤として開発され，ついで経口剤の開発に力が注がれた。バイオジェン社，ノバルティス社，サノフィ・アベンティス社で行われた経口剤(それぞれ①，②，③)の創製は，注射剤の開発(臨床試験も含めて)で得たさまざまな経験・知識をもとにして，病因や作用機序などを洞察し，既存の薬物あるいは既存の生物活性化合物からの新たな創薬，すなわちドラッグ・リポジショニング的なアプローチによる成功例である。注射剤の開発経験なくして低分子経口剤の成功はなかったであろう。癌の領域や発症原因が不明のアンメット・メディカル・ニーズの高い領域では，今後もこのような手法が有望かもしれない。

3．医薬品開発の現状：ブロックバスター vs ニッチバスター

はじめに

すでに，国内外での2005年と2015年および，2018年度の医薬品の売上高の推移を概観した(第Ⅲ部第2章-1．，P.257〜260参照)。近年，世界では低分子合成医薬品に代わってバイオ医薬品(生物学的製剤：生体内生理活性成分や抗体などのタンパク質製品)の売上高が伸びている。一方，日本では生活習慣病薬を中心にした低分子医薬品の売上高が維持されており，高薬価の(かつ多くは希少疾患適応の)バイオ医薬品は伸びていない現状を述べた。また，ギリアド・サイエンシズ社，バイオジェン社やセルジーン社[3]などのバイオ医薬品企業は，高薬価のバイオ医薬品の開発とともに，大型医薬品に伸長するようなユニークな低分子医薬品の開発にも成功し，従来の世界大手の製薬企業に匹敵する巨大企業に成長していることなど医薬品産業の様相が変わってきていることも記した。最近では，従来のブロックバスター医薬品に対してニッチバスター医薬品という名称も生まれている。抗体や核酸医薬の多くは，高い薬価がつけられるニッチ的な希少疾患(難病・特定疾患)を対象としている。ニッチ疾患の治療薬の開発にはさまざまな支援策も講じられており[4b]，製薬企業の創薬ターゲット(戦略)になっていることがうかがわれる。

本項では，最近の新薬の研究開発状況について，メディシナルケミストの視点から概観する。

1. 国内の医薬品研究開発状況

国内における医薬品の研究開発状況を**表3-1**に示した[21]。上段Ⅰは低分子医薬品の状況を示す。低分子医薬品の承認取得数は，2001～2020年(20年間)の合計105個(年平均5個)である。5年間ごとでも，2001～2005年は32個，2006～2010年は22個，2011～2015年は28個，2016～2020年は23個と，承認数はほぼ横ばいのようにみえるが，2000年代の初めに比べると近年は減少しており，低分子創薬が難しくなっていることを示すデータといえよう。**表3-1**のⅡは新規モダリティ［抗体，その他(核酸医薬やペプチドなど)］の研究開発状況を示す。2012年からの資料が入手できるのみであるが，2012～2020年に自社で前臨床試験および臨床試験に入った数は各々164個および40個，承認取得は13個[22]である。国内製薬企業は一部を除きバイオ医薬品の創製が得意でないといわれるが，明らかにこの領域でも伸長している様子がうかがわれる。

表3-1　国内新薬の開発状況[a]

Ⅰ 低分子化合物(5ケ年毎累計)

年次	2001～2005	2006～2010	2011～2015	2016～2020
合成化合物数[b]	499,915	673,002	703,397	505,141
前臨床試験開始数[c]	197(1: 2,538)	216(1: 3,116)	165(1: 4,263)	173(1: 2,920)
臨床試験開始数[c]	97 (1: 5,154)	83 (1: 8,108)	70 (1:10,049)	52 (1: 9,714)
承認取得数[c],[d]	32 (1: 15,622)	22 (1: 30,591)	28 (1:25,121)	23 (1:21,963)

Ⅱ 新規モダリティ(3ケ年毎累計)

	抗体医薬／それ以外[e]			
	2012～2014	2015～2017	2018～2020	合計
前臨床試験開始数[c]	18/5	35/27	36/43	89/75 (164)
臨床試験開始数[c]	4/5	9/2	12/11	25/15 (40)
承認取得数	1/1	0/0	7/4	8/5 (13)

[a] 日本製薬工業協会加盟国内企業(17~25社)の集計[21]。
[b] 低分子化合物数は，コンビナトリアルケミストリーなどのケミカルライブラリーを除外。
[c] 括弧内は，全化合物数に対する各段階の化合物数の比率を示す。合成してからの時差を考慮していないので，便宜上の数値である。
[d] 自社品(導入品は除外)に限り，剤形追加・効能追加は除外。
[e] それ以外は核酸医薬やペプチド医薬などを指す。

2. 米国における医薬品研究開発状況

米国における新薬の認可数および医薬品研究開発費の年次別の推移を**図3-1**に示した。棒グラフは米国食品医薬品局(FDA)による新薬の認可数[24](左軸：単位，個数)を示す。橙色は新規合成医薬品(NME：New Molecular Entity)，緑色は生物学的医薬品(BLA：New Biologic License Application)である。1999～2018年の間，年あたり17個(2002年)から62個(2018年)の医薬品が認可されている。BLAは2004年から登場したが，最近では認可された医薬品の3割程度に増加している。認可数の伸びは，2013年と2016年に減少はあったものの，総じて2012年からは順調であり，2018年はNME 42個，BLA 20個，総数62個という過去最大の認可数となった。**図3-1**の折れ線グラフは，米国研究製薬工業協会

(PhRMA)加盟企業の研究開発費[25]（右軸：単位，10億ドル）の推移である。研究開発費はまさに右肩上がりの増加の一方であり，2018年には796億ドルに上った。

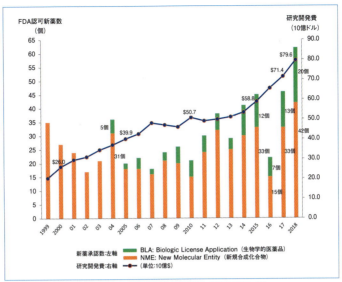

図3-1　米国における新薬承認数と研究開発費[24, 25]

4．なんで低分子じゃダメなんだろう？

はじめに

最近，製薬企業の研究者と名刺交換をさせていただくと，所属先に「モダリティ」という言葉が目につくようになった。いわゆる低分子医薬品から抗体医薬や核酸医薬へ創薬の主題が変わりつつあることの象徴として「モダリティ」がある。筆者らは昔気質の低分子創薬を掲げており，モダリティには馴染めないのだが，1回の投与で3,000万円という途方もない薬価がついたなどというニュースを耳にするに至っては世の趨勢を無視するわけにもいかない。モダリティの未来は明るいのか，勝手な見解も含めて書かせていただく。

1．抗体医薬とは[26, 27]

抗体は，生体内に侵入した細菌やウイルスなどを抗原として認識し，これらを排除するために働く免疫グロブリンと呼ばれる糖タンパク質である。特定の抗原を認識するモノクローナル抗体がマウス由来で作製されてから，ヒトへの利用が試みられるようになったが，異種動物由来では免疫原性があり，血中濃度の維持が難しいため，あまり効果が得られなかった。しかし，遺伝子工学の進化によってキメラ抗体やヒト化抗体が作製できるように

なり，1990年代の半ばには抗体医薬としての利用が始まった。抗体医薬の適応疾患はがんや免疫の領域が多い。がん抗体医薬の作用メカニズムはいくつかあるが，例えば，中和反応ともいわれる抗原抗体反応を利用して腫瘍細胞の増殖や生存のために必要なシグナル伝達経路を阻害するものがある。これらは，腫瘍細胞膜上に発現する特異的な受容体を抗原として認識して結合することにより，シグナル分子（リガンド）の結合を阻害する。大腸がんの60〜80％に発現している受容体であるEGFR（epidermal growth factor receptor）を標的とするセツキシマブ（cetuximab）や，乳がんや胃がんなどで過剰に発現しているHER2（human epidermal growth factor receptor type 2）を標的とするトラスツズマブ（trastuzumab）が知られている。このほかに，抗体医薬の作用機序にはエフェクター機能を利用するものがあり，抗体依存性細胞傷害（ADCC：antibody-dependent-cellular cytotoxicity）と補体依存性細胞傷害（CDC：complement-dependent cytotoxicity）がある。ADCCは，抗体のFc領域（図4-1）がNK細胞やマクロファージなどにあるFc受容体を介して，これらのエフェクター細胞を活性化し，標的細胞を死滅させるものであり，前述のトラスツズマブにはADCC活性もあることが知られている。CDCは補体が活性化して細胞を融解させるが，非ホジキンリンパ腫に用いられるリツキシマブ（rituximab）にはADCC活性だけでなくCDC活性もある。

　これらのアプローチに加えて，すでに述べたように，改良型の抗体医薬として殺細胞性をもつ薬物を抗体に結合させ，抗体を腫瘍細胞への薬物送達の手段として用いる抗体-薬物複合体（ADC：antibody-drug conjugate）[28]も開発されており，トラスツズマブ エムタンシン（カドサイラ®）などが用いられている。

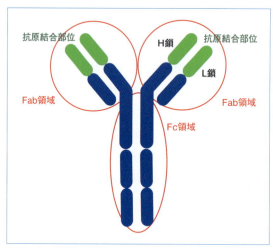

図4-1　抗体の構造

2．免疫チェックポイント阻害薬[29]

　一方で，これまでと異なる作用機序をもつ新たな抗体を用いた免疫療法も台頭しつつある。2018年，ノーベル賞を受賞された本庶佑先生らが見出した免疫チェックポイント分子

に対する阻害薬である。もともと私たちの身体には免疫チェックポイント分子が働いており，過剰な免疫応答が起こったときにこれを抑えるためのネガティブフィードバック機構をつかさどっている。一部のがん細胞は，このような仕組みを利用して，免疫システムにおいて中心的な役割を担うT細胞の機能にブレーキをかけ，がん免疫から逃れていることが明らかとなった。そこで，がん細胞が利用する免疫チェックポイント分子を特定し，これらの分子を標的とする抗体によってその働きを阻害することができれば，がん細胞に特異的な免疫応答を再び活性化させられると考えられた。活性化したT細胞上で発現が増加する免疫チェックポイント分子には，CTLA-4（cytotoxic T lymphocyte antigen-4）とPD-1（programmed cell death 1）があり，それらに対する抗体として抗CTLA-4抗体であるイピリムマブ（ipilimumab）および抗PD-1抗体であるニボルマブ（nivolumab）が開発され，進行性メラノーマに対し認可された。特に，PD-1についてはリガンド分子であるPD-L1が明らかになり，これらを標的とした抗体医薬は，非小細胞肺がんや腎細胞がん，膀胱がん，大腸がん，乳がん，血液がんなど，幅広いがんに対して有効であることが示されつつある。免疫チェックポイント阻害薬は単独での奏効率は20〜30％であるが，これらを併用することによって，60％程度まで向上する。また，重篤な症例においても効果が長期的に持続し延命効果が認められることが特徴である。さらに，リガンド分子であるPD-L1の発現の有無を調べるコンパニオン診断薬を用い，有効性が高いと予想される場合には治療を行うという新たな治療法も具現化している。まるで夢のような話だが，このようなすばらしい免疫療法にも有害事象は生じる。T細胞へブレーキをかけるシステムが抑制されることで，自己に対する免疫応答が惹起される可能性があり，イピリムマブおよびニボルマブ併用時には免疫関連有害事象の発生割合が高いことが報告されている。

3．CAR-T療法[30]

2019年の3月に薬価が33,493,407円！という極めて高額な医薬品が認可された。チサゲンレクルユーセル（tisagenlecleucel）（キムリア®）である。チサゲンレクルユーセルは，再発または難治性のCD19陽性のB細胞性急性リンパ芽球性白血病（B-ALL：acute B lymphoblastic leukemia）および再発または難治性のCD19陽性びまん性大細胞型B細胞リンパ腫（DLBCL：diffuse large B cell lymphoma）を対象として，キメラ抗原受容体（CAR：chimeric antigen receptor）を利用した遺伝子改変型T細胞療法に用いられる。CARは，抗体の抗原結合部位とT細胞活性化レセプターの細胞内ドメインを遺伝子組換え技術を用いて結合させたもので，このCAR遺伝子を遺伝子導入技術によってT細胞に導入したものがCAR-T細胞になる。CARを導入されたT細胞は抗体の結合部位で抗原を認識し，そのシグナルがT細胞内に伝わると，標的に対する特異的かつ強力な免疫反応が誘導される。チサゲンレクルユーセルは，がん細胞に発現している抗原のCD19を認識し，CAR-T細胞を活性化させて細胞傷害性分子を放出させ，抗腫瘍効果を発揮する（**図4-2**）。特筆すべきは，この遺伝子改変型T細胞療法は，患者から採取したT細胞にCAR遺伝子を導入することに

よってCAR-T細胞をつくり，培養後にこれを患者に戻すというシステムをとっていることである．それぞれの患者のためのCAR-T細胞の作製は企業において集中型施設で製造加工されるもので，患者1人ひとりにオーダーメイドされた医薬品がしつらえられることになる．これでは，高額な薬価が求められても仕方あるまい．

　CAR-T療法は，養子免疫療法（adoptive immunotherapy）をより進化させたものといってもよいだろう．従来から行われている養子免疫療法では，腫瘍関連抗原を特異的に認識するT細胞を体外で増幅し，患者の体内に戻すことで抗腫瘍効果を高めようとしたが，実際には，腫瘍抗原ペプチドを提示する受容体（MHC：major histocompatibility complex）の発現が低下するなどの免疫回避機構の存在により，T細胞が十分に標的細胞を認識することができず，有効ではなかった．CAR-T細胞は，がん抗原特異的抗体が細胞に組み込まれており，抗原と結合してT細胞を活性化させることにより，細胞傷害性タンパク質を放出させてがん細胞にアポトーシスを誘導する．このような優れた抗腫瘍効果を示す反面で，CAR-T細胞の抗腫瘍免疫反応が引き金となって重篤なサイトカイン放出症候群が起こることが報告されている．

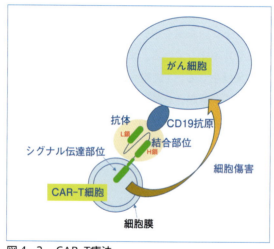

図4-2　CAR-T療法

4．バイスペシフィック抗体[31)]

　新たな抗体医薬としてバイスペシフィック抗体について最後に触れる．抗体には2つの抗原結合部位があるが，通常の抗体では2つの抗原結合部位は同じ抗原を認識するのに対し，バイスペシフィック抗体は1つの抗体分子で2つの独立した標的抗原に結合できる．このような非対称な抗体としてIgG型のバイスペシフィック抗体がつくられている．抗体のもつ2つの抗原結合部位はそれぞれH鎖とL鎖からなるため，これらをランダムに組み合わせると多種類の抗体ができてしまう．そこで，遺伝子工学の技術を用いてL鎖を共通化させることに成功した．これにより，理論上は，目的とするヘテロ会合したバイスペシ

フィック抗体1種類が50％とホモ会合体2種類がそれぞれ25％生産されることになる。さらに効率よくバイスペシフィック抗体を得るために，C末端側のアミノ酸を置換することで静電的相互作用を利用して，正負の電荷が互いに引き合うバイスペシフィック抗体が優先的に得られるように工夫した（**図4-3**）。このようにして作製されたバイスペシフィック抗体は2つの異なる抗原に対し，1つの抗体が同時に結合することができ，薬効の増強，または，抗原の架橋を介した生理活性の模倣などが期待される。バイスペシフィック抗体であるエミシズマブ（emicizumab）は，後者のメカニズムにより効果を発揮し，血友病Aに用いられる

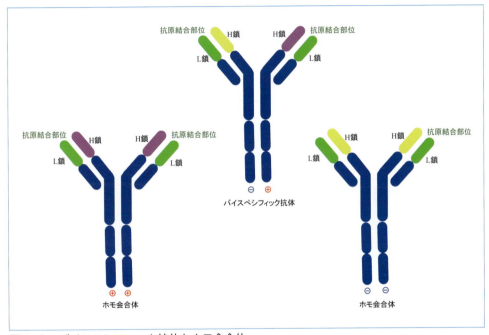

図4-3　バイスペシフィック抗体とホモ会合体

低分子のこれから

　冒頭にも述べたが，筆者らは従来からの低分子創薬に取り組んでおり，モダリティの代表格のような抗体医薬については黒船がやってきたようなイメージを抱いていた。新しい創薬の潮流に置いていかれる低分子創薬はどうなってしまうのだろう？　有機合成化学は大丈夫なのだろうか？

　最近は製薬企業に就職する有機合成系の学生はたいへん少なく，また，筆者らの後輩たちがまだ若くして研究所を離れて別の分野に転職するという残念な話も頻繁に聞く。製薬企業自体もグローバル化により自社製品を自ら開発するのではなく，小規模のベンチャー企業などから仕入れるようになり，まるで商社のように空洞化しつつある。困ったことだ，とちょっとうつむき加減な日々である。

しかし，こうやって抗体医薬や免疫療法について考えることにより，逆に低分子の活路が見えてきたように思う。抗体医薬のやっていることを雑駁に言ってしまえば，抗原に対する中和反応とエフェクター機能の合わせ技であり，それぞれのメカニズムをよく見てみると，結局は，細胞内のシグナル伝達を阻害したり促進したりしていることになる。確かに抗体は特異的に抗原を認識することはできるが，それだけでがん細胞を死滅させることはできない。エフェクター機能があってこその抗体医薬と思われる。それならば，細胞内シグナル伝達に関わることができる低分子を併用してもよいのではないか？　免疫チェックポイント阻害剤にしても，抗体である必要が本当にあるのだろうか。抗原が枯渇し[32]，遺伝子改変などのバイオテクノロジーも普遍化している現在において，抗体医薬の差別化をするには低分子の利用しかないのではないかと思う。なぜ，低分子に戻らないの？　と言いたくなる。抗体医薬によって起こる有害事象を防ぐには従来からの低分子創薬を加えて，免疫系の精緻な制御をすべきではなかろうか。

低分子医薬品は抗体医薬に比較すれば，低コストであり，万民のための薬といえる。チサゲンレクルユーセルのようなオーダーメイドの創薬も重要であるが，誰でもお金を気にせずに使える万民のための医薬品をつくっていきたいと思う。

5．コロナ禍における医薬品開発

はじめに

新型コロナウイルス（SARS-CoV-2）[33]の感染症（COVID-19）[33]は，2019年12月に中国武漢市で発生し，武漢から世界に蔓延したというのが一般的な認識となっている。日本では2020年1月に初の感染者が確認された。その後，感染者の増減を繰り返しつつ，変異株の登場などもあり，いまだに流行が収まる気配はない（2023年1月時点）。ここでは，COVID-19のワクチンと治療薬（低分子合成医薬品と抗体）の最近の動向をまとめる。コロナ禍は医薬品市場を大きく変え，開発に成功した一部の企業に巨額の利益をもたらしている。変化した医薬品市場の姿とファイザー社によるパキロビッド®パックの開発経緯[34]についても続けて紹介する。

1．　国内で認可されているCOVID-19ワクチンと治療薬

COVID-19に対するワクチンは，ファイザー社（米）／ビオンテック社（独）（共同開発）のmRNAワクチン（コミナティ®），モデルナ社（米）のmRNAワクチン（スパイクバックス®），そしてアストラゼネカ社（英）のウィルスベクターワクチン（バキスゼブリア®）が使用されている。日本発のワクチンとしては，塩野義製薬の遺伝子組み換えワクチン（販売名，コ

表5-1　国内で認可されているCOVID-19治療薬

医薬品の タイプ	No[*1]	医薬品一般名（販売名）	作用機序他	開発企業 など	2021年 通年売上高[*2]（ドル）
低分子合成 医薬品 （経口用）	①	レムデシビル （ベクルリー®）	RNAポリメラーゼ阻害薬[*3]	ギリアド	55億6,500万
	②	デキサメタゾン （デカドロン®など）	ステロイド系抗炎症薬[*4]	日医工など	―
	③	バリシチニブ （オルミエント®）	JAK阻害薬（抗炎症薬）[*5]	イーライリリー	11億1,500万[*6]
	④	モルヌピラビル （ラゲブリオ®）	RNAポリメラーゼ阻害薬	メルク	9億5,200万 [50～60億][*7]
	⑤	ニルマトレルビル／リトナビル （パキロビッド®パック）	プロテアーゼ阻害薬／代謝 酵素阻害薬	ファイザー	7,600万 [220億][*7]
	⑥	エンシトレルビル （ゾコーバ®）	プロテアーゼ阻害薬	塩野義製薬	2022年11月15日 緊急承認
抗体医薬品 （注射点滴用）	⑦	トシリズマブ （アクテムラ®）	抗IL-6受容体抗体[*8]	ロシュ， 中外製薬	35億6,200万[*9]
	⑧	カシリビマブ／イムデビマブ （ロナプリーブ®）	中和抗体（抗体カクテル）	ロシュ， 中外製薬	16億3,000万
	⑨	ソトロビマブ （ゼビュディ®）	中和抗体	グラクソ・スミ スクライン	13億

[*1]①～⑥は、図5-1の化合物構造式No.に対応する。[*2]各社の決算資料などをもとに作成。[*3]エボラ出血熱適応で既承認。[*4]重症感染症などの適応で既承認。[*5]関節リウマチ適応で既承認。[*6]関節リウマチ治療薬としての売上高も含む。
[*7]カッコ内は2022年の見込み売上高。[*8]関節リウマチなどの適応で既承認。
[*9]関節リウマチ治療薬などの売り上げ高も含む。

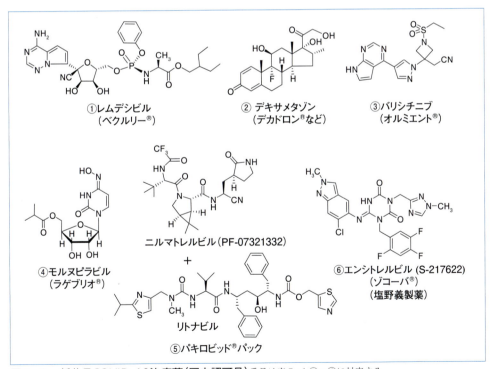

図5-1　低分子COVID-19治療薬（国内認可品）番号は表5-1①～⑥に対応する。

ブゴーズ™）および第一三共のmRNAワクチン（開発コード番号，DS-5670）が製造販売承認を申請中である（2023年1月現在）。

COVID-19の治療薬について，国内で認可（特例承認，緊急承認）されている医薬品を**表5-1**に示した。低分子合成医薬品①〜⑥については構造式も**図5-1**に示した。これらのうち，①レムデシビル（ベクルリー®）（点滴・静注用抗ウイルス薬），抗炎症薬である②デキサメタゾン（デカドロン®など）と③バリシチニブ（オルミエント®）は，ドラッグ・リポジショニング（すでにほかの疾患治療薬として承認されていた医薬品で，新たにCOVID-19治療薬として開発）による医薬品である。その後，経口投与可能な2個の低分子合成抗ウイルス薬，④モルヌピラビル（ラゲブリオ®）（MSD社）（2021年12月認可）と⑤ニルマトレルビル／リトナビル（パキロビッド®パック）（ファイザー社）（2022年2月認可）が特例承認された。ともに，軽症〜中等症のCOVID-19患者を対象とする。④のラゲブリオ®は，当初抗インフルエンザ薬として開発中の化合物であったが，新たにCOVID-19治療薬として開発された。⑤のパキロビッド®パックは，オミクロン変異株にも有効ということで期待が持たれている。パキロビッド®は，抗ウイルス活性（SARS-CoV-2プロテアーゼ阻害）を示すニルマトレルビルの血漿中濃度を維持させるために，作用機序の異なる医薬品であるリトナビル（既知のCYP3Aの阻害作用を有する抗ウイルス薬）を併用するという工夫がなされている。さらに，塩野義製薬が開発した⑥のエンシトレルビル（ゾコーバ®）［開発コードNo. S-217622（SARS-CoV-2プロテアーゼ阻害薬）］が緊急承認薬として認可された（2022年11月15日）。

表5-1の抗体医薬品については，⑦のトシリズマブ（アクテムラ®）（抗IL-6受容体抗体）（ロシュ社・中外製薬）が重症患者の症状を改善する薬剤として認可され（2022年1月），肺炎に対する新たな治療選択肢となることが期待されている。中和抗体としては，⑧カシリビマブ／イムデビマブ（ロナプリーブ®）（ロシュ社・中外製薬）と⑨ソトロビマブ（ゼビュディ®）（グラクソ・スミスクライン社）が，ともに重症化リスク因子をもつ軽症〜中等症のCOVID-19患者を投与対象として認可されている。ただし，⑧のロナプリーブ®はオミクロン変異株への感染が明らかな場合は推奨しないとされている。

以上のほか，国内の開発では，オンコリスバイオファーマ社のOBP-2011やペプチドリーム社の特殊ペプチド（PA-001）の開発が進んでいる。

▌2．コロナ禍が変えた医薬品市場

コロナ禍は医薬品市場を大きく変え，開発に成功した一部の企業に巨額の利益をもたらしている。COVID-19のワクチンや治療薬による増収効果である。**表5-2**に2021年度世界売り上げトップ15医薬品を示した（第Ⅲ部2.1，表1-3　2018年度売り上げトップ15医薬品（P.260）と比べてご覧いただきたい）。ここに，ワクチン2個と中和抗体1個が入っている。多くの国は，企業からまとめて購入し，無料でワクチン接種を進めつつ治療薬を配布しており，日本を含め財政負担の増加につながっているといわれる。**表5-1**のコロナ

治療薬の右欄に各医薬品の2021年度の売上高を記した。④と⑤は，発売後間もないので，2022年度に見込まれている売上高も示した。⑤のパキロビッド®パックは，2022年には220億ドル（約2.5兆円）という巨額の売上高が見込まれている。

　ワクチンの売上高も莫大である。ファイザー社／ビオンテック社共同開発のコミナティ®は，ファイザー社に368億ドル（約4.2兆円），ビオンテック社に185億ドルの売り上げをもたらしている。モデルナ社のスパイクバックス®は177億ドル，アストラゼネカ社のバキスゼブリア®は40億ドルを売り上げた。ファイザー社のワクチン（コミナティ®）は，2021年に世界で最も売れた薬となり，売上高368億ドルは，9年連続でトップだった関節リウマチなどの薬であるヒュミラ®（米国，アッヴィ社，売上高207億ドル）を抜いた（**表5-2**参照）。また，ファイザー社全体の2021年の売上高も前年（ジェネリック部門を分社化したため売上高は低下し419億ドル，第9位）より95％増の812億ドルで，ロシュ社（2020年，624億ドル）からトップの座を奪還する。モデルナ社も，ワクチンの2021年度の売上高177億ドルは，前年の総売上高8億340万ドルの21倍であり，2021年度の企業ランキングでは世界で第18位の企業になった。

表5-2　2021年度世界売り上げトップ15医薬品
（黄色枠赤数字はバイオ医薬品）

	販売名	主な対象疾患他	会社名	売上高（億ドル）
1	コミナティ	COVID-19[*1]・ワクチン	ファイザー	368
2	ヒュミラ	リウマチ	アッヴィ	207
3	スパイクバックス	COVID-19[*1]・ワクチン	モデルナ	177
4	キイトルーダ	がん	メルク	172
5	レブラミド	多発性骨髄腫	BMS[*2]	128
6	エリキュース	抗凝固薬	BMS[*2]	108
7	ステラーラ	乾癬	ヤンセン	91
8	ビクタルビ	HIV感染症	ギリアド	86
9	オプジーボ	がん	BMS[*2]／小野薬品	75
10	トルリシティ	糖尿病	イーライリリー	65
11	デュピクセント	アトピー性皮膚炎	サノフィ	62
12	ダラザレックス	多発性骨髄腫	ヤンセン	60
13	エリキュース	抗凝固薬	ファイザー	60
14	ロナプリーブ	COVID-19[*1]・抗体	リジェネロン	58
15	アイリーア	加齢黄斑変性症	リジェネロン	58

*1新型コロナウイルス感染症，*2ブリストル・マイヤーズ スクイブ社
（Monthlyミクス2022.7月号をもとにして編集・引用）

3．経口用COVID-19治療薬，パキロビッド®（ファイザー社）の開発経緯[34]

　パキロビッド®パック（ニルマトレルビル／リトナビル併用薬）は，これまでの新薬の創製ではみられない驚異的なスピードで開発された医薬品であり，その経緯をここに紹介する[34]（**図5-2**）。

　ファイザー社では，ワクチン（mRNAワクチン「コミナティ®」）の緊急開発の裏で，COVID-19の経口用治療薬の探索プロジェクトも進められた。プロジェクトは，新型コロ

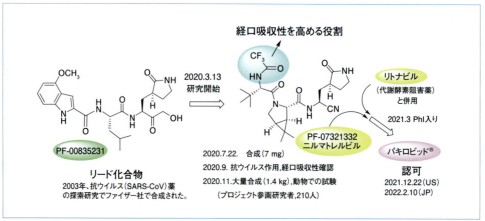

図5-2 経口用COVID-19治療薬，パキロビッド®パックの開発経緯

ナウイルスの第1波が世界中に広がり，在宅での業務を余儀なくされた2020年3月13日からスタートした。ファイザー社の研究所の化学者たちは，2003年のSARS (severe acute respiratory syndrome：重症急性呼吸器症候群)のアウトブレイク時に生まれたアイデア(化合物)をいくつか蔵出しした。SARSの発症原因であるウイルスもコロナウイルス(SARS-CoV)であり，今回の新型コロナウイルス(SARS-CoV-2)も同じタイプのプロテアーゼによりウイルスが複製されるはずである。したがって，今回の抗ウイルス薬は2003年のSARS阻害薬探索研究の際の化合物がもとになると考えられたのである。その結果，PF-00835231がリード化合物として選択された。

　最も大きな課題は，PF-00835231を改良し，経口吸収性のよい化合物をつくりだすことであった。化合物のデザイン・合成を試行錯誤した結果，2020年7月22日には後にニルマトレルビルとなるPF-07321332の少量(7 mg)合成に至る。その後，抗ウイルス作用，良好な経口吸収性などを確認し，同年11月には大量(1.4 kg)合成され，12月(米国初のCOVID-19ワクチン「コミナティ®」が認可された頃)には動物を用いた各種試験が行われた。最終的なパキロビッド®パックの開発には，ニルマトレルビルと，作用機序の異なる医薬品であるリトナビル(既知の抗ウイルス薬)を併用するという工夫がなされた。リトナビルは，SARS-CoV-2に対する抗ウイルス活性は示さないが，ニルマトレルビルの主要代謝酵素であるCYP3Aの阻害作用を有し，ニルマトレルビルの血漿中濃度を維持する。2021年3月，パキロビッド®パックはヒトでの臨床試験に入った。この頃までにプロジェクトに参画した研究者は210人に上るという。その後，米国で緊急使用承認(2021年12月22日)，日本でも特例承認(2022年2月10日)された。新規に化合物を合成し，それが安全に病気を治療できると証明し，開発に至った最速記録といえるかもしれない。

　ファイザー社は，COVID-19のワクチンと経口用治療薬を同時に，しかも世界に先駆けて開発することに成功した。グローバル製薬企業の研究開発力・営業力の巨大さを実感させられる。

最近の創薬に思う　**第Ⅲ部**

■参考文献

1) Monthlyミクス2006および2016増刊号（医薬品ランキング）（エルゼビア・ジャパン）をもとにして編集・引用。

2) アッヴィは，2013年に米国アボット・ラボラトリーズから分社独立した抗体医薬などを主力とするバイオ医薬品企業。

3) セルジーン社は，ブリストル・マイヤーズスクイブ社により買収された：買収金額，約740億ドル（約7兆9920億円）（2019年1月3日，プレスリリース）

4) (a)この点に関しては，何人かの製薬企業研究者の方にコメント・感想をお願いした。コメントをくださった方々に感謝する。(b)希少病疾患およびその治療薬市場について，下記を参考にされたい。長尾　拓，「成長が期待される米国の希少疾患治療薬市場」，SMBCマンスリー・レビュー（産業トピックス），2016.7.14. URL: http://www.smbc.co.jp/hojin/report/monthlyreviewtopics/

5) 世界はIQVIA，国内はAnswersNewsの公表データをもとに編集・引用。

6) ソホスブビルの創薬研究の文献と総説：(a) M. J. Sofia, et al.（Pharmasset Inc.），*J. Med. Chem.,* **53**, 7202-7218, 2010；(b) D. A. Herbst Jr and K. R. Reddy, Sofosbuvir, a nucleotide polymerase inhibitor, for the treatment of chronic hepatitis C virus infection. *Expert Opin. Investig. Drugs,* **2013**, *22*, 527-536 抗エイズ（HIV）薬で世界最大手のギリアド・サイエンシズは，ファーマセット社を約110億ドルで買収（2011年）しソホスブビルを獲得した。ハーボニー配合錠（ソホスブビル＋レジパスビル）の日本での薬価：1錠 54,796.90円。

7) レブラミドの2018年度世界の医薬品売上高に関して：元データの収集・処理方法の違いからか，表3のデータとは異なる下記のトップ10公表データもある：①ヒュミラ（199），②レブラミド（97），③キイトルーダ（72），④ハーセプチン（71），⑤アバスチン（70），⑥リツキサン（69），⑦オプジーボ（67），⑧エリキュース（64），⑨プレベナー13（58），⑩ステラーラ（57），括弧内数字は売上高（億ドル）。*Nature Reviews Drug Discovery,* **2019**, *18*, 245. このデータによれば，レブラミドは97億ドル（セルジーン社の公表データと同じ）で世界売上高第2位を占める。

8) レブラミドカプセル（5mg）は，日本では薬価 9,114.20円で，多発性骨髄腫では，1日に5カプセル服用を3週続けて1週休薬のサイクルで継続する。

9) ワーナー・ランバート（W.L.）社は，自社開発の高脂血症治療薬リピトール®（1997発売）が大型薬に育ってきた2000年にファイザー社の敵対的買収により吸収合併された（買収費用 890億ドル）。M&Aの経営戦略上，2004年に承認されたW.L.社開発のリリカ®がこれだけ大型化することが見込まれていたかどうかは興味深い。

10) くすりの効くかたち：キラリティーを学ぼう，本書第Ⅰ部第1章-7., P.35参照.

11) 総説：越智靖夫ら（ファイザー社），末梢性神経障害性疼痛治療薬プレガバリン（リリカ®カプセル）の薬理作用機序および臨床効果，日本緩和医療薬学雑誌，**4**, 53–64, 2011

12) 注射剤としては，ほかにグラチラマー®（コパキソン）（皮下注射製剤）（テバ社）がある。これは，ミエリン塩基性蛋白質から発見されたペプチドで，Glu，Lys，Ala，Tyr の4種のアミノ酸から成るランダムコポリマーである。2016年世界売上高は4,962億円で，MS治療薬のなかで最大。

13) 世界売上高（2016年）のデータは，「ML リソース：多発性硬化症」（http://www.medmk.com/mm/add/mp_multiple_sclerosis.htm）から引用した。

14) 研究用試薬（フマル酸ジメチル）の価格は，500g, 12,700円。MS治療薬としてのフマル酸ジメチル（テクフィデラ®）の日本での薬価は，120mg 2037.20円，240mg 4074.40円である。

15) 曲がった矢印と化学反応，本書第Ⅰ部第1章-4., P.19参照.

16) MS治療薬で大きな市場をもつバイオジェン社は，アコード社のアムピラ®の米国外の販売権を取得している（製品戦略からか？）。ファムピラ®はバイオジェン社の販売名である。

17) 一般名は，fampridine（INN），dalfampridine（USAN）

18) アムピラ®は4-APの徐放製剤としてエラン社が創製し，販売権がアコード社にライセンスアウトされた。

19) 最近，疼痛治療薬「タリージェ®」（一般名：ミロガバリンベシル酸塩）が「末梢性神経障害性疼痛」を適応として，国内製造販売承認され，発売された。本品は，第一三共で創製された新しい $\alpha_2\delta$ リガンドである（2019年4月15日，第一三共プレスリリース）

20) 日本でのMS治療薬の市場は大きくなく，2015年度売上高で100億円以上の製品はない。

21) 日本製薬工業協会DATA BOOK 2019をもとに編集・使用。

22) 本データは国内20社程度からの回答をもとにしたものであり，また「自社品」の定義に関しても各社の判断によるものなので，承認取得などの数値は国内の状況のすべてを反映できていないことに注意。

23) 国内におけるバイオ医薬品の開発に関しては，「バイオ医薬産業の課題と更なる発展に向けた提言」（日本製薬工業協会，医薬産業政策研究所作成）を参照されたい：
http://www.jpma.or.jp/opir/research/rs_071/article_071.html

24) 米国における新薬承認数は，FDA資料（CDER Molecular Entity（NME）Drug & Original BLA Calendar Year Approvals）をもとに編集・使用。

25) 米国における医薬品研究開発費はPharmaceutical Research and Manufacturers of America（PhRMA）の資料をもとに編集・使用。

26) (a)三嶋雄二：抗体医薬の効果と支える機序－シグナル伝達抑制から免疫チェックポイント阻害まで：別冊医学のあゆみ　がん抗体医薬の新展開－新規分子による創薬・治療から副作用対策まで, 5-12, 2019. (b)加藤幸成，金子美華：糖タンパク質を標的とした革新的がん特異的抗体の開発, 実験医学, 36巻, 11号, 2018, 1841-1848

27) 斉藤幹良：抗体医薬の現状と新たな潮流, 日薬理誌, **2016**, *147*, 168-174

28) ADC：抗体-薬物複合体，本書第Ⅲ部第1章-6., P.249参照.

29) 岡崎　拓，岡崎一美：免疫寛容を標的とした抗体医薬によるがん免疫療法, 実験医学, 36巻, 11号, 2018, 1836-1840

30) 齋藤章治，中沢洋三：CAR-T療法の現状と今後の展望, 信州医誌, 66巻, 6号, 2018, 425-433

31) 井川智之：バイスペシフィック抗体の技術開発と医薬品の創製, 実験医学, 36巻, 11号, 2018, 1823-1829

32) 赤羽宏友：バイオ医薬品（抗体医薬品）の研究開発動向調査―適応疾患と標的分子の広がり―, JPMA NEWSLETTER No.172, 2016年

33) SARS-CoV-2はsevere acute respiratory syndrome coronavirus 2（重症急性呼吸器症候群 コロナウイルス2型），COVID-19はcoronavirus disease 2019（新型コロナウイルス感染症（2019年））の略称

34) *C&E News*, Vol.100, Issue 3, pp16～18（Jan. 24, 2022）: https://cen.acs.org/pharmaceuticals/drug-discovery/How-Pfizer-scientists-transformed-an-old-drug-lead-into-a-COVID-19-antiviral/100/i3 をもとに作成した。

索引

英数字索引

1,3-双極子付加環化反応	110
1,4-ベンゾジアゼピン系中枢神経系抑制薬	126
5-FU系抗がん薬	119
ACE阻害薬	123, 141
ADC	249
ADCC	272
ADP	147
ATP	147
BINAP	178
bioorthogonal reaction	105
CAR-T療法	273
CDC	272
COVID-19	276
COVID-19ワクチン	276
CYP3A4阻害	164
C型肝炎治療薬	76
DDS	46, 206, 250
DNA	245
DNA架橋抗がん薬	119
DPP-4阻害薬	234, 236
D-アミノ酸	42
GABA受容体	201
GLP-1アナログ	235, 240
HIVインテグラーゼ阻害薬	128
HIVプロテアーゼ阻害薬	142
HMG-CoA還元酵素阻害薬	126, 156
Hückel則	11
L-アミノ酸	43
mRNAワクチン	276, 278, 279
native chemical ligation	106
NCL	106
NIHシフト	160
NK$_1$拮抗薬	132
PPI	117, 167
RNA	246
SARS-CoV-2	276
SGLT2阻害薬	229, 232
SNAC	244
Staudinger ligation	107
α-グルコシダーゼ阻害薬	231
α-トコフェロール	62
β-ラクタマーゼ阻害薬	196
β-ラクタム環	31
β-ラクタム系抗菌薬	118, 192

日本語索引

ア

アジド-アルキン環化反応	107
アジルサルタン	128
アスコルビン酸	63
アスピリン	118
アセタゾラミド	190
アセタール	47
アセチルコリンエステラーゼ	101
アダマンタン	208
アトルバスタチン	156
アニリン	7
アプレピタント	156
アポ酵素	144
アマドリ転位	27
アマンタジン塩酸塩	209
アミド	9, 28, 58
アミド結合	40, 43
アミノ基	16
アミノ酸	27, 40, 42
アミノ酸ポリマー	90
アミロース	94, 95
アミロペクチン	94, 95
アミン	5, 25, 30
アリールジアゼピン誘導体	202
アリスキレン	141
アルコール	14, 15, 30

アルデヒド	24, 29
アルドール反応	91
アルビグルチド	243
アレニウスの定義	3
アロステリック制御	140
アンギオテンシンⅡ	44
アンギオテンシン変換酵素	121
アンジオテンシンⅡ受容体拮抗薬	75
アンピシリン	164
アンモニア	6

イ

イープレックス	257
イオン結合	117, 121
イキサゾミブクエン酸エステル	225, 228
イスパラファント	202
異性化	34
遺伝子組換え法	245
イトラコナゾール	159
イプソ置換代謝反応	161
イミダゾール	13, 138
イミン	23, 26, 27, 85
イミン形成反応	26
イメグリミン	231
インクレチン関連薬	229, 234
インターナライゼーション	250

ウ

ウィッティヒ反応	72
ウイルスベクターワクチン	276

エ

エイズ治療薬	128
エキセナチド	242
エキセナチド持続性注射剤	242
液相合成法	244
エスタゾラム	199
エソメプラゾール	170
エチゾラム	199
エナンチオマー	35, 36, 171
エポジン	259
エミシズマブ	275
エリスロポエチン	257
エリスロマイシン	159

エリスロマイシンエチルコハク酸エステル	160
塩基性度	15, 17
エンシトレルビル	277, 278
エンチオマー	37

オ

オキシトシン	44
オキサセフェム	194
オキシム	83
オクタニトロキュバン	210
オクテット則	21
オフロキサシン	172
オメプラゾール	168
オレキシン受容体拮抗薬	202

カ

化学反応	19
核酸	246
核酸医薬品	245
核酸塩基	58
加水分解酵素	133
活性型ビタミンD_3製剤	154
カテナン	203
価電子	21
カナグリフロジン	233
カプトプリル	121, 141
カリケアミシン	251
カルボキシメチルセルロース	184
カルボニル化合物	24, 29
カルボニル基	23, 24, 28
カルボン酸	14, 18
カルボン酸誘導体	30
カルメロース	184
還元	59
還元型ユビキノン	62
還元剤	60
還元糖	60
含窒素芳香族複素環	11
カンデサルタン	125
カンデサルタンシレキセチル	126
含フッ素医薬品	153

キ

キサントトキシン	167

基質結合ポケット	140
基底状態	14
キナーゼ	148
キノロン系抗菌薬	132
キモトリプシン	135
逆電子要請型Diels-Alder反応	109
求核アシル置換反応	31
求核剤	20
求核付加反応	24
求電子剤	20
キュバン	210
鏡像異性体	35, 36, 37, 39, 42, 43, 171
協奏反応	71
共鳴	10
共鳴形	10
共役塩基	3
共役酸	4, 6, 7
共有結合	117
キラリティー	35, 39, 171, 177
キラルスイッチ	170
キラルスイッチ医薬品	171
筋弛緩薬	101

ク

クラスター効果	205
グリコシド結合	48
クリサボロール	225, 228
クリックケミストリー	107
グリニャール試薬	70
グリニャール反応	70
グリフロジン	233
グリプチン	236, 239
グルコース	94
グルタチオン	64
グルチド	236, 239, 242
クロスカルメロースナトリウム	185
クロルジアゼポキシド	199

ケ

ケトコナゾール	159
ケトプロフェン	87, 88
ケトン	24, 29
ゲムツズマブオゾガマイシン	250

コ

光学異性体	36, 37
光学活性体	131
抗酸化剤	59, 61
合成抗菌薬	188
光線過敏症	88
酵素	102, 133
酵素(DNAジャイレース)阻害	155
抗体	249
抗体依存性細胞障害	272
抗体医薬	271
抗体-薬物複合体	249
固相合成法	244
五炭糖	49
コミナティ	276
混成軌道	14, 17

サ

サリドマイド	35, 224
サルファ剤	188
酸化	59
酸解離定数	4
酸化剤	60
酸性度	15, 17, 152

シ

ジアステレオマー	36
シアノ化反応	90
軸不斉	176, 177
軸不斉構造	131
シクロデキストリン	99
ジケトピペラジン	90
脂質	40
システイン	106
ジスルフィド結合	44, 106
シッフ塩基	85
シトクロムP450	158
シメチジン	159
四面体中間体	136, 141
重水素化医薬品	219, 220
縮合剤	33, 34
触媒	90
触媒三残基	135
ジルチアゼム	203

ス

水素化反応	69
水素結合	54, 56, 57, 58, 117, 120
スガマデクスナトリウム	101
鈴木-宮浦カップリング	73
スタチン系コレステロール低下薬	126
スチルベン	80
スパイクバックス	276
スボレキサント	202
スルフェンアミド体	169

セ

生体触媒	133
生体直交型反応	105
生体内標的分子	117
正電荷	24
生物学的等価体	123, 124
生物活性	117
セツキシマブ	250
接触水素化反応	68
セナチド	236, 242
セフメノキシム	132, 133
セマグルチド	236, 243, 244
セラセフェート	185
セリンプロテアーゼ	135, 235
セルロース誘導体	182
セルロース	94, 96
セレコキシブ	191
旋光性	36

ソ

増感剤	85
ゾコーバ	277, 278
疎水性相互作用	117, 122
ゾピクロン	201
ゾルピデム	201

タ

ダサブビル	191
脱水縮合	40
脱水縮合剤	32
脱水縮合法	33
脱離	22
タバボロール	224, 228

ダ

ダブラフェニブ	191
タフルプロスト	154
タムスロシン	191
タンパク質	40

チ

チアゾリジン系	230
置換	22
チルゼパチド	237

テ

低分子医薬品	39
ディールス・アルダー反応	71
デオキシリボヌクレオチド	246
デキサメタゾン	277
デクスランソプラゾール	170
テクフィグラ	264, 265
テトラベナジン	222
デューテトラベナジン	222
デュラグルチド	243
テリフルノミド	268
転位	22
電荷リレー系	135
電気陰性度	54, 55, 152
デンプン	94

ト

同位体	219
糖化学	47
糖化反応	26
糖化反応最終産物	26, 27
糖吸収抑制作用	231
糖質	47
等電点	41
ドネペジル	176
ドミノ反応	92
トラスツズマブ	250
トラスツズマブ エムタンシン	250, 251, 252
ドラッグデリバリーシステム	206
トランスペプチダーゼ	195
トリアゾラム	199
トリプシン	134
ドルテグラビル	128
トルブタミド	191, 209

索引

ナ
ナイロン	83

ニ
ニコランジル	211
ニューキノロン系抗菌薬	155
尿糖排泄作用	232
ニルマトレルビル	277, 279, 280

ヌ
ヌシネルセンナトリウム	246

ノ
野依触媒	178
ノボリン	257
ノルフロキサシン	155

ハ
ハーボニー	257, 261
バイオアイソスター	123, 124
バイスタンダー効果	253
バイスペシフィック抗体	274
配糖体	48, 49
パキロビッド	277, 279, 280
バソプレッシン	44
バリシチニブ	277, 278
パントプラゾール	168

ヒ
ピオグリタゾン	176
光接触皮膚炎	87
光ニトロソ化反応	83
非共有電子対	5, 6, 9, 13
ビグアナイド系	231
ヒスタミンH_2受容体拮抗薬	125
ビタミンB_6	27
ビタミンC	63
ビタミンD_3	81
ビタミンE	62
ヒト免疫不全ウイルス	128
ヒドロキシ基	14, 16
ヒドロキシプロピルセルロース	183
ビフェニル化合物	178
ヒプロメロースフタル酸エステル	185

ヒ（続き）
非ベンゾジアゼピン系催眠薬	201
ヒュミラ	257
ピリジン	12
ピロール	12

フ
ファーマコフォア	123
ファモチジン	159, 191
ファンデルワールス相互作用	117, 121
フィッシャー投影式	43
フィンゴリモド	268
フェノール	14, 17, 62
フェロジピン	163
付加	22
不斉	36
不斉アルドール反応	92
不斉共役付加反応	90
不斉シアノ化	90
不斉シアノ化反応	91
不斉炭素	42
フッ素医薬品	153
フッ素スキャン	157
フッ素置換	152
負電荷	24
フラノクマリン誘導体	164
フラボノイド誘導体	164
フルタラニン	221
フルドロコルチゾン	153
ブレンステッド・ローリーの定義	3
ブレンツキシマブ ベドシン	250, 252
プロスタグランジン系医薬品	154
プロテアーゼ	134, 139
プロテアーゼ阻害薬	139, 141
プロドラッグ	167
プロトンスポンジ	8
プロトンポンプインヒビター	117, 168

ヘ
ベックマン転位	22
ペニシリン	31, 193
ペネム	193
ベバシズマブ	250
ペプチダーゼ	134, 139, 240
ペプチド	40, 43

287

ペプチドグリカン	195
ペプチド結合	40, 43, 45, 134
ペプチド転換酵素	195
ペプチドミメティクス化	124
ヘミアセタール	21, 24, 47, 51, 53
ペリ環状反応	71
ベンズブロマロン	161
変旋光	48, 50
ベンゾジアゼピン	198
ベンゾピコナコール	87
ベンゾフェノン	87

ホ

補因子	144
芳香族アミン	7, 8
包接複合体	100
ホウ素化合物	225
補酵素	144
補体依存性細胞障害	272
ボノプラザン	157, 191
ポビドン	186
ホモ会合体	275
ホモキラル	43
ポリエチレングリコール	186, 204
ポリビニルピロリドン	186
ポリプロピレンオキシド	204
ポリロタキサン	205
ボルテゾミブ	225, 226
ホロ酵素	144

マ

マイケル付加反応	267
マヴィレット	260
膜透過性	129
マクロゴール	186

ミ

ミダゾラム	199
ミミック効果	152

メ

メイタンシノイド	251
メイタンシン	251
メイラード反応	26

メトホルミン	231
メマンチン塩酸塩	209
メラトニン受容体作動薬	202
免疫チェックポイント阻害薬	272

モ

モダリティ	271
モノアミン	211
モノアミンオキシダーゼ	211
モルヌピラビル	277, 278

ヤ

薬物代謝酵素	157

ユ

誘導適合	140
ユビキノール	62

ヨ

溶解性	129
溶解速度	129
溶解度	129

ラ

ラジカル反応	20
ラセミ化	33, 34
ラセミ体	131
ラセミックスイッチ	171
ラニチジン	159
ラベプラゾール	168
ラメルテオン	202
ラルテグラビル	128
ランソプラゾール	168

リ

リガンド-タンパク質	122
リキシセナチド	242
リシン	106
リツキサン	257
立体異性体	36
リトナビル	277, 278
利尿薬	190
リュープロレリン	46
リラグルチド	242

リリカ	259, 264
リンカー	250
リン酸化酵素	148

ル

ルイスの定義	3
ルール・オブ・ファイブ	129

レ

レナンピシリン	164
レニン阻害薬	141, 143
レブラミド	257, 259, 262
レボフロキサシン	131, 172
レミケード	259
レムデシビル	277, 278
レンボレキサント	202

ロ

六炭糖	49
ロクロニウム	101
ロサルタン	127
ロスバスタチン	191
ロタキサン	204
ロドプシン	28

著者略歴

高橋 秀依（たかはし ひでよ）

東京理科大学薬学部薬学科教授

1989年東京大学薬学部卒業，1994年東京大学大学院薬学系研究科博士課程修了，博士（薬学），1994年4月 帝京大学薬学部助手。講師，助教授を経て2006年4月同教授。2018年4月より東京理科大学薬学部薬学科教授，現在に至る。

夏苅 英昭（なつがり ひであき）

新潟薬科大学・客員教授，東京大学薬学部・研究員，薬学博士

1967年東京大学薬学部卒業，1969年同大学院・修士課程修了，武田薬品工業株式会社入社，1997年 同社・創薬研究所所長，2001年東京大学大学院薬学系研究科・創薬理論科学教室へ赴任（客員教授）。2006年帝京大学薬学部・教授，2006年－現在　新潟薬科大学・客員教授，2018年－現在　東京大学薬学部・研究員。1982-1983年 米国ペンシルベニア州立大学・化学科（Prof. S. M. Weinreb）留学。

読者アンケートのご案内

本書に関するご意見・ご感想をお聞かせください。
アンケートにご回答いただいた方の中から抽選で毎月30名様に
「図書カード1,000円分」をプレゼントいたします。

左記QRコードもしくは下記URLから
アンケートページにアクセスしてご回答ください
https://form.jiho.jp/questionnaire/55108.html
アンケート受付期間：2025年2月28日23:59まで

※プレゼントの当選発表は賞品の発送をもって代えさせていただきます。
※プレゼントのお届け先は日本国内に限らせていただきます。
※プレゼントは予告なく中止または内容が変更となる場合がございます。
※本アンケートはパソコン・スマートフォン等からのご回答となります。
　まれに機種によってはご回答いただけない場合がございます。
※インターネット接続料及び通信料はご愛読者様のご負担となります。

くすりに携わるなら知っておきたい！

医薬品の化学　第2版

定価　本体4,000円（税別）

2019年12月25日　初版発行
2023年 3 月30日　第 2 版発行

著　者　　高橋　秀依（たかはし ひでよ）　夏苅　英昭（なつがり ひであき）

発行人　　武田　信

発行所　　株式会社　じほう
　　　　　101-8421　東京都千代田区神田猿楽町1-5-15（猿楽町SSビル）
　　　　　振替　00190-0-900481
　　　　　＜大阪支局＞
　　　　　541-0044　大阪市中央区伏見町2-1-1（三井住友銀行高麗橋ビル）
　　　　　お問い合わせ　　https://www.jiho.co.jp/contact/

©2023　　　　　　　　　　　　　　　　　　　　　組版・印刷　　（株）技秀堂
Printed in Japan

本書の複写にかかる複製，上映，譲渡，公衆送信（送信可能化を含む）の各権利は
株式会社じほうが管理の委託を受けています。

[JCOPY]　＜出版者著作権管理機構 委託出版物＞
本書の無断複製は著作権法上での例外を除き禁じられています。
複製される場合は，そのつど事前に，出版者著作権管理機構（電話 03-5244-5088，
FAX 03-5244-5089，e-mail：info@jcopy.or.jp）の許諾を得てください。

万一落丁，乱丁の場合は，お取替えいたします。
ISBN 978-4-8407-5510-8